復刻版

文學建設

第10巻

第5巻第5号～第5巻第9号
（昭和18年5月～11月）

不二出版

復刻にあたって

一、復刻にあたっては、左記所蔵の原本を使用しました。記して感謝申し上げます。
三上聡太氏

一、復刻にあたっては、墨一色で印刷しました。なお、表紙は各巻の巻頭にカラー口絵として収録しました。

一、原本の破損や汚れ、印刷不良により、判読できない箇所があります。

一、原本において、人権の点からみて不適切な語句・表現・論がある場合でも、歴史史料の復刻という性質上、そのまま収録しました。

(著作権につきましては、調査いたしておりますが、不明な点も多くございます。お気づきの方がいらっしゃいましたら、小社までご連絡下さい)

(不二出版)

〈第10巻　収録内容〉

第五巻第五号　一九四三年（昭和十八年）五月一日　発行

第五巻第六号　一九四三年（昭和十八年）六月一日　発行

第五巻第七号　一九四三年（昭和十八年）八月一日　発行

第五巻第八号　一九四三年（昭和十八年）十一月一日　発行

第五巻第九号　一九四三年（昭和十八年）十一月一日　発行

復刻版収録一覧

復刻版巻数	原本巻号数	発行年月日
第1巻	第1巻第1号	1939（昭和14）年1月1日
	第1巻第3号	1939（昭和14）年2月1日
	第1巻第3号	1939（昭和14）年3月1日
	第1巻第4号	1939（昭和14）年4月1日
	第1巻第5号	1939（昭和14）年5月1日
	第1巻第6号	1939（昭和14）年6月1日
第2巻	第1巻第7号	1939（昭和14）年7月1日
	第1巻第8号	1939（昭和14）年8月1日
	第1巻第9号	1939（昭和14）年9月1日
	第1巻第10号	1939（昭和14）年10月1日
	第1巻第11号	1939（昭和14）年11月1日
	第1巻第12号	1939（昭和14）年12月1日
第3巻	第2巻第1号	1940（昭和15）年1月1日
	第2巻第3号	1940（昭和15）年2月1日
	第2巻第3号	1940（昭和15）年3月1日
	第2巻第4号	1940（昭和15）年4月1日
	第2巻第5号	1940（昭和15）年5月1日
	第2巻第6号	1940（昭和15）年6月1日
第4巻	第2巻第7号	1940（昭和15）年7月1日
	第2巻第8号	1940（昭和15）年8月1日
	第2巻第9号	1940（昭和15）年9月1日
	第2巻第10号	1940（昭和15）年10月1日
	第2巻第11号	1940（昭和15）年11月1日
	第2巻第12号	1940（昭和15）年12月1日
第5巻	第3巻第1号	1941（昭和16）年1月1日
	第3巻第3号	1941（昭和16）年2月1日
	第3巻第3号	1941（昭和16）年3月1日
	第3巻第4号	1941（昭和16）年4月1日
	第3巻第5号	1941（昭和16）年5月1日
	第3巻第6号	1941（昭和16）年6月1日
第6巻	第3巻第7号	1941（昭和16）年8月1日
	第3巻第8号	1941（昭和16）年9月1日
	第3巻第9号	1941（昭和16）年10月1日
	第3巻第10号	1941（昭和16）年11月1日
	第3巻第11号	1941（昭和16）年12月1日
第7巻	第4巻第1号	1942（昭和17）年1月1日
	第4巻第3号	1942（昭和17）年2月1日
	第4巻第3号	1942（昭和17）年3月1日
	第4巻第4号	1942（昭和17）年4月1日
	第4巻第5号	1942（昭和17）年5月1日
	第4巻第6号	1942（昭和17）年6月1日
第8巻	第4巻第7号	1942（昭和17）年7月1日
	第4巻第8号	1942（昭和17）年8月1日
	第4巻第9号	1942（昭和17）年9月1日
	第4巻第10号	1942（昭和17）年10月1日
	第4巻第11号	1942（昭和17）年11月1日
	第4巻第12号	1942（昭和17）年12月1日
第9巻	第5巻第1号	1943（昭和18）年1月1日
	第5巻第3号	1943（昭和18）年2月1日
	第5巻第3号	1943（昭和18）年3月1日
	第5巻第4号	1943（昭和18）年4月1日
第10巻	第5巻第5号	1943（昭和18）年5月1日
	第5巻第6号	1943（昭和18）年6月1日
	第5巻第7号	1943（昭和18）年8月1日
	第5巻第8号	1943（昭和18）年11月1日
	第5巻第9号	1943（昭和18）年11月1日

第5巻第7号

第5巻第5号

第5巻第8号

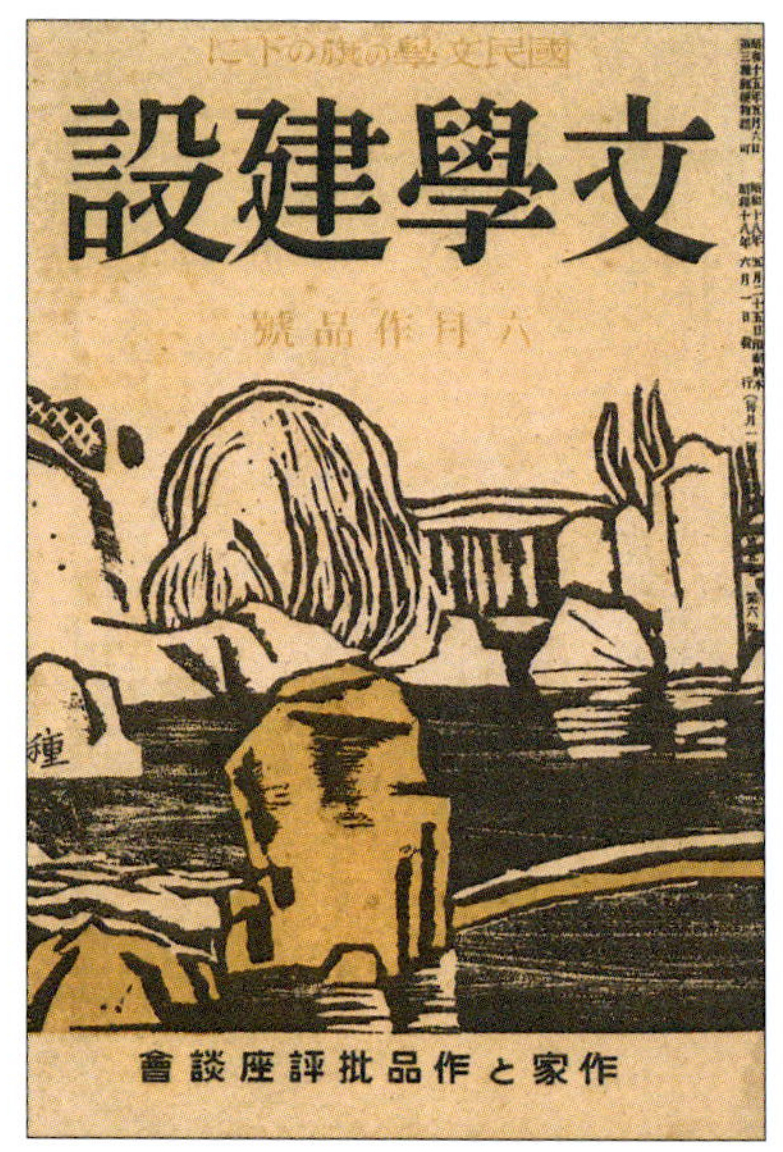

第5巻第6号

昭和十五年五月六日 第三種郵便物認可　昭和十八年十月二十五日印刷納本　昭和十八年十一月一日發行　第五卷第九號

文學建設

文學建設

産業戰士に對する娯樂讀物供給の必要が叫ばれると、早速それに便乘して、低級愚劣な頽廢大衆文學が復活しようとする。

出版指導者、あるひは産業戰士の讀書指導者は、ここのところをよほど愼重に考へてもらはなければならぬ。

産業戰士にも國民にも娯樂は與へられなければならぬ。しかし、小說文學を、圍碁や將棋と混同して、單なる娯樂物視することはいけない。

×

娯樂は、娯樂を目的とする以外に目的を持たないものだし、持てば娯樂では無くなる。文學は、娯樂を目的とすべきものではなく、從つて娯樂物として扱ふべきものではない。新たな國民文學の樹立を目ざしてゐる作家達は、文武兩道の文を擔當するだけの氣概をもつて創作に從事してゐるのである。

×

今、産業戰士に、眞の文學を與へることを考へないで、娯樂本位の小說を與へる、換言すれば娯樂本位の低級文學に特別保護を與へるといふことは、作家を、邪道に導く恐れがないとは云へぬ。

×

人生に於て、娯樂性だけが面白いと思ふのは大きな誤りである。娯樂性を伴はなくても面白いことはいくらでもある筈だ。就中、眞の文學の面白さは娯樂性ではないのである。娯樂性によつて面白く讀まれるのは非文學であつて、そのやうなものは人生にプラスしようとする文學の目的に反するものである。

×

健全な娯樂性などの言葉をもつて文學を論じてはいけない。娯樂が健全であることは結構だが國民の精神生活に積極的に働きかけるやうな文學の精神は、娯樂性などの埒内で扱はれるべきではない。

×

作家にとつて、小說文學を面白くする方法は、ただその思索の深さと、文學本來の興味性による外はないのである。作家に低級な娯樂を要求する者があれば、それは日本の文學文化を愛する者ではない。

第5巻第9号

國民文學の旗の下に

文學建設

五月作品號

特輯・外國人の日本觀

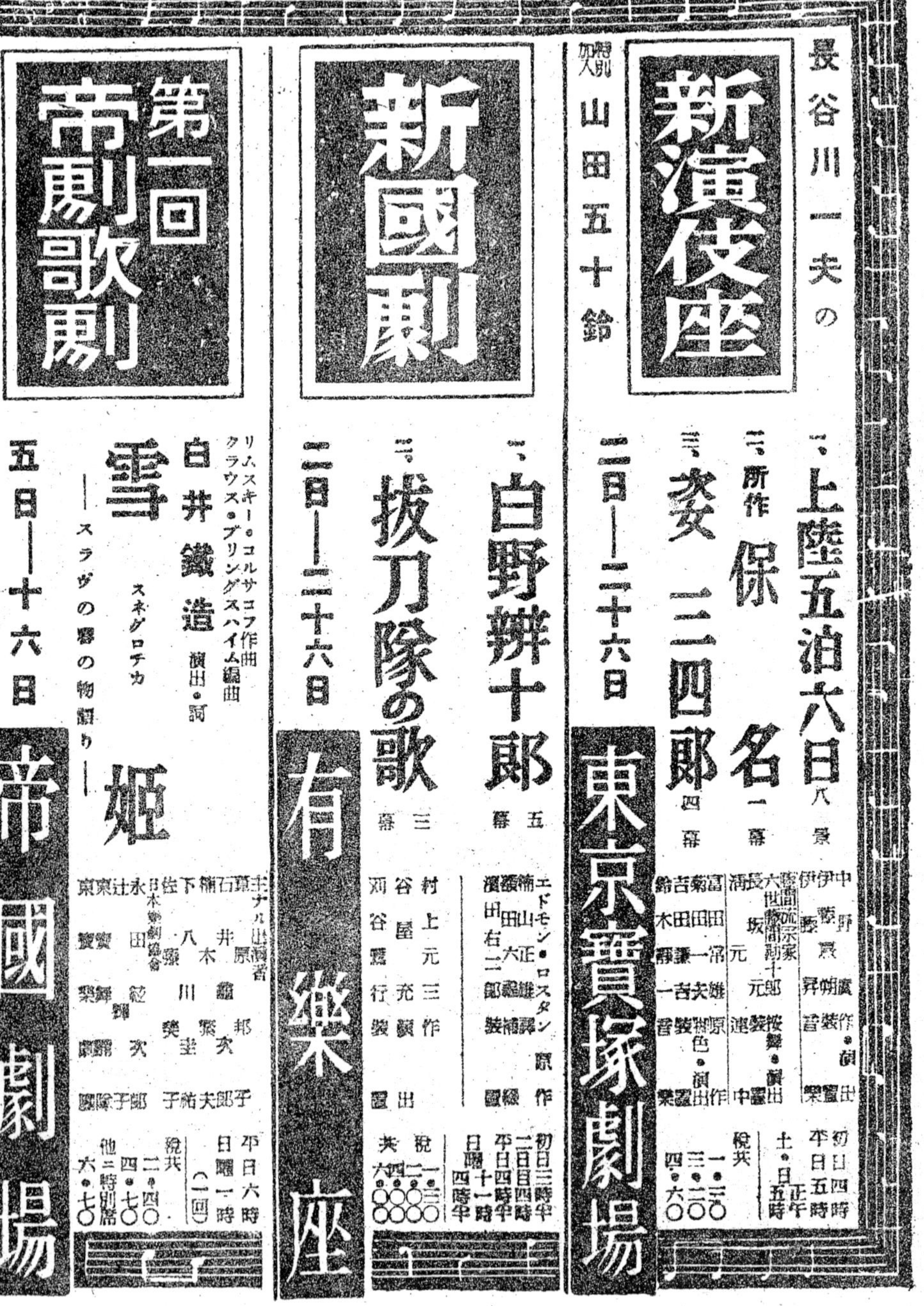
長谷川一夫の
新演伎座
特別加入 山田五十鈴
一、上陸五泊六日 八景
二、所作 保名 一幕
三、姿三四郎 四幕
二日—二十六日
初日四時 平日五時 土・日正午 五時
東京寶塚劇場
新國劇
一、白野辨十郎 五幕
エドモン・ロスタン 原作
二、拔刀隊の歌 三幕
村上元三 作
二日—二十六日
初日三時半 二日目四時 平日四時半 日曜十一時 四時半
税共 一・三〇 二・〇〇 四・〇〇 六・〇〇
有樂座
第一回 帝劇歌劇
五日—十六日
雪姫
—スラヴの春の物語り—
スネグロチカ
白井鐵造 演出・詞
リムスキー・コルサコフ作曲
クラウス・プリングスハイム編曲
平日六時 日曜一時（二回）
税共 二・四〇 四・七〇 六・七〇 他ニ特別席
帝國劇場

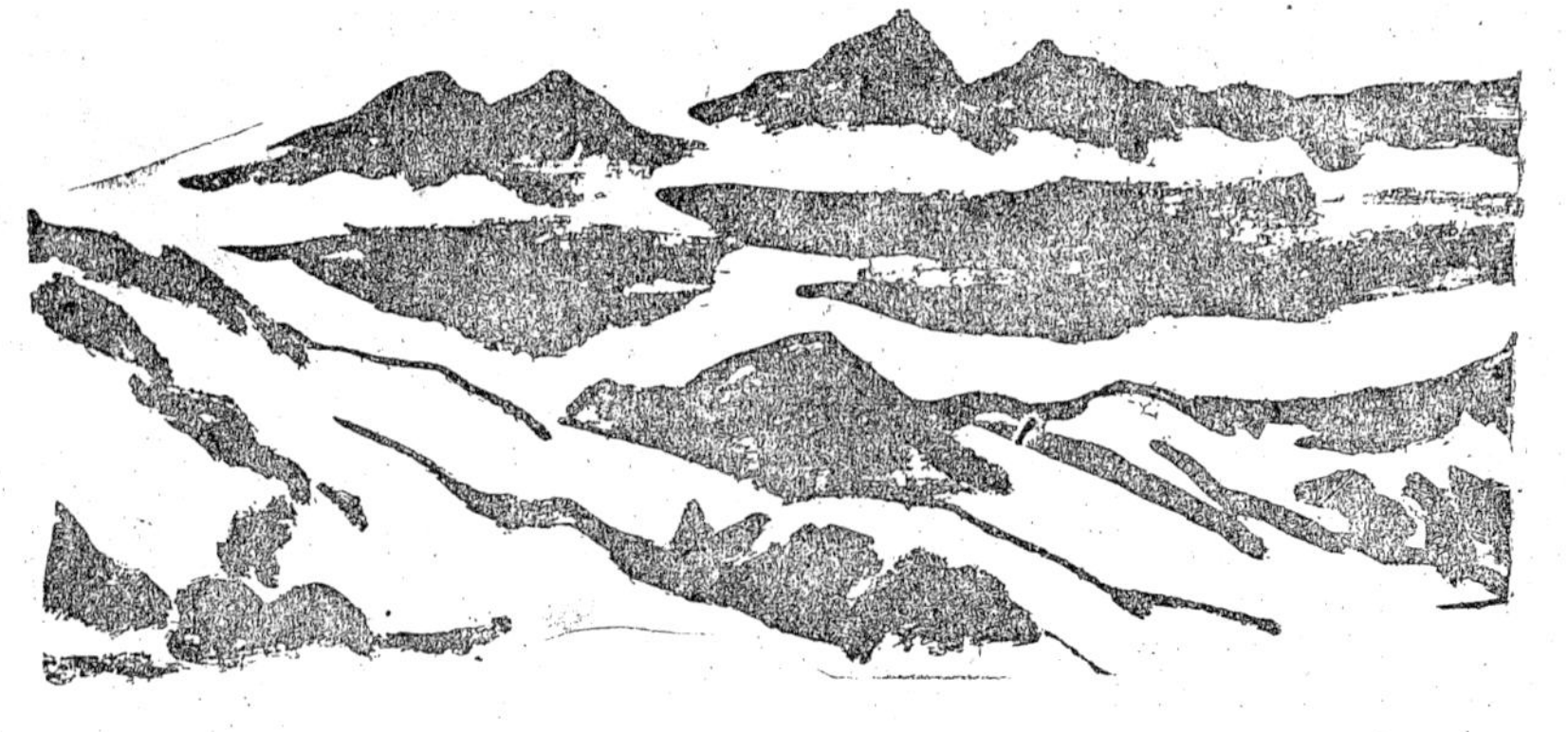

文學建設 五月號 目次

文學建設

第五巻第五號

文學の精神は、決して《神がゝり》の無計劃的なものであつてはならない。

純一無二のその目標が、かならず知性的に把握されるのでなければならぬ。

文學者の精神は、無意識的思惟に委任するのを恥ぢねばならぬ。

《靈感》は神秘的のものではあるが、無條件の情熱は知性の敗北を意味する。

靈感神秘の根元を衝け！

（戸伏太兵）

白衣の歸還（五）

岩崎　榮

魘

1

前線から藤井兵隊が歸つて來て、自分から志願して、當番兵になつてくれた。

藤井久平君は一等兵である。彼は自分のことを、劣等兵と稱してゐる。

「は、自分は藤井劣等兵であります」

さういふ調子である。藤井君は、バンコツク以來の懇意である。われ〳〵が前年の暮に佛印から泰國に入り、バンコツクの隊に着いたのは、十二月二十六日の午前三時頃で宿舍の庭は咫尺を辯ぜぬ暗さだつた。

その咫尺の闇で、妙なアクセントの言葉をつかつてゐる兵隊があつた。

「なにゆうどうせういふてから、こげえな時間で、ぼつこう暗うて、どねえにも、こねえにも、さつぱり、おへりやアせんがな」

そんなふうな、たいへんな訛りの日本語をあたり憚らず氾濫させてゐた。

自分はその訛りを、なつかしい音樂に引き寄せられる如く手探りに接近し、懷中電燈をさしつけ、

「いま、妙なことを言つたのは君か」

と訊いた。ライトの光芒に浮き出してゐる顏は、いたづらさうな表情の、茹でた馬鈴薯みたいな形容だつた。

「あんたガ誰れですかな」

茹でたジヤガイモが崩れるやうに笑つた。

「やはり君みたいな言葉遣ひをするくにの人種だよ」

と答へると、

「あゝ、さうかな、そんなら、こつちイこられえ」

その兵隊は自分を水浴場へつれて行き、すつかり脂汗を洗ひ流してくれ、それから、よく冷えた、ザボンを持つて來てくれた。五臟六腑にしみわたるといふ形容詞があるけれど、そのときのザボンの有難さといふものは、感覺にも、感情にも、回想にも、永久のシミとして、到底消え去り難きものとなつてゐる。

彼は、そのときから、自分の志願當番兵であつた。

そして、その頃から、私は藤井劣等兵でありますと挨拶してゐた。

なぜ、劣等兵と自ら名乘るのかと訊けば、

「せえぢやア云ふたて、正味が劣等兵なんぢやから仕方もねえですがな。第一、兵隊になつて、まる五年、北支、南支と轉戰し、はてにやアこげえな、南の方までやつて來て、せえでまだ、一等兵ちゆうことがありますか、たいてえなアホウでも、みな上等兵か、兵長になつとるです。ちよつと氣の利いたやつア伍長や軍曹にでもなつとらア。現に、わしと同鄉で小學校が同級で、おないどしの山岡といふ男なんかア、もうちやんと曹長になつとる」

と、いつでも、誰れにでも、きつとおなじやうな答辯をする。

「君が出世しないやうな、何か理由があるんだらう」

と訊けば

「それアあるですとも、わしアよウ喧嘩アするからな。昇進前の頃になると、きつと喧嘩アするです。氣に喰はんやつを、ちよつと撫でたりする。さういふ廻り合せになるんぢやからしかたがねえです。實以て困つたもンですよ」

と、他人のことのやうに云ふ。この藤井兵隊が、再び自分の當番兵を買つて出てくれたのである。奇緣ともいふべきだ

らう。ほんとを云へば自分は、病氣の床へ、弟が歸つて來てくれでもしたやうな感情に、つい眼がしらを熱くした。

藤井兵隊は、コツク場へ降りて行き、粥を煮てくれる。日本流のおかづを拵へて來てくれる。印度人のコツクどもは、藤井兵隊がお粥を炊いてゐるのを見て、

「あゝ、ガンヂイライス」

と云つたさうだ。唐澤兵長が、あらん限りの語學を搔ツ浚(さら)へて交渉しても、絶對に通じなかつた粥は、彼らでは、ガンヂイライスとして承知してゐたのだ。ハンガー・ストライキの宗家、彼らの活き神様「ガンヂイ」が常食とする飯、即ち「ガンヂイライス」なのであつた。

部屋ボーイのパルデスが、

「マスタアは、ガンヂイライスが好きなのか、それなら早くさう云へば、いくらでも炊いてあげますのであつたが」

と云つて、それからは、彼が專ら、粥の方は受け持つてくれた。しかし、粥はやはり、藤井兵隊の煮てくれる方が味がよかつた。パルデスのは何となく嗅く、不味かつた。不潔で手も食器も洗はないからだらう。それに米の汁液を流し捨てたやうな、粕ツぽいお粥なので、病人の胃には、どうも受けつけなかつた。

藤井兵隊は、わしに任しときんさい。あんたの病氣は、わしがなほしてあげる。と引きうけてくれた。藤井のいふところでは、自分の病氣は、スンバクだから、物をうんと食へば退治出來るといふことだつた。

スンバクといふのは、どんな病氣かと訊いたら、

「スンバクちゆうたら、あんたの病氣ぢやがな、アホウぢやなア、あんたは」

と叱りつけるやうに云ふので、すなほに、スンバクを以て任じてゐたが、堀軍醫が診に來てくれたとき、そつと右の事情を訴へ、スンバクとは何ですかと訊ねてみたが、

「知らんですなア、この藪醫者は」

といふ返事だつた。

「しかし、あんたは非常に神經質になつとるですよ。よろしい、このくらひな病氣は、僕がすぐなほしてあげます。もう一週間」

と、引きうけてくれた。

藤井兵隊と云ひ、堀軍醫と云ひ、引きうけてくれるものが、二人も出來たので、非常に氣がらくになつた。二人に任せて

置けばいゝのだ。とは云ふものゝ、夜中に、ザツクン、ザツクンと骨を刻むやうに痛みだしたときは、二人に任せてあつても、ちつとも、らくではなかつた。すべては自分一人の責任で、呻吟し轉々反側せざるを得なかつた。

2

昨晩はどうでしたと、人に訊かれると、

「どうも、猛烈に痛んで、夜つぴて、まんじりともしませんでした」

と眉をひそめて答へるのだが、それでも、ほんとは、すこしくらひづつは、うとうととまどろむらしい。その證據には夢をみて魘されることがよくある。

苦しい夢である。醒めてなほ、心臓が烈しく鼓動し、痩せ衰へた全身が、汗で湯を浴びたやうになつてゐるほどの魘夢である。

敵の大將でもあり、また盜棒でもあるやうな曲者が、いくら斬つても、突き刺しても、血みどろになりながら縋りつき喰ひついてくるのだ。腕を切り落しても、胸を突き貫いても、依然として、執拗に絡んでくる。唸り、叫び、喚き、悶え、足搔き……烈しい呼吸と、しとゞの汗の間に眼が醒めるのだ。不愉快で、人にも云へず、默つてゐるのだが、夢は因果な刑罰のやうに每晩襲つてくる。

ところが、向ふのベツドでも、高光畫伯が呻つてゐるやうな夜がありだした。

「おとろし夢みて、なアむ、だつちやあかんがいね」

よく〳〵怕かつたと見え、おくに言葉全露出で、顔の色を變へてゐるときもある。

「變だね、僕もいま魘されて眼がさめたところなんだ。汗びつしよりだよ」

「この家、なんぞ祟つとるんやないかいね、方角が悪いんやろか。なんせ暗い森蔭で、この一棟がよけい陰氣くさいがいね」

或る夜更け、午前二時頃だつたらうか、隣室から、島田通譯子が、もそりと入つて來て高光畫伯を搖り起こした。

「あ、判りました！」

高光畫伯は眠呆けた返辭をしてゐたが、漸く眼を醒ました。

「島田君か、どうしたんや今頃、びつくりしたぜ、また幽靈が出たんかと思ふたがや」

「出るか、こゝも」

島田君は蒼白いやうな聲で囁く。その聲にまた恟ッとした高光畫伯が

「君の方も出たんか」

と、聲の調子を外づしてしまふ。

「とにかく、僕アこゝへ引越してくる。とても、あんな陰氣な部屋に獨りぢやアたまらんよ」

島田君は深夜に、引つ越しを始める。高光畫伯は大いに歡迎してそれを手傳ひ、とりあへず、寢臺と毛布を運び、蚊帳を吊つて、三人枕を並べた。

「さア！ もうかうなれア怖れンぞ。幽靈でも化け者でも出て來いッ」

島田君が天井を睨んで大きな聲を出す。

「これ、そんな阿呆な事ォ云ふと、ほんまに出て來るがいね」

高光畫伯は眞面目に叱る。

「島田君とこのは、どんなふうに出るの」

と訊いてみる。

「それがねえ、岩崎さん、ちやんと名乘つて、ビルマ人が出てくるんですよ」

「へえ！ あざやかなんだね、いやに」

「それア、もう、出る者の身元が判つとるですから」

高光畫伯が、ごそ〳〵とこちらの蚊帳へ這ひ込んで來た。

「岩崎さん、こゝで、かうやつてあんたの脚揉ませて貰ふわ。併し、島田君！ えゝかげんに創作ばなしはやめとけよ」

高光畫伯は、怨めしさうな眼つきで、蚊帳越しに島田君の方を睨みつける。

「創作なもンか。ちやんと、ボーイ頭のやつから聞いたんだ。あのボーイ頭のトウビイのやつが二十歳のときだつたといふんだ。あいつはその頃から、この家に勤めてゐたんだね。この家は御承知だらうけど、イギリスのスチール・ブラザースといふ會社の獨身社員のアパートメントだつたんだ。このてうど隣りの、僕がゐた部屋に、ヒユーズといふ男がゐたんだ。いまから十三年前のことなんだ。ヒユーズの洋服や、カフスボタンが紛失してね、そのカフスボタンは、戀中の女からの贈り物なんだ。毛唐は戀びとからの贈りものは母親のものよりも大切にするからね。それで、カフスボタンは、ボーイのキトウといふビルマ人が盜んだのだと目星をつけたわけだ。

午後の七時頃、外から歸つたヒユーズは、ビルマ人ボーイのその、キトウをそこの部屋へ呼び込んでひどい拷問にかけ

たんだね。キトウの若い女房は、赤ン坊を抱いて、はら〳〵しながら、この窓の外へ來て、三十間も高い部屋を見上げて居たんだ。部屋の中からは、キトウの悲鳴と、鞭うつ音が聞こえてくる。自分の夫が不當の虐待をうけてゐる物音を聞いても、使用人の家族は、マスターたちの部屋へ入つて行くことは嚴禁されとる。そんなことは毛唐は實に傲慢で冷酷だから、ビルマ人なぞ、同じ人間とは思つてゐないんだよ。

女房の圍りには、同じやうな召使ひの男女が十四五人も寄り添つて、心配げな顏をふり仰いで窓の方ばかり凝視してゐたんだ。

三十分くらひたつと、また、悶え苦しむキトウの叫び聲がもれて來た。キトウの女房は、身も世もあらぬふうに、暗い土の上で泣き狂ひ、夫を助けてくれと喚くのだ。

八時半頃にまた鋭い、ひきつけるやうなキトウの絶叫が聞こえて來た。

あゝうちのキトウが、マスタアに毆り殺される――と女房は泣き叫び、地めんをのたうち廻るんだ。印度人の巡査が來て、窓の下にゐたビルマ人どもを追つ拂ふけれど、女房はすぐにまた、そつと戻つて來ては泣いてゐる。夜が更けた。と云つても、十時頃だつたといふんだ。突然、窓から、どさりと落ちて來たんだ。人間なんだ。キトウの屍體なんだよ。あツ、お前さん！ と、女房が抱き付いたけれども、キトウはもう、ちやんと殺されてしまつてるんだ。冷たくなつとるんだよ。むろん、女房はヒューズを訴へて出たんだが、しかし、イギリスの植民地における法律は、ちやんと、ヒューズを無罪にし、キトウは竊盜罪さ。女房はヒューズに、夫の給料を請求したが、一文も拂つてくれなかつた。泥棒に月給は出せないといふんだ。ましてその女房に給料を拂ふ義務はないと云つてね。

おぼえて居れ、人間に怨みがあるといふことを！ さう云つて女房は、この家を去つて行つたんだが、その翌朝みるとあそこのビクトリア・レーキに、その女は夫の屍體と赤ン坊とを自分の軀に括りつけて溺死してゐたといふんだ」

しばらくみんな默つてゐた。枕頭の蠟燭の灯が、めらり、めらりと搖れ、窓の外のマンゴーの巨木の梢で、だしぬけに、トツケーが鋭い聲をたてゝ啼いた。

高光畫伯の兩眼は泪ぐみ、なんだか感冒を引いたやうな顏つきをしてゐた。（つゞく）

夢の通ひ路

戸伏太兵

不思議な樹木

當時は、ひとびとの思考が、今ほど甚しく「科學的」ではなかつたけれど、それでも、經驗が、この世の中は複雜で仲々了解しにくいものであるといふことを、充分に教へてゐた。

殊に佛教の渡來以來、この宗教は人間精神の構成にも大影響をもたらして、靈魂に關する新知識が、いくつかの新しい理念を築き上げ、これらの知識によつて加工された觀念的な物の見方が、人間精神の解釋に、何等かの形態を以て臨むといふ、形而上の便法を與へてゐたが、それにも拘はらず――人間精神には、なほ解きほぐすことの出來ない、秘密がひそんでゐるのである。

儒學博士石上（イソノカミ）ノ宿（スクネ）ノ益人（マスヒト）の雜掌として、永いあひだその手もとに使はれて來た田邊（タナベ）ノ八束（ヤツカ）は、すこしは主人の口眞似の出來るほどに、學問上のことについて聽きかぢつてはゐたものゝ、草や木に關する知識はほとんど持たなかつた。そして――若しも、草木についての田邊ノ八束の知識が、もう少し廣かつたなら、これから語らうとする物語は、もつと〳〵精彩を放つものとなつたかも知れない。といふのは、この物語は、一本の「不思議な樹木」を媒材として、人間の魂の交通に關する實例を、示してゐるからである。

×

田邊の八束は、少辨ノ岡麿とは實にたび〳〵顏を合せてゐる。ふたりは、こゝろを許し合ふ親友の間柄であつたから、たがひに頻繁に往き來するのに不思議はないのだが、それにしても、その「不思議な樹木」について岡麿が話をしたのは、じつさい、その日が初めてのことであつた。

『――あゝ、その不思議な木の下で、最初にあれと出會うたのは、あれが七ツ、私が十四の時であつたよ……』

と言ふのである。

あれといふのは、日置ノ倉人ノ娘子――今は遠く丹波の國へ去つて別居してゐるが、三年前までは、この岡麿の愛する妻であつた。

田邊ノ八束は、唐突な相手のことばに驚いたが、話の內容は、なほのこと彼を驚かせた。――日置ノ倉人ノ娘子は、元來が都に遠い丹波の生まれで、ツイ七八年まへに、父の倉人と共に上京するまでは、一度も都の土を踏んだことがない筈である。そして當の少辨ノ岡麿自身もまた、少くとも、帝都のある大和の國から外へ踏み出たことは數へるほどしか無く、ことに山里離れた丹波とやらの遠國は、まつたく見知らぬ筈なのであつた。

『あなたが十四――あの方が七ツ？　どうして一體、そのころに出會うたことがあるなどと言はれるのですか？』

と八束は驚いて訊ねた。

『ある！　私は、やツと、このごろになつて、ふたりが最初に出會うた場所を、思ひ出せるやうな氣がする――。私は、毎日、その場所、その不思議な樹木を、探して歩いてゐるのだ……』

岡麿は、うつとりと、あくがれるやうな視線を、遠くのはうへ投げた。

――春日山がかぎろひの中に煙つて、興福寺の塔の上には、鳶の輪舞してゐるのが見えた。

田邊ノ八束は、ジツと眼をつむつて……七ツの娘子の容姿を想像して見た。

それは必ずしも、たやすいことではない。八束の知つてゐる娘子の面影は、岡麿の妻であつた數年間のことに限られてゐる。あの有名な美貌――上京直後に、橘ノ奈良麿の宴に招かれて以來、若い人たちの評判に上つた彼女の美しさは、少辨ノ岡麿の妻となつてからも、少しも衰へはしなかつた。

あの、二ツ髻に結ひ上げたみづみづしい黒髪。形のいゝ眉の下にある、黒耀石のやうな澄んだ瞳。長い睫毛のために、いつも濡れてゐるやうに見えるその眼。あゝその眼は、七ツの少女にとつては、すこし大きすぎるかも知れない……。彼女の顔の表情は、どことなく峻嚴で、孤獨を愛する巖頭の植物と云つた感じを持つてゐた。そして、ほとんど自分からは微笑を作らうとしないのだが、それでも身體の内部から、皮膚を透して來る明るさのやうなほのぼのとしたものが感じられた。然し、纐纈染めの領布や、紅色ぼかしの褶や、こまかく襞をとつた白い、長い下裳や……さういつた着附けを想像で取り去ることは出來ても、七ツの少女――その少女の姿は、ハツキリと、八束の腦裡に浮かび上つては來ないのである。

『あゝ、私は、今もその木の立ち姿を、よくおぼえてゐる……。そして、あれは……七ツのあれの小さな身體は、不思議な美しい色の花を澤山もつた、その大きな木の下で、黃金色の圓光の滲み出るやうな、變にぼやけた輪廓を持つてゐた……』

少辨ノ岡麿は、長い息をフウと吐いた。

音ひとつ立てずに、その少女は立つてゐる――そのことだけは田邊ノ八束にも、想像することが出來る。日置ノ倉人ノ娘子は、じつさい物靜かで、人ざはりが優美で、いつも憂はしげに打ち沈んで見える、極く内氣な性質を持つてゐたのである。まつたく、さう言へば、八束は彼女の絹のやうな柔らかな細い聲音を、今でも自分の耳の底に思ひうかべることが出來る。

『……私は、その木が、誰れの庭にあつたのか、今にわからぬ。あゝ、それがわかつたら……』

岡麿は、悲しげに下唇を嚙んだ。

錯覺の世界

――岡麿が、その庭にやつて來たのは、まつたくの偶然だつたに違ひない。

庭の垣根は、開けツぱなしになつてゐた。いろいろな百千草のあひだを縫うてゆく細い踏み付け道が、自然と向ふの大きな樹の下までつゞいてゐる。

その大木は、はじめは、全體がまツしろな花のやうで、岡鷹にはまぶしくてよく見えなかつた。それは、その日の午後の太陽が、ひどく明るい光線を放射してゐたからに違ひない――と、彼は主張する。

晩春のことで、いろいろな鳥が啼いてゐた。然し、それらの鳥の姿を、見たやうな記憶は殘つてゐなかつた。

花の香りが、はげしかつた。でも、何の花が匂つてゐたのか、それもわからない。

そして、たゞ、岡鷹の眼の前には、突然に、ひとりの少女が立つてゐた！

全くのところ、彼は、この庭へはいらうなどとは、毛頭考へてはゐなかつたし、一瞬の前までは、この庭のことを全く知らず、それが誰れの家の庭なのかといふことも、いや、だいたい此處にこんな庭があるといふことさへ、知つてはゐなかつた。そして、本當に、ホンの突嗟の瞬間に、思ひもかけぬ庭や、不思議な木や、女の兒が、かう云つた白晝のまぼろしを、彼の前にサツと繰りひろげたのだ！

――これが、この物語の、もつとも不思議な部分である。

田邊ノ八束は、知識人としては、一かどの理窟もこねる男であるが、然し彼の知性は、この種の問題について、特別の解決を期待することは出來なかつた。

（思ふに、これは、人間の錯覺に起因するのであらう！）

と、八束は考へる。

だが――或る意味では、われらの外界を取りまく還境そのものが錯覺の織り合はせに過ぎないのではないだらうか？

何となれば、われらが知覺する香氣や、色彩や、味は、すくなくとも知覺するがまゝに、そこに存在してゐるのではないのだのに、われらの感覺は、それが恰もそこにそのまゝ存在してゐるかのやうに、享受する……。そして、錯覺の世界では、人間は「第二の存在」をさへ、信じようとするではないか。靈魂とはおよそ斯くの如きものであつた。

『私は、その時、十四になつてゐた。そして、あれは七ツ……』

岡鷹は、口のうちで繰り返した。

彼は、その女の兒を見て、ハツとして立ちどまつたのだ。

『何と言つていゝのか……どうすれば いゝのか……私は、モジ／＼してゐた。あれは、私よりも、もつと驚いたやうに

好惡のこと

淺野武男

飼猫の話なぞは、今時いかにもおつとりしてゐて隱居めくが、話の順序である。

家に四年ほど前からゐる三毛の雌猫は、躾が良いのか、生來が門外不出と云つてよいくらゐ外へ出たことがない。

余儀ない交尾期には、疾風の如くさつと外へ飛び出したかと思ふと、お婿さんを連れて四、五分のうちに歸還して來る。

この連れて來るお婿さんといふのは、人間の眼から觀ると、街の無賴漢と云つた風體の憎々しい野良に屬する泥まみれの雄猫で、而もこれが、いつの交尾期にも同じ奴にきまつてゐる。

猫のかうした貞操の堅い習性は、觀てゐて非常に好感が持てるのだが、たゞ近所でも綺麗な猫だと評判をとつてゐる雌猫なのだから、もう少し何とか綺麗でないまでも清潔な奴を選んでくればよささうなものをといつも顏を顰めなければならないのである。

それほどお婿さんは、不潔で憎々しい。

だが人間の眼の好惡觀とは違ふものと見え、雌猫は超然として無賴漢のやうなお婿さんを連れてくる。

猫族の世界ばかりでなく、人間同志でも何となく虫が好く、好かないと云つた微妙で複雑な好惡はある。

これと云ふ明瞭な理由もなく、たゞ漠然とあの男の持つ心持が、

見えた。然し、まるまツちい右手の、小さな人差指を口の端に差し込んだまゝで、マジ〳〵と不思議さうに、私のはうを見つめてゐた……』

少辨ノ岡鷹が、その不思議な木の下で、はじめて彼女に出會つたのは、まさに斯うした場面であつた、といふのである。

梢のふたり

『遊ばない？』

最初に聲をかけたのは、女の兒のはうであつた。

彼女は、くはへた人差指を、まだその口から拔かうとはしなかつた。指から傳はつた涎汁が、ベトベトと掌のはうへ流れて來て、どうした具合か、日光のなかでキラキラ光つた。

──それは、まつたく、かわいゝ透きとほるやうな美しい掌で、流れる涎汁さへ決して汚らしい感じを持つてゐなかつた。

日光は少し暑いぐらゐで、何の花か、その不思議な木にたわわに咲いた花が、ポトリ〳〵と、吸ひ込まれるやうに、足もとの軟かい赤土に落ちて來る。

『あゝ、遊ばう』

あの人間の態度が、話振りが、もつと漠然としてくると、彼奴の鼻がつんと高いのが目障りだとか、顎の長いのが虫が好かないとか、歩き方が速すぎるとか云ふに至つては、好惡も愈々末梢的になつてくる。

この人間の好惡は、喰べ物の好き嫌ひと同じやうに吾が儘から出てくるもので極めて退嬰的な個人主義神經の齎す感情である。

この吾が儘な神經を増長させ合ひ、互に輕蔑し合ひ、反目し合ひ、下らなく人間同志が息を彈ませて睨み合つてゐた時代もあつたやうに思はれる。

互に輕蔑し合つて生きて行くのが、人間の姿だと云ふやうな、紅毛の作家の言葉を、うがつた一家言としてゐた時代もあつたやうに思はれる。

私の子供の頃からの友で、仲のいゝくせに一種癡類の觀念とも云へる、その吾が儘同志の輕蔑のし合ひで、仕事こそ違ふが、互に長年、睨み合つて來た男がゐる。

この友とは、そんな譯で滅多に會つたこともなかつたのだつたが、近頃はどつちからともなく、暗默の裡に互のつまらない好惡を棄てゝしまつたものか頻繁に仲良く往き來するやうになつた。

大いなる聖戰の只中にあつて、さうしたケチ臭い量見は、いい加減にしよう、そんな向きも私と友との間のことばかりでなく、他にもあるやうに思はれる。だがその友と私とは、會つてもいまだに、「以前の輕蔑し合ひは止めよう」と打ち合せたことはない。

友の鼻は、相變らずつんと高いし、私の顎は今も變らず長い。

と、少年は言つた。

『——でも、あんたは幾ツさ？』

『七ツよ』

少年が相手の年を知つたのは、この時である。

『私は十四』

『ぢやア——恰度いゝわ』

女の兒は、——事もなげに言つて、それから、人差指を口から拔いた。

少年は、すこし差しかつた。

『あんたの名前、何アに？』

『岡麿てんだ、あんたは？』

『——』

何か言つたが、その名前は、今となつては思ひ出せない。然し、おそらく、日置ノ娘子（ヘキノイラツメ）と言つたに違ひないと、岡麿は固くさう信じてゐる。

——これが、この物語の、もつとも驚くべき部分である。じつさい、この明確を缺いた岡麿の固執が、遂に人間の運命に、大きな悲劇をもたらせることになつたのだから。

『馳けツこしませうか？』

と、女の兒が言つた。

『いや――』

『なぜ？』

『私が勝つもの』

『さう！』

女の兒は、不平さうに、口を尖らせた。

その、自尊心の高い態度が、少年を一時ムツとさせた。

女の兒は、少年のことばを輕く聞き流して、ジロ〱と不服さうに相手を見つめてゐたが、急に、パツと、赤い下裳が空に躍つた！

『あツ！』

少年の驚いてゐるひまに、思はぬ素ばしこさで、女の兒は、うしろの大木を攀ぢ登つた。

『あたしを、つかまへて御覽！』

花のかげから、女の兒が叫んだ。

『つかまへようと思へば、つかまへられるさ！』

少年は、躍起になつて、その木に登る。

葉かげを通して、女の兒の赤い衣裳が見えてゐた。

少年は、その木の一番高い梢で、遂に女の兒をつかまへた。

『おほ、ほゝほゝ。あんた、ほんとに怒つたの？』

と、女の兒は笑つた。

少年は、女の兒をしいかと抱いて、梢の上に坐つてゐた。相手が笑つたので、今まで怒つてゐたのが羞しくなつた。

その木は大變高かつたので、遙か五條の唐招提寺の向ふに、生駒の嶺呂が、うねうねと走つてゐるのが見えた。

少年は、女の兒の大きな瞳で、見つめられるのが遣る瀬なかつた。

『この木は、何といふ木？』

『不思議の木――。あたしの木なの』

『變な名だなア。本當の名は何さ？』

『本當の名は――』

その木の名は、今は思ひ出せない。

…………

×

岡麿は、その直後に熱病を患つたので、その「不思議な木」について、こまかい點を思ひ出すことが出來ない。

たゞ一度、この冒險について、その木や、庭や、女の兒のことを、それとなく母刀自に訊ねて見たことがあつた。

母親は、熱病のために夢を見たのだらうと言つた。岡麿は、それは決して夢ではないと信じてゐる。

然し、彼はその庭や、木や、女の兒を、二度と見かけなかつた。當てもなく探して見たが、梢から生駒の見える高い木は多くとも、あの時の木に似た木もなければ、あの指をくはへた女の兒にも出會はなかつた。

然し——『遊ばない？』と言つたその女の兒の、物靜かな最初の一言は、その後も時々岡麿の胸になつかしい谺を呼び起した。

…………。

そして、十何年も經つて後に、たまたま橘ノ奈良麿の宴の席上で、少辨ノ岡麿は、その彼女にめぐり會つたのである。

彼女は日置ノ倉人ノ娘子といつた。

岡麿は、たゞの一目で、すぐに彼女だと覺つた。

彼は二十六歳になつてゐる。

して見ると、彼女は十九になつてゐる筈であつた。

（次號完結）

∴

∴

∴

∴

轉業

金子不位

いのち捨ててきほひ戰ふ時にして容易く生くる道あるべしや

父祖ゆ傳へし業も捨つべくはいさぎよく捨てむ何の不安ぞも

會ひ難き御世に生まれて自らの力の弱さ嘆かふわれは

わがいのち傾き初めし寂しさや落葉ふみゆけば小鳥啼きゐる

寂しさやかかる寂しさもつことも私事と胸に秘むべき

[特輯] 外國人の日本觀

ケンプェルの鎖國論

中澤巠夫

箱根の關所趾から、芦の湖畔の杉並木道を箱根町の方へ少し來ると、路傍に、可成大きな碑石がある。其處は箱根舊道、甘酒茶屋に行く道の分岐點である。

其の碑文は、西暦千七百二十七年（中御門天皇享保十二年）四月二十七日倫敦に於て出版せられたる「ケンピア」氏著日本歴史の序文に曰く、「本書は隆盛にして强大なる帝國の歴史なり。本書は勇敢にして不屈なる國氏の記錄なり、其人民は謙讓勤勉敦厚にして其據れる地は最も天惠に富めり。新舊兩街道の會合する此の地點に立つ人よ。此光榮ある祖國をば更に美しく尊くして卿等の子孫に傳へられよ　箱根にて、大正十一年十月吉日於扇港無外居士書」とある。

文學博士紀平正美氏の研究によれば、この碑の建設者は、シー・ヱム・バーニーといふ一英國人である由だ。（紀元二千六百年一卷二號）

ケンピアは Kampfer で、元祿時代に、長崎出島の和蘭商館にゐた外科醫のケンプェルである。ケンプェル日本誌は、(HISTOIRE DU JAPON) は、原本獨逸文で、英譯本と佛譯本とがあり、バーニー氏はおそらく、英譯本を讀んだのであらう。本書は早くからその一部が邦譯されてゐた。坪井信良の「撿夫爾日本誌」備藤利夫「長崎より江戸まで」高橋景保の「蕃賊排擯詳説」志筑忠雄の「日本鎖國論」などで島田壯介の「日本古代商業史」中にもその一部が譯出されてゐることが醫學博士呉秀三氏の研究で明かにされてゐる。駿南社から出版された異國叢書には、ケンプェル「江戸參府記行」として上下二册になり、呉秀三氏の努力で、ケンプェル日本誌中、第一回及第二回江戸參府記行、長崎記事、日本外國貿易史、鎖國論、日本人の本源に就いてが飜譯されてある。

こゝに引例するケンプェルの鎖國論は、この異國叢書に據るのである。

志筑忠雄、歐人撿夫爾「鎖國論」は、要譯であるが、享保元年八月に著はされたもので、英譯本出版に先立つ十二年前である。今日は日本文庫第五編に納められてゐる。又、日本國粹全書第二十四編の「異人恐怖論」も、志筑の著に黑澤翁滿が「刻異人恐怖續論」の一文を加へて改題出版したものである。

ケンプェルが、日本に滯在してゐた時代は德川幕府の基礎成り、我が學藝風俗等が特殊な光彩を放つてゐた元祿時代であつた。彼は和蘭商館長に隨從して、江戸に參覲すること二回であるから、相當長期間日本に滯在してゐたのだ。その見聞によつて到達した結論は「日本怖るべし」といふことである。

鎖國論（日本國に於て自國人の出國、外國人の入國を禁じ、又此の國の世界諸國との交通を禁止するには極めて當然なる理由あるの立證）に於て、彼は、日本の鎖國は、民族的經濟的獨立國であるから、敢て他國との交通交易によることを必要としないのだといつてゐる。

彼は、國民が小さき世界に居住し、國家を形成して、人間社會を相互に分け隔つるは、天地自然を創建し、その精錬を提唱する造物主を輕蔑するものであるといふ論者に對し、此の地球は、一民族の居住のために設けられたものである。若し天然自然が、すべての地域に、有力必需の諸物件を與へ、人間の欲望を滿足させておれば、民族は、其疆域内に滿足し、他國を侵す心の生ずべき筈はない。日本は、この惠まれた條件の中にある國家である。「國家若し日本人の例に倣はゞ如何にも幸福なる組織法度の頂上に達すべし。」日本は仁惠な造物主から必需品を他の國々よりも豐富に與へられ、住民が多年勤勉に働いたので、事功業務は完全に發達し、國の位置其他の形勢から他國との交通を鎖すことを許されてゐる國である。その國民が勇敢で、充分この外國交通を拒否する力あるならば、已れより需むる物もなき外國人どもの奸惡、貪婪、詐僞、干戈よりこの疆域を堅保するのは當然である。と辯ずるのである。

之が立證として、日本の地勢環境が第一に擧げられた。住民は、國の廣さを超越する多數であり、然も日本人は膽略智勇あつて、歐洲に於ける名將勇士に肩をならべる智將勇士は數限りなく出てゐる。極く近い例として一處士である濱田彌兵備でなら、小人數で、和蘭の司令官を捕虜としたではないか。外來の敵に向つて日本人の戰鬪的勇氣は、又實に强烈である。もつともこの國に外國から攻め寄せた例は、尠く、僅か、桓武天皇の延暦十八年に韃靼勢が、突然無防備の地に上陸したとき、之を十五年もかゝつて遂に追ひ拂つたのと、後宇多天皇のとき元軍が攻め寄せたのと二回だけだが、この二回に於て發揮された日本人の功業は、常に國民的懷古となつてゐる。「日本人は往古より今日に至るまで、靜謐と安寧とに慣れたれば、人々の心は緩怠に又懶惰なるべきに關らず、世々相導きて、戰爭に於て智略に富み活動的にして秩序を守り、命令を遵守するに缺かさず、又常に其祖先の大功盛業を甚く追欽し、之を懷ふて感奮し、其のために常に膽氣あり又甚勇敢である。學校に於ては、死を畏れぬ勇氣を養ふことを注ぎこまれる。日本人は命令の前には斷じて之を行はんとするので、又强健で、勞作に堪へ、生活は淸淨にして風趣あり」日本人には哲學の研究なからむと誹るものがあらうが、さにあらず、道德學の如き大いに尊ばれてゐる。然し學問は低いといはざるを得ないが、それを以て他の野蕃國と同視するのは誤りである。歐羅巴を除き地球上如何なる國民が嘗つて能くこの神聖なる境地に歩を進めたるものがあらうか。日本人がキリスト教を信じないといふのも、この明智の國民にとつて、祖先以來の宗教を捨て、耳新らしき信憑すべからざる教法に歸依し、又磔にかけられたる人であるキリストを奉ずるのは堪へ難いことであつたからだ。日本にては、「道義の實施、神佛の尊奉、醇潔なる生活、精神の修養に心を用ひ、罪業を懺悔し、永劫の福祉を祈念する等に於て、その勵精なることは耶蘇教徒に於けるより盛なり、豈又教を異國に受くることを待たん」といつてゐるのである。

ケンプェルは、我が國體と幕府政治について次の如き見解を有してゐた。

神武天皇が海内を統一されて以來、天皇の子孫が、日本の無上の支配者であり、天皇御自身も、國民に崇拜され、人間界を超越した神聖であり、權威であると崇められてゐたのである。このやうな事は、國民の無慾であつた上代では國民福祉の基となつたが、國民の私慾が盛んになるにつれて、却つて、國運の發展と背反することとなつた。これは、日本の最高の神である天照大神より出で給ふた天皇は神として極めて穩厚寛裕におはし、人間事物を支配するに一視同仁にあらせられて、この爲溫和なる施政になれた國内の貴族は次第に權威を增加し、やがて皇室から委ねられた所領に飽き足らず、より大なる光輝ある幸福を希み、國内の動亂をかもすに至るのである。神に近い御身を以て、世事民事を統御あらせられることは、尊き御位に較べれば、卑俗の業であるから之を俗世間の人の手に委ね給ふこととなり將軍を置かれた。爾來、幾多の曲折はあつたが、太閤秀吉に至つて海内の諸侯を摺伏せしめ、國内を統一し、國民統治の任に當る國君となり、それが家康につがれ、徳川家が、現に國君として國内の政治を行つてゐると考へ、皇室を教界の皇帝、將軍を俗世間の皇帝と解した。この考へは、誤りであることは勿論であるが、この誤解は、長く幕末にいたるまで外國人の日本觀の基本をなしてゐた。

この誤解はケンプェルの認識不足の罪に歸すべきではない。ケンプェルが滯在してゐた頃、ケンプェルに説明した所の日本人が皇室と幕府との關係をかゝる誤解を生ぜしめるやうに説明をしたのであらう。ケンプェルが親炙した人とは、すべて幕府の役人ばかりであつたからである。

だから、ケンプェルは、我が國民性の根幹にある所のものが、最後的に皇室にあることは、見極め得なかつた。非常に限られた窓からのみ、日本人を觀察してゐたケンプェルとしては無理もない所であつた。然しこのやうに僅かに、見聞した所だけから、日本怖るべしと感じさせたものはなんであるか。實に日本國民の儼として搖ぎなき國家擁護の意志である。國家と共に生き、國家の爲に死す所の堅固不抜な國家觀に裏づけられたその行動が、ケンプェルをして驚嘆せしめた所なのである。死を潔しとする心情、祖先をはづかしめぬといふ信念、それ等は、單にそれが德行として守られてゐるのではない。傳統の血となつてゐるのであり、その心情、信念はすべて國家と結付いてゐる所に、怖るべき力となつてゐることをケンプェルは感じたのである。

彼が最も日本を羨望した所のものは、我國體の永遠性であつた。彼は、之を物資豐かであり、その民族居住に適合する疆域であり、之の地域が地理的に優れてゐるからだとしか解し得なかつた。この當時の海は、航海者にとつて、正に大自然の脅威であつたから、四面海にめぐらされた日本が、單一國家としての永遠性の保持を、こゝに根據を求めたのも又やむを得ない所である。しかし、彼は歐洲諸國と比較して、その興亡常なきを思ひ「國家若し日本人の例に倣はゞ、如何にも幸福なる組織法度の頂上に到達すべし」と考へざるを得なかつたのである。

大正初頭我國を訪れた佛人ポール・リシャールは、次の如くに歌つた。

櫻の兒等よ、海原の兒等よ
花と焰との國、力と美との國の兒等よ
聽け涯しなき海の諸々の波が
日出づる諸子の島々を讃ふる榮譽の歌を

諸子の國に七つの榮譽あり
故にまた七つの大業あり

さらば聽け。其の七つの榮譽と七つの使命とを
獨り自由を失はざりし亞細亞の唯一の民よ
貴國こそ自由を亞細亞に與ふべきものなれ
曾つて他國に隸屬せざりし世界唯一の民よ
一切の世　隸屬の民のために起つは貴國の任なり
曾つて滅びざりし唯一の民よ
一切の人類の幸福の敵を亡すは貴國の使命なり
新らしき科學と舊き智慧と、歐羅巴の思想と亞細亞の思想とを自己の裏に統一せる唯一の民よ
此等二つの世界來るべき世の此等兩部を統合するは貴國の任なり
流血の跡なき宗教を有てる唯一の民よ
一切の神々を統一して更に神聖なる眞理を發揮するは貴國なるべし
建國以來一系の天皇、永遠に亘る一人の天皇を奉戴せる唯一の民よ
貴國は地上の萬國に向つて、人は皆一天の子にして、天を永遠の君主とする一個の帝國を建設すべきことを教へんがために生れたり
萬國に優りて統一ある民よ
貴國は來るべき一切の統一に貢献せん爲に生れ
また貴國は戰士なれば、人類の平和を促さん爲に生れたり
曙の兒等、海原の兒等よ
斯くの如きは花と焰の國なる貴國の七つの榮譽と七つの大業なり。　（大川周明譯）

これは大正六年五月に歌はれたのである。思ひ見よ。現在の日本の大使命を。

ケンプェルにして、もう少し日本の本質を究明し得たならば、おそらく、このリシャールの詩に近いものを感じたことであらう。この日本の本質は、時代のいかなるかを問はず嚴として存在するところであるからである。

ピエル・ロチについて

土屋光司

『日本を象徴するものは火山である』

かういつたのは、たしかピリニヤークだつたと思ふ。これは稍々觀念的ではあるが、現實のある一面は語つてゐるかも知れない。しかし、大體にいつて、從來のヨーロッパ人の日

本觀は二つに分けられるであらう。

その一は日本の古典にあこがれて、日本人を純新な、ロマンチックな人間とする見方である。富士山とか、日光とか、櫻とかに、無上の美を見出さうとする。小泉八雲や、『蝶々夫人』の作者などがこれである。

次ぎは、日本人をわけのわからない、そして幻滅的な人間とする見方――ドイツにも、アメリカにも、日本人を探偵とした探偵小説があつたやうだが、これもその見方に屬するものと見ることが出來よう。

『そこには、心の奥の知れない日本人の召使ひたちがゐた。彼等は――誰でも彼等を見つめてゐると、なにかしら體が震へてくるやうな感じをもつであらう――完全に訓練されてゐて、役目のため、仕事のためでない限りは、なにも見ず、聞かず、またしようともしない。』

これはメイ・エヂントンといふアメリカの作家の『灯影』といふ小說のなかの一節である。

これらの二つの見方に共通する所は、いづれも現實の日本を正面から見ようとせず、ある場合には、殊更にこれを嫌つてゐるかのやうな態度を見せてゐることである。かのパール・バツクが、支那を愛する餘り、日本人を故意に歪めて、快哉を叫んでゐるのもそれである。歐米人が、支那を見る場合には、その古典を知らず、現實だけを見て、ものをいふのに反して、日本については、古典だけにあこがれて、現實から逃避しようとしてゐるのは、甚だ皮肉な現象であらう。これについては、主として明治時代に、日本に來た歐米人の著作が、日本についての概念をつくつてゐることが考へられる。小泉八雲やジョン・パリスやピエル・ロチなどの作品は、今尙日本案內書として廣く讀まれてゐるやうである。現代日本の生きた姿を見ようとするよりも、能や浮世繪を觀賞しようといふ人が多いのも、もちろんそのためであらう。そこで、日本のことといふと、突飛な非常識きはまる質問をするのが普通とされてゐるらしい。

だから、夢の國、ロマンスの國日本が、現代科學の粹を集めた兵器を以て、英米二國を徹底的に破つたのが、いかに彼等の度膽を拔いたか、彼等がいかに周章狼狽をきはめたか、容易に想像出來るのである。今更慌てて日本の研究を始めたところで、どの程度まで正しい知識が得られるであらうか。

ところで、ピエル・ロチであるが、彼はフランスの海軍大佐として、明治十八年に來朝『お菊さん』(野上豐一郎氏譯)と『私の日本』(村上菊次郎、吉氷清兩氏譯)とを書き、明治三十三年から翌年にかけて、再び來朝、『お梅さんの三度目の春』を書いてゐる。

日本についてのロチの見方は、先きにあげた第二の見方に屬する。長崎で日本の娘と同棲し、この娘を通じて、日本の姿を見きはめようとしたが、結局その努力だけで、それに依つて得られたものはごく少かつたといはなければならない。彼は日本の娘は好きだが、男は黄色人種臭いなどと放言する位だし、泉岳寺へ參詣した節、四十七士の事蹟には子供の時から心を打たれてゐたといひながら、曾我兄弟かなんかの仇討と混同してゐる程度なので、あるひはそれが當然だつたのかも知れない。しかし、ひどく冷笑した近代日本に、一種の尊敬の念を抱いたことを告白してゐる。

　かういつたからとて、私はロチの見方のすべてを輕蔑してはゐない。のみならず、日本の自然觀察などはゆきとどいてゐるし、それでなくとも、たとへば日光の東照宮の建築について、

『青銅や、象牙や、それから金泥などを使ひながら、そのくせ、何か野暮な感じのするものを建築するこの國民は、よろしくわれわれ、西歐の單なる石材のあの記念建造物を採用するがいい。……同樣にゴチツク式の敎會を手がけるわれわれ西歐の彫刻家は、お粗末な材料で製作する彼らの幼稚で未熟な作品を、よろしく日本の建築物に模倣すべきである。』

(吉永氏譯)といひ、日本の觀覽人が叮嚀にお詣する光景を目擊して、

『かういふ保存狀態は、旣にそれだけで日本の傑出した一面を語るものである、さうしてそれはがさつな人間や亂暴者の雜沓するわが西歐では、たうてい不可能なものであらう……』(同)

といつてゐるなどは、明治十八年の觀察であることを差引かなくても、頗る示唆に富む言葉ではあるまいか。

　小泉八雲は、松江、熊本、神戶、東京といふ順に暮したが、移轉する度に日本人が好ましくなつたといふことである。日本の自然と結びついた日本人は美しいが、西歐科學に結びついた日本人には魅力がないといふ意味である。しかし、八雲は日本の精神はあくまでも前者にあることを信じて、死ぬまで日本を愛しつづけてゐた。

　ロチの場合は、それに似たところもあるが、通りすがりに見た儘を描いたので、そこに自ら相違が出てくるわけである。

　もう一つ例を擧げてみよう。これはエド──彼は決して東京と呼ばうとはしない──を見物した時の感想である。

『野外で働く人間と、都會で閉ぢ籠つた仕事をする人間との間に、日本ほどその容貌の差がはつきりとしてゐる國もあるまい。少くとも百姓たちは生氣と、小柄ではあるが立派な體格と、眞つ白な齒並と、生々とした眼とを持つてゐる。ところがエドのこの市民ときては商人にせよ支那インク(墨汁)で物を書く作家にせよ、また父子代々、わがフランスあたりなら人の賞讚してやまない忍苦をもつて、素晴らしい細工ものを生産するためにすつかり生色を失つてゐるあの職人たち

にせよ、何といふ慘めな體格をしてゐることだらう！』

しかし、先きにもちよつといつたが、ロチの見方が必ずしもかういふ態度に終始せず、混迷に陷つてゐるところが無數にあることは事實である。野上豐一郎氏が、『お菊さん』の卷末の『ピエル・ロチと日本』のなかで、『譯者は之に依り讀者に次ぎのことを感じて貰へば滿足である。卽ち、一人の正直な異國の文藝家が我々の間に入り込んで、いかに我々を理解しようと努めたか、といふことを。不幸にして彼はそのことに於いて十分に成功したとは思へないが、それでも尙ほ我々の最も信用すべき一箇の批評家であつたことをば失はない……』と述べて居られるのに盡きるであらう。

そこで、私のいひたいことは、必ずしもロチだけには限らないのだが、これらの日本を描いた作品から、Japanolatry（日本びいき）とJapanophobia（恐日病）といふ二つの單語が生れて、これが日本の進路を不當に妨害してきたといふことである。

また、これについては、我々自身のうちにも、多くの反省すべきものを持つてゐたことも事實である。

これが、ごく大づかみにしたヨーロッパ人の日本觀で、ピエル・ロチは、そのなかから一輪の花を故國に持歸つたといふわけである。その花は今まで人眼を惹いたやうには、人眼を惹かなくなるであらう。もちろん、押し花としてはべつであるが、いつまでも生きた花であつてはならない。これを生きた花にしておくのは、歐米人の怠慢であると同時に、この戰時下の日本人の氣力の不足といふことにもなるであらう。

八雲・解釋の一つの試み

岡戸武平

1

小泉八雲（ラフカデォ・ヘルン）が日本へ來たのは明治二十三年四月である。

時の日本の情勢は、その前年に憲法は發布され、その年の十一月には第一回帝國議會が召集され、法制に經濟に產業に文化に、漸く近代國家としての土臺が出來たときである。歐化時代の餘燼は未だ全く消え去つたわけではないが、日清戰爭をあと四年に控へて、國民は新らしい國家觀のもとに、逞しく起ち上つた時であつた。

思ふ一念岩をもとほす
軒のしづくを見やしやんせ
國民一致の力なら、條約改正何のその
鷲でも獅子でも鯨でも、すこしも恐るゝことはないヤツテケモツテケ改良せえ〱。

かういふ歌詞の「改良節」が流行した。そして一面復古日本が叫ばれ、自由主義的思想の排撃も行はれた。ちやうど大東亞戰爭直前の情勢に一味相通ずるものがある。

2

かうした嵐を含む日本に來て、八雲は何を感じ、どう日本を觀たか。この受取書とも見られる、彼の日本觀の最初の著書「知られぬ日本の面影」には、遺憾ながらこの新日本の現實の姿は描かれてゐない。もつぱら舊日本にのみその眼はそゝがれてゐる。それは彼が文學者である上に、生粹のロマンチストであることを考へ合すれば、むしろ當然といふべきであらう。彼はことさらに新日本の現實に眼をそむけたのではない。新日本以上に舊日本の美しさ、強さ、そしてその精神文明に眼を奪はれたのだ。それはかつての外來者が見落してゐたことで、この試みは彼によつて立派に成功し、はじめて日本の姿が世界に紹介された。この功績は沒すべからざるものがある。同書の序に次のやうに云つてゐる。

『しかし日本人の稀有なる魅力——一切諸他の國のとは非常に異つた——は、その歐化された範圍に見出さるべきではない。それはすべての國に於ける如く、日本に於て國民的美德を代表し、且つ今猶その樂しい舊習、爽かな服裝、佛像、家庭の神棚、美はしく、また哀れにも殊勝な祖先崇拜を固守する大民衆の間に見出さるべきである。これこそ外國の觀察者が、もし、それに深入りするほど幸運、且つ同情的であれば、決して倦むことの出來ぬ生活である——時としては、彼をしてその傲然得意になつてゐる西洋文明の進路は、果して精神的發達の方へ向つてゐるかを疑はしめる生活である。年經るにつれて、日毎にこの生活の中に、ある奇異な、思ひもよらぬ美が、彼に顯はされてくるであらう。いづこも同じこと、こゝにも暗黑面はある。それでも西洋生活の暗黑方面と較べれば、これは寧ろ光明である。この生活も弱點、愚劣、惡德、殘酷を有つてゐる。が、此生活に接すること多きに隨つて、ますますその異常なる善良、奇蹟的の忍耐、いつも渝らぬ慇懃、單純素朴の情、直覺的の慈愛に驚嘆させられる。」

3

彼は日本へ來て、すぐ出雲へ赴任した。そこでの生活は、過去四十一年の生涯でかつて經驗したことのない明るくて美しい幸福なものであつた。またその國は「世界のどこにもこのやうな美と愛とに滿ちた國はあるまい」と思はれる天國でもあつた。そこで彼は一年三ケ月をすごし、日本婦人と結婚し、熊本へ轉じた。こゝでもまだ赴任當時は、その美はしい國の姿を見失ふことはなかつた。

問題はその後の八雲にある。——彼は日本を觀る眼をいくたびも拭ひ、そして出雲で見た日本の美はしさは、幻影でしかなかつたらうかと疑ふまでに、何ものかに禍されて、かつての日本の良さを見失はふとした。

その彼にとつて「呪ふべき時代」は東京帝大のお傭教師になつてからで、こゝでは出雲では勿論、熊本にも、神戸にも見なかつた、激しい人生のだんまりを見たからである。いひかへると、ロマンチストの夢が現實のきびしさに破れ、それに耐へる力を持たなかつた故の、彼の呪咀に他ならない。このために彼の死後「ヘルンはその著書で日本を讃め、その書簡で日本を否定してゐる」との批評が現れた。事實、彼の晩年の書簡の中には、相當突つ込んだ日本に對する文明批評がなされてゐる。が、これを書いた當時の八雲の環境をよくよく考へながら讀んでみると、極めて感情の強いかうした文學者にはありがちなことで、このことを以つてして八雲が全靈的に日本を否定してゐると考へるのは大人氣ない。

八雲はやはり日本の良さを認め、日本の美しさを感じ、日本に愛されたいと空に祈つてゐた心には、何等變りはないと私は思つてゐる。

それと同時に、八雲が現實の日本に目覺め、改めて日本を觀ようとした心眼が、この機會にはじめて開かれたのではないかと考へる。

4

その證據に、彼の最後の著書となつた「神國日本」は、「知らぬ日本の面影」と比較してみると、子供と大人ほどの相違をもつてゐる。そしてその子供が成長して大人になつたものでなくして、別人の大人の眼をもつて日本を見ようとしてゐる。こゝではきれいごとの日本を禮讃するのではない。日本の思想、歴史、生活――即ち汎文明的批評をあくまで追究して、そこに日本の諸外國に見ない美しさを發見しようとしてゐる。さうしてなほかつ、その著書の題名に「日本・解釋の一つの試み」と、自説に對じて斷定することを避けた。謙遜でもあるが、事實、日本觀の容易でない事を知つたからであらう。惜しいことに八雲は日露戰爭のさ中に死んだ。彼がもう二十年生きてゐたならば、「解釋の一つの試み」でない定本「神國日本」を必ず書いたであらうし、嚴として動かざる日本の眞骨頂に觸れたであらうと想像する。

しかし、「日本・解釋の一つの試み」(神國日本)も、現在讀んでみて甚だ教へられることが多い。

正直に云ふと、私は八雲の日本觀はまたその過程にあつて、定説はないと思つてゐる。彼は事實日本を愛し、日本に歸化し、日本の美しさに死んだが、その日本を愛する心は彼がマルチニーク(西印度)を愛したと同じ心情ではなかつたらうか。だが、もう十年彼が生きてゐたら、その考へはがらりと違つただらう。その時こそ彼は世界中で、日本より他に骨を埋むる國はないと固く信じたであらう事を、私は確信する。

文學建設

各雜誌の頁數がいよいよ制限されてきたが、そのために短篇物ばかり羅列するのは面白くない現象である。新しい短篇小説の形式を求めることは大いに結構であり、これは現在必要なことでもあるが、同時に會心の力作を掲げることも大いに必要だ。方法はいくらでもあると思ふ。

☆

大日本出版會が發足した。その企劃審査が問題であると思ふが、これにはなによりも學界のそれぞれの部門、文報等を積極的に動員して、その意見を求め、かくて專門家から絶えず新血液の注入を心がける心要がある。從來とても、文協がこれを行つてゐたことは事實であるが、これが積極的ではなかつた憾みがあり、兎角の評のあつた原因の一つにもなつたと思ふ。

☆

大日本出版會が、出版指導を行ふに際し、政治的、名目的な地位を獲得しなければならない理由はない。寧ろ實質的な指導地位に立つて、出版文化の昂揚、助成につとめられんことを望む。名目にこだはることが、今までどんなに弊害を生んでゐるかについて、充分に考慮して頂きたい。

☆

この出版文化は、出版事業と混同したものであつてはならない。出版文化は、あらゆる文化の動脈であり、戰爭遂行といふ大使命達成の鍵でもある。出版文化の統制を誤るといふことはあらゆる文化を退歩させるといふことである。文化の貧困がなにを生むか、過去の歷史は明確にそれを敎へてゐる。國民の一人一人が戰士である、同時に文化の尖兵でもある。これが出版事業でないことは明らかである。

☆

文學者が單に娛樂のみを與へるといふことを、文學者の仕事とする考へ方は、捨ててもいいではないか。文學者の任務は、決して娛樂を與へることではない。我々はすべて文化指導者としての任務を果すべきである。我々の文學は、江戸時代の戲作ではなく、儒者の立場をも兼ねてゐる。作家の志を高める上に、娛樂と藝術とは絶對に分離すべきである。文學者がその志を捨てたら、文筆御奉公などは思ひもよらないことなのだ。

☆

文學を娛樂と考へる限り、文學者は藝人であり、職人である。藝人、職人をいやしめる考へばないが、文學者なる故に、といふ考へ方は通用しない筈である。名目は文學者であつて、事實は娛樂を目標にしてゐる人、またそれを不思議に思はない人が多くなつてきたやうだ。このはうが余程不思議である。

☆

『書くのは商賣ですから――』といふ意識は、もはや揚棄すべきである。ジャーナリズムの方は『書かせるのが商賣』かも知れない。然し書く方はあくまでも商賣であつてはならない筈である。文學者も人間だから食はねばならぬ――といつたのは昔である。志のためには儒者は淸貧をいさぎよしとした。貧しいかはりには放言を誇つてゐる。況や今は文學が絶對的に閑戲であつてはならない時代である。

　文學とは職業のものではなく志士の武器である。さういつた時代が再び來てゐる！　誠の志士は食ふ爲には叫びはしない。

☆

　近項、日本文學の進路はわかつてゐるではないかといふやうな言ひ方が流行する。彼等は、正しい文學理論確立のためには、なんらの努力もせず、なるべく相手の口をふさいで、自らの舊文學態度を押隱しておからといふのである。彼等の舊文學は、日本文化になにを貢獻したといふのか。また、將來なにを生まうといふのか。ここにも日本文化の敵がゐるのだ。

☆

　歷史文學がはやるが、これは喜んでいいことか、悲しむべきことなのか。ここから、眞に日本人の姿を描き出した立派な文學作品を期待することは出來る。が、なんのために、背景を歷史に求めたのかわからないやうなものも、次ぎ次ぎに生れてゐる。それらのうちには、歷史文學らしくしたために、却つて日本の歷史を誤まつてゐるものが少くない。自ら日本歷史を誤まつて、なんの歷史文學ぞやである。

☆

　ここ數年來、文藝批評が低調の一途を辿つてゐるのには、いろいろ原因があるだらうが、批評家に指導精神が欠けてゐることを第一に擧げなくてはなるまい。批評家は、今までの舊文學的敎養の一切を捨て、借着を脫ぎ去つて、眞の批評精神に眼ざめた本然の姿に返るべきである。これが出來るまでは、新しい批評の尺度は見つからない。從つて、批評はいよいよ貧困に向ふばかりである。

☆

　今は、新しい批評は、出現と同時に各方面から叩かれる時代である。それは主として叩く方の側に、まだ古い觀念が殘つてゐるからである。新しい批評家は、これと勇敢に戰ふだけでなく、これを指導してゆく精神を持つことが必要である。

☆

　從來の批評家には、臆病または獨斷に終始するものが多く、しかもこれが各方面に根を張りひろげてゐた。右顧左眄して、一定の尺度を持たないこと、一方的な見方を固守すること、これが漸く捨てられたことはいい。だが、新しい尺度を見つけられないのが、この時代の現象である。活潑にして正しい批評は、文化の推進力である。新しく、强く、正しき批評の出でることを心から希望する！

☆

　世の中萬事が政治機構と密接な步調を合してゐる。それは時勢の必要の然らしむるところである。然し、時勢に後れた人間が、つとめて步調を合せようとして、表面だけの擬態を裝ふ者の多いのは憤慨に堪へない。文壇には、特にそれが多いのではないか。『文壇政治家』とかいふ變な流行語もある。まじめな政治家は文壇にも必要な時代である——それは云ふまでもないことだが、文學者の使命を擬態的行動で欺瞞してはならない。われ〳〵の文學行動は生活にあるのでなく、志向にあるといふことを忘れてはならない。低きよりは高きものを、弱きよりは强きものを目的とせよ。利便の方策に即するよりは、嶮岨の道をひらかねばならない。

ドストエーフスキイの個性

東野村章

「カラマゾフの兄弟」――「悪靈」――「白痴」――「罪と罰」――「虐げられし人々」――どの作品も尨大な長篇である。

十年程前、世界文學全集を古本屋から買つてきて「罪と罰」を讀んだ。あのねちねちと絡みつくやうな文章、一頁を殆ど埋めつくしてゐる活字を、こつこつと丹念に拾ふやうにして讀んだ。慥か二三度投げ出した。面白くなくなつたと言ふのではない。退屈した譯でもない。あのねちねちと絡みつく文章の行間についてゆけない重さと息ぎれを感じて、投げ出して了ふのだ。面白くなりさうだといふ期待と、一行一行を押してゆく忍耐とが、たえず追ひかけつこをしてゐるやうな調子なのである。さうしては投げ出して了ふのだが、すぐまた拾ひあげて次を讀んでゐる。到頭、最後の頁まで讀んで了つて、ほつとすると同時に、讀み終つたこの物語が、實にまざまざと腦裡の底に殘つてゐるのである。いまでも、まだ、あのラスコオリニコフの苦惱が、忘れないでゐる。

最近になつて「虐げられし人々」を讀んだ。以前ほどの忍耐を必要とはしなかつたが、矢張り最後まで一氣に讀み終へることは出來なかつた。無論、月評や作家論のために、他の作家の作品を讀まねばならないといふ事情もあつたにせよ、幾度か、投げ出してはまた拾ひあげた。

かうした讀み方をしても、結構讀めるといふのは、作品の底を流れる物語が、實にのろのろと進展してゐるからである。一頁二頁を讀んでゆくうちに、先に讀んだところを想ひ出してくるのだ。

さて、其處で、投げ出すのは、どういふところで投げ出してゐるか――といふことを考へてみた。すると、多くは、本筋の進展するところではなくて、枝葉的な場面や説明のところで投げ出してゐるやうだ。また、この鳥渡本筋から脇道に外れてゐるところが實にしばしばあり、それがまた本筋の説明のところよりよつぽど念が入つてゐるのだ。これは、無駄なやうに思ひながら、決してさうではなくて、何でもなく書いてある長い脇道から、ほんのちよつぴり讀者の記憶に止まるものが最後のところで、或は讀後に、忽然として生きてくる。

小説には、一定の方式はない。讀者の腦裡に喰ひ込んでゆく方法は、何だつていゝに違ひない。だから、かうしたドストエーフスキイの方法が、必ずしも上等な方法だと言ふことは出來ないのだが、ドストエーフスキイの作品にとつて、これは重要な役目を果してゐると思ふ。そして、これは、作者の意識した方法であるかも知れないが、あの、ねちねちと絡みつく文章が、ひとつの特徴となつてゐるのである。

文章からくるねちつこさだけではなく、作品全體を包んでゐるねちつこさは、たゞに、彼の方法や、個性だけだとすることが出來ないやうに思ふ、眞似の出來ないものだ。そして、投げ出させたり、拾ひあげさせたりするのも此處にあると思ふのである。だからといつて、民族性からくるものと片附けてしまふことも出來ない。

ドストエーフスキイは、書きあげるまでに多くのノートをとつたさうだ。「白痴」などノートの上で、幾度か書きかへられてゐたといはれる。

執拗なまでにうちこんでゆくところから、尨大な作品となり、あのねちつこさも生れてきたやうである。われわれが學ばなければならないのは其處だと思ふ。

偉大な作家だと決めてしまふのもいゝのだが、その偉大さに就いて取組んで解剖してみることも必要ではあるまいか。ドストエーフスキイに限らず、多くの作品の紹介はされてゐるが、本當に取組んでゐる人がゐないのを殘念に思つてゐる。

新らしい文學を叫ぶと同時に、過去に受け入れた文學を、一切否定するといつた狹量にともすれば墜ち込む危險を極力避けねばならないと思ふ。

ドストエーフスキイも、新らしい文學の眼をもつて解剖することによつて、多くの得るところがあるのではあるまいか。

マライの支那人 (一)

海音寺潮五郎

はしがき

　ほかの南洋は知らない。マライについてだけなら、マライは支那人の土地だといへる。人口からいつても、實力からいつても、支那人は壓倒的だ。昭南、マラツカ、クワラランプール、イポー、タイピン、アロールスター、ペナン等のマライのおもだつた都會はいふまでもなく、この半島の幹線道路の沿線には實に數多くの小さい町があるが、それらにいたるまで、最初のほどは支那人だけが目につく。ヨーロッパ風のコンクリートの堂々たる裝ひを持つた銀行、商事社、歩道いつぱいに廂をつき出した店の中で、上部が二ツ玉になつてゐる大きなそろばんをぱち〳〵とはじいてゐる商店、まるのまゝの豚や、はだかにした雞や家鴨や、さまざまの色と形をした魚類、えび、かに、奇怪な惡魔的なかたちはしてゐるが、濃い酒のやうに芳醇な香りを放つ果物共、あくの強さうな濃綠の色をして、老けて既に菜には黃色い、葱には白い花をつけてゐる野菜等々を山とばかりに積みならべて、口やかましくのゝしり合つてゐる市場、小さい籠の上に小板をならべて煙草や小間物や切身(きりみ)の果物を並べて、心細げではあるが、小學生のやうに物見高く、そのくせのんびりとして一向賣行きを氣にしない露店商人、さては側へよるとすゑたやうな汗の臭ひを放つ青衣の人力車夫等々に目くらまされて、ほかの民族、マライ人、印度人は、ほどへてのち、その存在に氣がつくといつても誇張ではない。

　かういふことが、僕に支那人に興味を持たせた。滿十一ケ月の駐屯の間、公務の餘暇、僕はその探究にのみそゝいだ。僕は書物で知ることのできさうなことはなるべく避けた。現地では適當な書籍が手にいれにくかつたためでもあるが、それは內地に歸つてからでもできることだと思つたからである。僕はその地でなければ知り得ないことを知らうと力をかたむけた。できるだけかれらに接觸し、かれらの生活のなかにはいつて行かうとつとめた。

　言ふまでもなく、僕は小說を書かんがためにこの努力をしたのである。したがつて、僕の努力は、最も根本的な點に向けられた。先づ、支那民族の根本的性格を知り、次には本來の支那人とマライに來てゐる所謂マライ華僑とは同一性格であらうか、違つてゐるであらうか、違つてゐるとすれば、どういふ點がちがつてゐるかを知りたいと思つた。が、言葉の不便さや、そのほかのいろ〳〵な事情に抵抗されて、得たところはお恥かしいくらゐまづしいものだつた。あらゆる努力にかゝはらず、僕はまだ何にも知つてゐないといつてよい。したがつて、これから書くところは、獨斷と誤謬にみちた違漏だらけの心覺えに過ぎないであらうことを覺悟してゐる。

小說にするか？　もつてのほかのことである。僕は小說といふものがどんなにむづかしいものであるかを知つてゐる。小說にするためには、すつかり彼等をとりこにして、必要とあらば彼等の生活感情を彼等と同じやうに感じ得るまでにならなければ十分ではあるまい。いつかは、僕も野心を實現したいと固く決心してはゐるが、それは遠い將來のことだ。

コーランポ

僕の徵用期間の大部分は、クワラランプールで、過ごされた。一月中旬、遠い夜空に遠雷のやうな砲聲を聞きながら入つてから九月末までゐたのであるから滿八ケ月半ゐたことになる。この町は、マライ半島のちようど眞中ほどの、北から來ても、南から來ても長い〳〵急峻な坂をうね〳〵と屈曲して下り切つたところにある。東西南北どちらを見廻しても薄紫の山が――これらの山々は原始的なジャングルで、猛獸毒蛇がやたらにゐると土地の者共は言つてゐる――屛風を立て廻したやうにとりまいてゐるので、この土地に來たものは、誰でも、まづ、大古の時代には、熱帶の油ぎつたどろりとした水がたゝへた湖底であつたらうと考へるにちがひない。狹い盆地の底だ。おまけにその狹い平地には小高い丘陵がいくつもうねり出してゐるから、一層狹くるしい感じだ。川が流れてゐる。二筋の濁つた川が狹い地域を貫流して來て、こゝで一つに落ち合つてゐる。クワラと頭にかぶせる地名もそれによるのだといふ。川の合流點といふ意味であるとか。その川をはさんで、町はひらけてゐるが、平地にあるのは、商店街、官廳街で、住宅街は前に述べた丘陵に、あるものはその頂上に、あるものは中腹に、一軒一軒高價な敷物のやうに美しい芝生や、欝然たる熱帶樹の樹林や、炎の花と稱せられる枝といふ枝の先きの葉が眞紅の色になつて、はては花瓣をひらく花の形そのまゝになつてゐる植物の生垣を持つひろい敷地を占めて相互の間を自動車のハンドルの手を離して走らせても決して顚覆なぞはしないだらうと思はれるほど微妙な傾斜と屈曲を持つた完備した道路によつて連らねられて、ぽつり〳〵と立つてゐる。人口は、戰前十六萬だつたといふが、今ではもつと增加して二十萬近くにもなつてゐるのではないだらうか。しかし、この人口から町の廣さを想像することは、内地の人には出來ない。マライの町はどこでもさうだが、人口に比例して驚くべく狹いのである。それは、支那人の多いせゐである。この生活力の旺盛な民族は、甚だ集約的にその住居をつかつてゐる。商店街なぞでは、一軒の家に幾家族、人數にして何十人住ひしてゐるかわからない。それが一族でも親類でもなんでもないのだ。かういふ家のつかひかたを内地だけにゐて想像しようつたつて出來るものではない。

ざつと、こんな調子だ。相當立派な店がある。何でも賣つてゐる。一方の棚にはきれ地類を並べてゐるし、一方の棚には半分は裝身具、半分は化粧品、奥の棚には靴を陳列してその隅つこに小さな靴工場があつて、黑ズボンにランニングのシャツといふいでたちの男が靴の底にとん〳〵と釘を打ちこんでをり、その反對側にすゑた臺に向つて、ちゞみのシャツにゆつたりした支那ズボンをはいた男がアルコールランプか何かのそばで金の腕輪かなんぞにためつすがめつねんいりなやすりをかけてゐる。「ほう、何でも屋なんだな。實にこちらは何でも屋が多いんだな」日本人なら誰でもさう思ふのが普通だ。ところが、さにあらず。それが皆各個別々の經營なのであるから驚く。一つの店を金を出し合つてかりてゐるのか、一人がかりてまたがしししてゐるのか。それはわからないが、とにかく經營は別々なのである。

更に驚くのは、その家の住人共である。店の經營者共がそこで生活してゐるのは不思議はないとしても、それ以外の實に雜多な者共が同居してゐるのである。强烈な陽射しを避けて絕えず場所をうつしながら三四十箱の煙草を箱にならべて街頭で賣つてゐるおかみさん、町々の辻々で荷をおろして通行人の靴を見つめては磨くことをすゝめたり、修繕をすゝめたりする靴工の老爺かと思ふと、一體何を職業にしてゐるのかわからないが、競馬場、劇場など人の集るところにはいつも頭をきれいになでつけ、安物ながら一日おきにはとりかへることざつぱりした洋服の胸のポケットに萬年筆とシャープペンシルをさして出入して誰にでも愛想よく挨拶したり、ひそ〳〵とないしよ話をしたりして急がしげに立廻つてゐる、若い男のあまり美しいとはいへない第二夫人、その他、ありとあらゆる職業、年齡の男女がその家の同居者なのである。勿論、さういふ家は、決して大きくはないながらも、二階三階のある家ではあるが、凡そ一部落にも相當するほどの人數がきれいに收まつてしまふのを見ると、我々には魔術のやうにさへ思へる。かういふ次第であるから、彼等の部屋の占めかたも一家族一室といふ具合には行かない。さういふ贅澤？をしてゐる者もまゝあるにはあるが、大抵はカーテンか何かで一室を三つにも四つにもしきつて、その帳の中を文字通りに狹いながらも樂しき我家として割據してゐるのである。

まだある。こんなに雜多な居住者を收容してゐるこの家には、たつた一つの出入口しかない。卽ち店の間がその用をうけたまはつてゐるわけである。だから、道具をになつた街頭の靴屋の爺さんでも、夕餉の料にと豚の切身と二三本の葱を藺草のやうな草の莖でむすんでぶらさげた煙草賣りのをばさんでも、靑い鼻をたらして色あせた着物をきた子供でも、お顧客さんの群れてゐる店の間を悠々と出入りするのである。

もうひとつ。僕の懇意にしてゐる商店が昭南にあつた。その店は、上に述べたやうな模合の店ではなく、ひとりの經營になるきれ地と小間物を商つてゐる店であつたし、その家に住んでゐる者も家族と店員だけで、他人を交へてゐなかつた。しかし、その數は多かつた。凡そ二十五六人もゐたらうか。だのに、僕は、階上階下の各部屋を通じて、たつた三個の寢臺しか見出し得なかつた。一體、殘る者共はどこにどうして寢るのだらう。久しい間、僕は疑問にしてゐたが、ある朝九時頃（あちらの時間では七時である）に訪問した時、子供達がアンペラござをしいて床にごろねをしてゐるのを見た。また、ある午後、生れて四五ケ月しか立たないあかんぼが床にぢかに寢せられてゐるのを見た。

僕は支那人の住居の集約的使用法について少し長く書き過ぎたやうだが、とにかく、こんな具合だから、マライの他の都市と同樣に、クワランプールも地域的にはさう大きな町とはいへないのである。もし、この町を碁石を並べるやうに飛び出したところをとつてへこんだところにつぎ足すやうにして整理したならきれいに五六町四方のわくの中におさまつてしまふにちがひない。

この町で生活したことのある日本人は、皆言ふ。「京都のやうな感じのする町だ」と。セランゴール州の首府で、英領當時マレー聯邦の首府であつたといふ點が、さうした感じを與へるのでもあらうが、それを外にしても、樹木の多いことゝいひ、山の近いことゝ言ひ、何となくしつとりとした感じの漂つてゐることゝいひ、人の心がのんびりしてゐることゝ言ひ、確かにその感はある。がマライの他の都市と同樣に、あまり綺麗とは言へない京都である。そしてまた歷史のある町ではない。近々三四十年の間に出來上つた町である。

この町の名前を、內地では丹念にクワラ、ランプールと發音してゐるが、現地人はレーゾンをかけてコーランポーと發音してゐる。支那人は「吉隆坡」といふ漢字をあてゝ、發音も尻上りにコーランポと短く發音してゐる。あまり學問のない支那人は――目に一丁字のない支那人の何と多いことよ。文字を知る者こそ、寥々たるものなのだ――單に「コランポ」といつてゐる。僕はそれを日本語の「黑奴（クロンボ）」といつてゐるのだとばかり考へて、どうしても意味が通じなかつたことがある。

（つゞく）

船中・船後

北町一郎

一、船　中

私たちは船に乗つてゐた。△△を出た日の午後から、船は猛烈にゆれだした。季節風に逆らつてゆくので、〇〇へ着くまでは××日間もこの動搖は止まらないでせうと、船の責任者が云ふ。船は縦にも横にも間斷なく揺れて、大きな波が船體にどすんとぶつかつて物凄い響をたてたり、波の上へ乗るのか、時々ぶるんぶるんと地震のやうに震動が傳はつてくるのである。

船首からもろに波をかぶつて、ざざつと甲板を洗つてゆく音は、下の船室へスコールのやうに聞えてくる。甲板にある急設便所へ行くには、ハツチの入口から首を出して、この波と動搖の具合を見極めてから、突撃のやうな姿勢で走らねばならない。マストは四十五度位の角度で常に首を振つてゐる。しぶきに會ひながら、甲板の一角につかまつて、私は時々日向ぼつこをした。そして、山田克郎君をこんな船へ乗せてやつたらどうだらうと、その度に考へてゐた。彼の告白によると、海洋文學を書いてゐるけれども、船醉ひには餘り自信がないとのことである。これは船に強ければ、良い海洋文學が生れるといふ常識と反撥する。私自身も船には強くはなかつた。しかし内地を出てから、數回の乗船で、船によつぱらふことには免疫になつたらしく、この内地歸還の△△丸でも、もう船に對する不安は少しもないのであつた。

はじめ、私はうす暗い船室で原稿を書いてゐた。マライ作戰に從軍した體驗記の續稿である。しかし、こんなに船が揺れては、字も書けない。土産に貰つて來たブランデーやビールも、栓を抜いて疊の上へたてておくと、その壜が倒れてしまふのである。壜を片手でおさへながら、私たちは銃後の酒をしのびながら呑んだ。しかし酒宴?は、夕方のことである。日中は、私たちは疊の上にごろ寢をして、仕事と云へば、本や雜誌を讀むことしかなかつた。

一人が一册の雜誌を讀み終る。隣に寢そべつてゐるのが、それを待つてゐる。

『讀んだら、貸して下さいよ』

『えゝ、もう少しなんです。あと一つ小説を讀めばいゝんです』

　やがて、その雜誌が隣へ渡される。待つてゐるのが、貸手に聞く。

『どうです、面白いですか』

『さあ』

『讀みでのあるのは、どれですか』

『どれも、大したことはありませんな』

　その近くで、こんな會話がはじまつてゐる。

『さア、誰かこれを讀みますか』

『貸して下さいよ。どれが傑作ですか』

『説明しませうか。最初のこの小説はね、ここらまで讀んだら、あとは止めた方がいゝですよ』

『なるほど、これも××を扱つたものですね。そこから先は公式通りの筋道になるわけですな』

『まあ、さうですね。それから、これはつまらんですよ。ウソばかり目立ちます。新聞記者の座談會の方が、ずつと迫力があります』

『では、この小説は？』

『それも、歴史の事實だけをあつさり書いて貰つた方が、助かるんぢやありませんか。こんなに水つぽく割られては、やりきれませんね』

　夜になると、燈火管制のうす暗い部屋で、晝間讀んだ小説が話題に上るのである。どうして近頃のものは面白くないのであらう、と甲氏が云ふ。作者が固くなつてゐるのだらう、と乙氏が答へる。演説をぶつ小説はつまらんですな、そこだけ飛ばして讀んでしまふでせうよ、と丙氏が云ふ。

　編輯者が、まじめな良い雜誌を作らうと思ふからこそ、小説も固くなりがちなのでせう、と別の側から聲がかかる。ふざけた小説を望むのぢやないです、まじめな中にも樂しさがある筈ぢやないですか、と別の人が云ふ。內地の讀者には喜ばれてゐるのでせうね、大抵の雜誌は賣切れと云ひますからね、と外の人が口を出す。すると俺たちはもう時代遲れの人間で、內地へ還つても俺たちの頭では波長が合はんのですかな、と他の聲が少ししんみりする。ところが落ちついた別の人の聲で――そんなことはないですよ。この雜誌にある小説は、時局を取扱つてはゐないし、テーマも時局へ結びつけてはゐないけど、私たちの胸を打つぢやありませんか。立派な日本人たる覺悟を、烈々と胸へ燃やしてくれるけど、少しも媚びた所や、無理にこじつけた所がなくて、時局下の生きる道を教へてくれるぢやありませんか。

　かういふ座談は、いつ果てるとも思はれぬ種類のものである。船には現地で手に入れた雜誌が、綜合雜誌から科學もの、經濟もの、大衆雜誌まで、十月號と十一月號（昭和十七年）が雜然と持ちこまれてゐた。面白くない、面白くないと云ひながら、これらの雜誌は順ぐりに次から次へと廻されて、結局は全部讀まれてしまふのであつた。

その部屋には、二十數名の戰地生活者もあれば、一年の現地生活から內地へ轉任になるもの、或は內地から視察に出て今歸る人、さまざまな種類である。この人たちの批評を私は興味深く聞いてゐた。私が作家であることを知つて、さういふ意味で話しかけてくる人もあつたが、私は決定的な返事はしなかつた。また、出來ようとも思はなかつた。私は作家であると共に、雜誌編輯に關係してゐる一人でもある。作者、編輯者、當局などの關係も、私には未知の世界ではなかつた。しかし私もまた『歸還者』の一人として、船に乘つてゐたのである。（これらのことに就て、ある雜誌に批評的な一文を寄せたので、ここではこれ以上ふれないことにする。）

二、船　後

米英擊滅講演會の講師として、二月下旬から十一日間、私は關東四縣の町々をまはつて話をした。その間、汽車や宿屋で、私は買ひ求めた雜誌（主として三月號の大衆雜誌）を勉强のつもりで十數册も讀んだ。こんなに澤山な雜誌を集約的に讀んだことも珍しい。

『明朗』には谷荻報道部長と木村毅氏の「戰爭と文學を語る」といふ座談會がある。現地の兵隊の求める演劇や讀書の慰安性と娛樂性にも觸れた所があり、前節の船中での對話にも關係してゐることだが、私は現地や部隊慰問の映畫や芝居に從事してゐて、かういふ體驗を數回にわたつて得た。しかしそれだからとて、低俗な興味讀物は別として、少くとも文學又は文藝と名を冠するものは、卑俗なる精神のものであつては困ると思ふし、その爲には今までの大衆小說や文壇小說たる純文學などは、根こそぎ改められて國民の文學、民族の文學が生れなければならぬといふ信念と理想は、現地に於て得た感想がそのまゝ今日まで變つてはゐない。

この座談會で、少年少女の文學と冒險小說、科學小說、武俠小說等に就て述べられてゐるのは、全く同感である。私はマライに上陸する前の船中（既に大東亞戰爭は始まつてゐた）で、大東亞を舞臺とする少國民熱血小說を欲しいと思つた。作戰中もしばしばこの夢を追つた。日本へ歸つたら第一にさういふ小說を書かうと思つた。歸還してから、少年小說や童話を手あたり次第に讀んで、更にこの感想を深くした。小じんまりした純文學作品の小型のものや、その亞流的な作品や、それに近いものが目につくのである。型はづれのどえらいものは見つからない。勿論さういふものは、美しい壺を眺めてゐるやうで、作者の努力も感ぜられ、存在の意義もあるには違ひないが、木村氏の評のやうに「稻穗を拾つたり、屑鐵を拾つたりする話ばかり讀まされる」うちに、私はあきてしまひ讀む氣がしなくなつた。讀んだ本の中で私の夢を滿足してくれたのは、木村太郎氏譯の『つばさの蔭に』といふフランスの作家の小說（主婦之友出版）ぐらゐであつた。

旅行中に最初に讀んだ小說は、小栗蟲太郎氏の「海峽天地會」（新青年）である。これはマライで小栗氏が研究してゐたフリーメーソンに關係したことでもあり、小說の中に「報道班所屬の作家小暮」が登場し、その「小暮は小暮で、痼疾の心臟病があるところへ脚氣が出て……」などといふ紹介を讀むだけでも、この作家に對する個人的な親しみがわいてくるのである。しかし正直に云つて、この小說は小栗氏の成功作とは思へない。ジャングルの記述や、支那芝居の紹介には、この人らしい丹念さがよく現はれてゐるが、秘密結社の解剖と共に、さういふ調べた所が前面へ押し出されすぎる危險を感じた。いつものモヤモヤが、十分に發酵してゐないと思ふのである。しかし今月の雜誌の中で、最も讀みごたへのあつたのは、この小說である。

『文藝春秋』の「連絡員」は、私の記憶に殘つた小說である。前の方は可成り冗漫であるが、川島彪助の描寫はうまく、かういふ所にも私はユウマア小說の一つの素地を發見するのである。いつまでも「ユウモア小說」といふ型を追ひかけてゐる時ではない。

歸還作家（報道班員作家）のものは、悉くと云つてよいほど、つまらない。例へば尾崎士郎氏の「朝暮兵」（改造新年號）をとつても、これを何故に小說と呼び創作と呼ばねばならぬのか、と大きな不審を感じた。ほかの作家の「戰記小說」などといふのも、似たり寄つたりのことを書いてゐるので、どれも食指が動かない。現地の生活を扱つたものも、例の文壇小說的な型がわざはひして、さつぱり感心出來ぬのである。報道文的なものと、戰爭文學又は小說との區別が、混沌としてゐる。その上、今後もつと、かういふものが汎濫するであらう。何十名もの作家が南方戰線へ散らばつて、大體同じやうな行動をとつてきたのだから、かういふものが澤山出るのは當然だらうし、今までのやうに、身邊報告風のものが小說として通るのなら、これらがみんな鼻につくのも當然であらう。みんなであきてしまつて、そこから本當の戰爭文學が生れ、或は新しい構想の文學が生れてくる——と考へればこの混沌と氾濫も決して無意味ではないかも知れぬ。

かういふ中で、私は小田嶽夫氏の「鞭」といふ（ある歸還作家のノート）を、この作家らしい正直な言葉として讀んだ。『文學界』三月號に、小田氏は次のやうに書いてゐる。

『石坂洋次郎氏が、今度內地へ歸つたらほんとに書きたいと思ふものだけを書いて行から、と何べんも自分に念を押して來たのだつたのに、歸つて一と月も經たないうちにもうその構へが崩れかけて來てゐる、といふ意味のことを「文藝」二月號で嘆かはしげに書いてゐられたが、その思ひは同時に私の思ひでもある。……われわれが戰地にゐた時の經驗を記錄として、報告として書き止め、書き綴ることはよい、けれどもそれをそのまゝすぐ小説作品として押し出すやうなことがあつては、小説界は後退するだけである。このやうな自分の氣構へも先きにも書いたやうにやうやく崩れかからうとしてゐる。……

そして小田氏は、それを記して自分への鞭としてゐる。同じ三月號の『文學界』の後記で、河上徹太郎氏の文章が眼についた。歸還報道作家の歡迎會の印象に就て、河上氏は『特に私の眼についたのは、いはば彼等は我々より一年遲れてゐるといへるものがあることだ。この點こそ彼等の健康さであり、强味であるとして、特に私は信じたい。』と述べ、一昨年の十二月八日に內地にゐた作家評論家たちの決意に就て、『我々は、その決意が最初如何に峻烈で純眞であつたにしろ、その後の盛りたて方が特にジャーナリズムの上で、一種の事大主義によつて形式化されてゐないとは、正直な所保證し得ないのである。』

と批判し、歸還作家には、その一年遲れた途惑ひを大切にして、下手に順應しないで率直に處することを求めてゐる。

全く私には、一年三四ケ月の間に途惑ひさせられることが多くなつたと思ふ。しかしながら、小ざかしいニュース小説や、先の見えすいたお説教小説や、二三行で要點の濟むポスター小説や、テーマだけは堂々たる觀念小説や、そんな樣々な小説などは、もはや私たちを途惑ひさせないであらう。眞の愛國的熱情によつて書かれるものは、理論を演說しなくとも、小説の中から胸へにじみこんでくるのである。

現地で讀んだ『新靑年』の何月號かの卷頭言に、こんなに戰域が擴がると我々の面積に對する觀念が變る、といふ意味の言葉が今でも私の記憶に殘つてゐる。マライ半島の朝から夜まで續くゴム林の旅を何日も續けたり、或はスマトラで三百キロもある道に人家が五六軒しかなくて、兩側の千古の大ジャングルの中を自動車を飛ばしてゐると、全くこの言葉が生きてくるのである。さういふ時に常に私の頭を去來してゐたのは、大きな構想を持つた偉大な民族小説といふことであつた。私は幾つかの題材をノートに記し、或は調べたりした。しかしそれは何れも長篇小説の形を借りなければ、思ふやうにゆかないことに氣づいた。歸還後、あれやこれやを考へ、何やかやと讀んでゐるうちに、私は次第に小説文學に對して一種の氣おくれを感じてきた。當分は何も書きたくないし、書けさうもないのが正直な氣持である

（終）

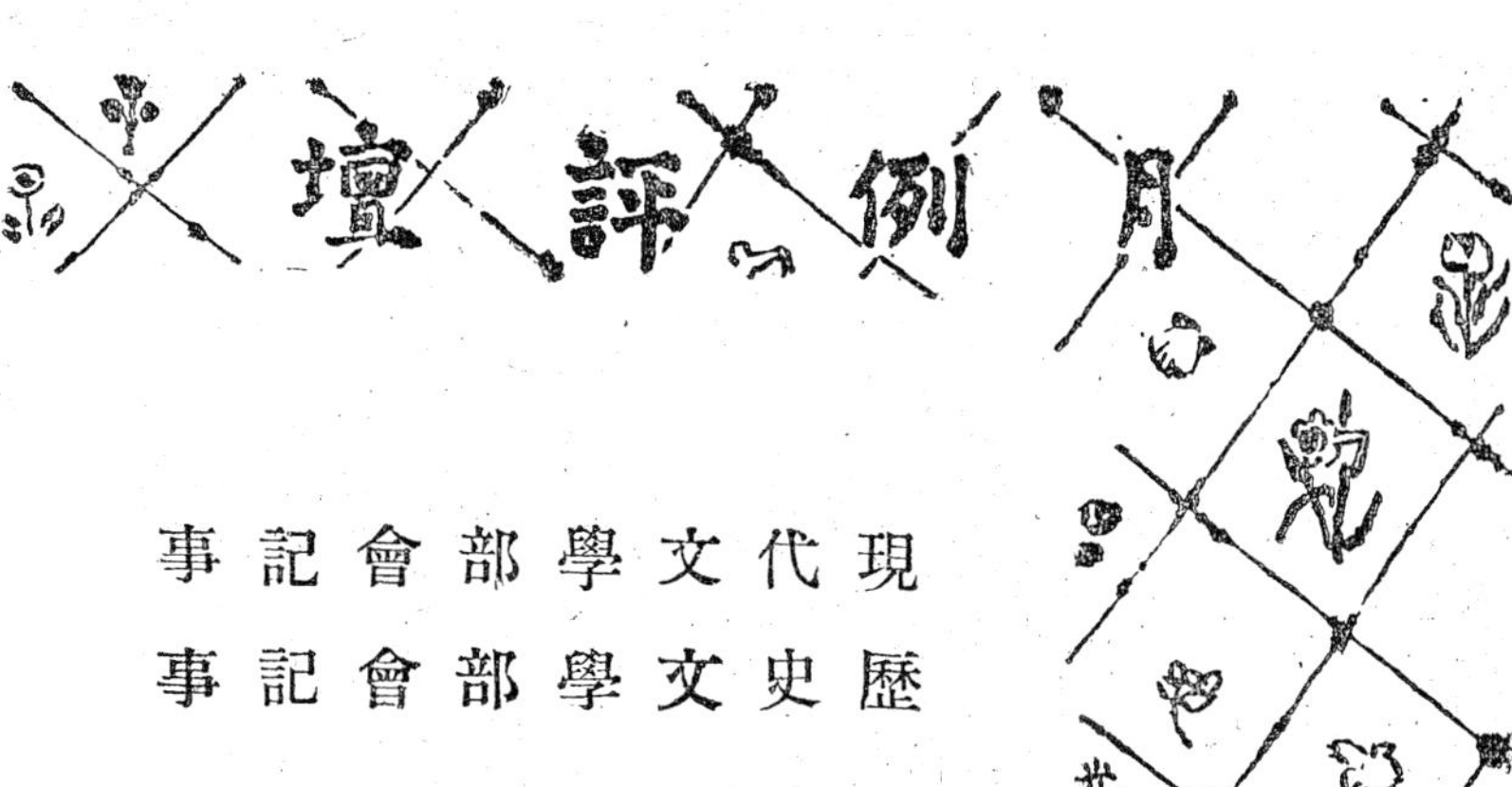

現代文學部會記事
歷史文學部會記事

現代文學

北町一郎
村正治
山田克郎
鹿島孝二
土屋光司
東野村章

文學の永遠性

現下に表れてゐる文學の流れは、非常に今日的な傾向にあると見ることが出來る。今日の激しい時代の流れの中に、この一瞬のために在らうとする文學の軋みが見られるのである。

戰ひ、勝ち拔かねばならない。飽迄、勝ち拔かねばならない――このことが小説文學の中に、今日的重要なあるものを含ましめる結果になつてゐる。小説のなかに、文學の深いよさ、文學としての價値の他に、今日的問題や目的が含まれてゐる。いや、さうした目的をもたねばならないところにきてゐるのが、本當のところであらう。

小説が純粹に文學の結實した美しさをのみ主張してはゐられないかのやうな感を抱かしめる。かうした今日の小説文學のありかたに對して國民文學の思考はすゝめられるのだ。

戰ふ今日の現實に於て小説もまた、戰はねばなるまい。だからとて、たゞ、瞬間的に活字を涵して讀者の眼をそのときだけ刺戟するものであつていゝ筈のものではない。――この反省を以て見る時、今日的な傾向の中に、われわれはどれだけ、文學としての鑑賞に價ひする小説に接することが出來るであらうか。

此處に、今日の文學者の大きな問題があるのである。

かつて、高見順が唱へた「文學非力説」は、文學は爆彈と同じ威力をもつことが出來ないことを言はうとしたやうだ。が、非力の中の非力でない力のあることを、文學する者で感じないものはないであらう。國策を宣揚することも小説の影響力を利用する一つの現れとして、決して惡いとか、あやまつた方法だとかど決めてしまはうといふ譯ではないが、それだけでいゝかといふことを、同時に考へないではゐられない。

子供が怪我をしたのにメンソレを塗つた。外科醫の立場から言へば却つて害する外傷なのだが親の情として早速の血止のメンソレを塗つた。情の上からはさうあるべき事だが、メンソレ的效果や目的だけが、小說に要求されるといふことは、如何であらう？

國策宣揚面に於ける讀者への影響力を、もし小說の力とみることがゆるされるとしても、小說の力といふものは、そんな卽效的なものではなく、むしろ、もつと深く强く、しかも割合靜かに、人間の血の中に溶けこみ、魂にしみる根强い力であることを忘れてはならない。

そして、さうした力を充分に發揮し得るためには、小說がすぐれた文學としてあらねばならないといふことが出來よう。すぐれた文學とは、今日的な間に合はせの粗雜文學でなく、永い鑑賞に充分堪え得る文學の謂ひである。吾々が文學する時はいつもこのことから離れてはならない。

國民文學の精神

舊大衆文藝に對して吾々は攻擊を加へてゐたが、これは潰えてしまつたから今は言ふまい。

過去の所謂、純文學に對しても、しばしばわれわれは覺醒をうながしてきた。純文學の名を僣稱しながら實はさうした文學が、ロシヤ的或はフランス的文學の亞流に過ぎなかつたことは明白である。しかも今日いまだ眼醒めぬ文學雜誌の中からその多くの事實をみることは憤激に堪えぬところである。いま一々その例をあげてゐる餘裕はないが、月々の文學雜誌をひとわたり見廻すことによつてこの事實をみることが出來よう。殊に無名新人の作家の中に、却つてその臭氣の濃厚なのを認めざるを得ないのは最も悲しむべきことである。

われわれは日本の本當の純粹文學を創るための、國民文學の樹立へひたすら向ひつゝあるが、われわれと彼等との根本的相違はその文學觀にあると見るのが至當であらう。吾々は日本獨自の文學の存在すべきを信じ、それが樹立に努めるのに反し、彼等は西歐文學に隨喜し、それが模倣に努める。その文學觀は從つて文學のコスモポリタニズムの信奉であるが、われわれはコスモポリタニズムを認めず、日本獨自の文學のみを樹立せんとする。

八紘一宇が成就する曉、文學も世界に光被せねばならぬが、その時の文學はコスモポリタニズムの文學でなく、日本獨自の文學であることを信じて疑はない。世界に受け擴げられるために、吾等の文學は何らの變貌をなすものではなく、日本獨自のものに愈々徹し、日本民族の傳統の深さから溢れる獨自の輝き、この深さが世界に擴がりゆくものでなければならないのだ。日本の獨自性を昂揚することが、すなはち世界に擴がる唯一の道であることを、深くわれわれは胸の底に握り緊めてゐなければならないのだ。

獨自性を表現して、しかも世界中から仰がれる爲には、表現されるもの、本質が高くなければならず、又表現技術が充分藝術的であらねばならぬ、その爲に吾々は最高のものを最高に表現しようと努力する。國民文學の生みの苦しみはここに存する。

純文學作家の作品で、かうした國民文學の基準から拾ひあげることの出來る作品が、最近の雜誌の作品からは全くないばかりか、それらの作品を讀むと、作者の文學に對する態度が、舊態依然祖國無き作家の小説の如く、或ひは祖國の傳統を身につけるでもなく、祖國の將來を考へるでもなく、泡沫の如き日々の生活を描寫さへしてゐればよいといふが如き態度は、むしろ、奇異な感じをさへもたせられるのである。新しい日本の文學は斷じてその態度からは生れないことを痛言する。

芥川賞、直木賞に就いて

芥川賞、直木賞の受賞者が發表された。芥川賞の作品は、三月號の雜誌の中では讀ませる作品ではあつたかも知れぬが、決してすぐれた作品であるとは言へない。

一つの世界を克明に描いてゐるといふだけで、其處には批判もなければ、理想もない。まして、日本文學の獨自性たる何ものもないのだ。こゝまで來て感じられることは、芥川賞といふものは、變つた材料を丹念に（少し氣取つて）書きさへすれば授けられるのだといふことである。

直木賞の田岡、神崎の二人は、單に努力賞程度にみるより仕方がない。審査の方々の感想が述べられてゐるが、誰一人として文學としてすぐれてゐることを口にしてゐる者がない。いかに時局的であるとか、どうとかとしか述べられてゐない。眞の文學作品をとりあげる場合の態度として、果してそれは正しい態度であらうか——。

いや、芥川、直木賞について文學を云々することは止めよう。何故なれば吾々は純文學、大衆文學の差を認めないものだから、芥川賞、直木賞と分けてゐる諸氏とは、根本的に文學觀が違ふものだからである。

國民文學へ——われわれは、さうした低迷する一群の文學者でない文學者を乘り超えて、まつしぐらに前進する。

＊　＊　＊

歴史文學

海音寺潮五郎
中澤巠夫
岡戸武平
戸伏太兵
村雨退二郎

純文學作家の歴史小説と批評家の貧困

中澤——文學の政治的價値が近頃又喧しく論ぜられてゐるが、それについて僕は少し逆説的ないひ方だが、近頃の丹羽文雄氏や井上友一郎氏などの歴史文學は、政治的價値の上からいつても相當困りものだと思ふ。丹羽氏の『勤皇届出』では、しきりに勤皇勤皇といつてゐるが、丹羽氏の考へる勤皇は、勤皇をやらなければ自分がつぶれるから、自分を救ける爲にやるのだといふ事で、日本人の沒我的勤皇とは全然ちがつたものだ。だから作品の内容を解剖する前に、先づこんな歴史的事實をさへ誤つた作品は日本の歴史を誤るといふ、政治的價値の上から手痛く批難さるべきものだ。

だいたい、歴史といふものは、抽象的理論では仲々頭に入りにくいが、これが文學化されると、まことに容易に受け入れられるものなんだ。數量的な相違はあるが、大日本史と日本外史を考へ合はせると判る。讀史餘論でも中朝事實でもいゝ、これらの史論は、當時の人の心を振起するのに日本外史の半分の力を有してゐただらうか。これは文學のもつ大きな政治的價値の實證だ。ところが日本外史は間違ひが多い。例へば豐太閤が支那から國書を受けて、大いにその無禮に憤慨して破る件なども、此の國書たるや緞子（どんす）の織物に文字を織つたもので一寸ぴりぴりと破けるものでない。現物は損傷しないで木下家に殘つてゐる。この誤を國定教科書までが踏襲してゐるのだから文學の力は恐しいよ。茲で一應考へねばならぬのは、外史に於ける歷史の間違ひが、文學的必然による作爲かどうかといふ問題、卽ら外史が若し歷史的な間違ひなしに、正しい史實に基いて書かれたら、果してあのやうな文學的興奮を齎らさなかつたかどうかといふことだ。

戸伏――それは結果論としてはむづかしい問題だが、本質論からすれば簡單だよ。正しい資料で書く方が功果も大きいに極つてゐる。

中澤――然し丹羽氏や井上氏は、この設問に答へられないほど、歷史文學に於ける歷史と文學の關係について考へてゐないのだ。純文學畑の作家達の歷史文學は、歷史を謬るものであると共に、正しい歷史文學を築かうと努力する新らしい歷史文學作家の努力を片端から叩きこわさうとしてゐるやうな氣がする。

海音寺――純文の連中は、先づ調べるのに參つてしまふんだね。さういふ努力をしたことがないから。

村雨――僕は、所謂純文學作家の歷史小説は單行本になつたものも雜誌に載つたものも大抵讀んでゐるが最近のもので感心したのは一つもない。丹羽君の『勤皇屆出』井上君の『千利休』、あんな無茶な小説を、最近の歷史文學の代表的な作品だなぞと云ふ批評家があるんだから驚くよ。むしろ批評家の方を先に問題にする必要があると思ふね。率直に云へば、從來の純文學批評家達には、歷史文學の批評はとても出來ないんだ。彼等には、作家がどれだけの準備をしてかかつたかが分らないから、調べてあるらしいことで滿足してゐる。批評に必要なだけの調べを、自分ですることを怠つてゐるんだ。そんな怠慢な批評家によつて認められたつて、何の名譽にもならんと思ふな。その癖、歷史に對する認識の誤りや淺薄さを突込まれると、「これは文學だから」と逃げる。とんでもない話だと思ふ。歷史觀を持たない歷史文學作家なんてまつたく無意味だよ。かういふ狹いのが純文學の方にも少くない。舊式の批評家も、自分の無能力を蔭蔽するために、かういふ無茶な作品の肩を持ちたがるからますます始末にいけない。純文學の方にも、歷史に對して眞面目な熱心な作家も無いことはないが、まだ、史實の詮索に追廻されてゐる。さういふ人の作品は、史實の羅列だけで四苦八苦してゐる。批評家もよく調べてあると、實際調べてあるかどうか知りもしないくせにそれで參つてゐる狀態だ。實際作家も批評家もこんな低い所で足踏をしてるんぢや前途が危ぶまれるよ。

作家として必要なのは史料ぢやないんだ。史料を乘越えたむかふにあるものだ。作家の史觀や歷史把握の方法を批判しないで、末稍技巧ばかり問題にしてぬる批評家は、歷史文學を邪道にみちびくものだと僕は思ふね。

文學に於ける歷史的實在

村雨——それから史料の取扱ひについてだが、僕は歷史的實在といふことに對する態度を、三つに大別することが出來ると思ふ。第一は、歷史的事件、人物を中心にして、それに關する史料を骨子とし、ある程度史料の取捨もし、空間を想像で埋めるといふこともするが、大體に歷史的實在を重んじるといふ行き方だ。第三は菊池氏の『忠直卿行狀記』とか武者小路氏の作品のあれだ。有つた人物の名を出すとか、假空の人物にするとか、さういふことは問題ではない。ただ現代的テーマを語るのが目的で、歷史は借着にすぎないから歷史的實在といふことは無視してかかるんだ。第二は第一と第三の中間とも云へないが、獨逸作家リールの行き方だ。歷史的實在は背景になつてゐて、前面には出て來ない。前面には作家の創造世界が展開される。背景と前景の關係はどうなるかといふと、背景のある部分の鋭い尖端が、稀にチカリと前景へ出て來る。世界史的事件の鋭角が、前景の發展を促す一つのモメントになる。從つて前景は歷史的實在ではないが、歷史的に有り得べき性質を具備することになるんだ。リールは自分で理論を立てて、しかもその通りの小說を書いてゐるんだから偉いよ。『神よ報いたまへ』なぞはその點理想的に行つてゐる。僕はリールの行き方は認めていいと思ふが、いつもからでなければならぬとは考へてゐない。もつと歷史的實在の方へはいり込んでも構はないと思つてゐる。

岡戶——歷史的實在といふ問題で、僕は最近一本やられたことがある。「遺髮」で河北俊弼の事を書いたら、その人の關係者から長い禮狀が來た。ところがあの小說は入江が久坂の髮を梳く下りが史料にあるのみで、あとはみんなでつち上げたものだ。それを手紙の主は、全部事實あつたことだと思つて、螢取りの娘やその叔父はその後どうなつてゐるか、家は殘つてゐるかなどと眞面目に心配してゐる。うかつに小說も書けない。と云つて歷史的事實は決してそのまゝ小說になるものではない。最近の傳記小說と銘打つたものを讀むと、小說になつてゐるものは一つもないことがいゝ證據だ。この小說にするかしないかといふところが、作家か否かの岐れ目だね。近頃僕は氣樂に考へて、結局、描かうとするその時代の精神さへ見忘れないで居れば、一應それでよろしいと思つてゐる。世界觀とか日本觀とかは、僕は日本人だから理論立てられないが、肚裡では分つてゐるつもりだ。それを踏みはづさないで、あとは日本外史をつくる……

海音寺——西洋ではどうなつてゐますかね。僕は向ふから歸つて來る船の書庫でアナトールフランスの作品集を見つけてだいぶ讀んだが、彼の歷史小說はかつての日本の芥川のものと實に似た態度のものだつた。芥川がこれから換骨奪胎したと明らかに指摘出來るものも數篇あつた。

歷史の把握方法

戶伏——リールの作には僕も考へさせられた。民譚的なストーリを扱つて、それを實在の歷史舞臺に取合せたものが多い。彼自身それを文化史的小說と稱してゐるやうだね。ところで實際問題として歷史をどう把握するかといふ文學的方法ですよ。それについて、ひところ文壇で「現在につながりの無い歴史小說は不可ん」といふことが盛んに云はれた。この歴史文學理論は壓倒的な結論になつて――そして、そのまゝ行方不明になつてしまつたらしいが、どうも現在的觀點から歴史を選擇するやうな偏向的方法は、文學としては全く困りものだと思ふ。その文學理論は、實はイポリット・テーヌの借り物だと僕は睨んでゐるが、批評家はとかく自己の尺度を持たないで、萬事出來合ひの外國製を盜用して、自分の考案した尺度のやうな顏をしたがるものだ。テーヌは要するに「歴史を現在的に把握せよ」といふ。その意味は、事物の判斷にはその事物が現在であることが必要だといふんだ。存在せざる對象に就て經驗といふものは有り得ないから、我々は過去を觀念的にはともかく、感覺的には觀察することが出來ない。だから現在的觀點で把握して近似的に過去に近づかうといふにある。これは歴史學の初歩なんだ。現在は流動するポイントだから過去は自らその中にある――これは然し演繹なんだよ。無論これも一つの見方だが、こゝから溯らうといふのは少し危險だ。人知は選擇するからね。われ〲は流動する一ポイントを決して「靜的」に把握することは出來ぬ。過去の傳統の流れの上に、未來への流れとして活きたまゝを把まねばならない。上から下へ見て來ると、過去の一ポイントも、現在の一ポイントも、把みかたは同じなわけだ。だから、僕等は「現在」をも「歴史的に把握せよ」と云うてゐる。これが正常の歸納法なんだ。倒敍は不可ぬ。ふらつき易い現在を立場にして過去を見ると、必ず選擇と偏向が伴ふものなのだ。といつたやうに、まづ我々の把握理論は、根本の立て前が彼等とは逆になつてゐます。

海音寺――ぢや、このやうな歴史文學理論を意識的にハッキリ表明したのは、世界文學史上まだ無かつたわけだね。えらものだ、前人未發の見だよ。もつとも、個々の作品にはあるな。トルストイの『戰爭と平和』がさうだしシェンキウイッチの『クオ・ヴァヂス』がさうだし、まだ外にもあるやうだ。

村雨――僕はテーヌの說を讀んでゐないが、尠くとも日本の今迄の歴史文學作家達は、純文學でも大衆文學でもだがね、これを間違つた意味で實行してゐるんだ。「現代的把握」といふ言葉はどうも曖昧(あいまい)だ。今迄のは把握ではなくて、持込だと思ふ。小說の中には、小說化される對照の立場と、小說化する作家との立場がある筈だ。歴史文學で云へば、そこに描かれる時代なり人間なりは把握される側で、把握する側ではない。對照を把握する「方法」は最新最高でなければならないが、小說化の對照を最新化してしまつたのでは、それは對照を把握したのではなくて、對照を放棄して、單に現代を歴史の假裝のもとに書いてゐるにすぎないといふことになるのだ。それなら苦勞して歴史文學なんかやる必要はないよ。現代小說を書けばいいんだ。もつともわれわれが現代小說に要求してゐるやうに現代の歴史的把握といふやうなことになると、現代小說も決して樂ぢやないと思ふが。

實在人物・實在事件

海音寺──歴史を書く場合、これを書かなくては小説になりかねるといふ場合が多いね。作者の人生觀なり歴史觀なり批判なりの代辯者としても、こしらへた人物が必要だね。

村雨──ところが近年の歴史文學といふと、歴史的實在人物、實在事件を扱つたものがむやみに多い。これはどんなもんだらう。文協で小説を推薦する場合は、大體さういふものが多いからそのせいだらうか。とにかく僕は、歴史文學がそんな方向に片寄るのはよくない傾向だと思ふ。有つた人物、有つた事件を書くといふことは文學の目的ぢやない。「有り得る」ことを書くのが第一だ。いくら實在人物を借りて來ても、「有り得ない」ものにしたのでは文學としては落第だ。實在人物を扱ふのも力倆次第だが、そこに片寄ると歴史文學は窮屈になるばかりでなく、墮落するね。

海音寺──あり得る事件、あり得る人物でなければならぬとなるとなか〳〵むづかしい。急ごしらへの準備などではとうてい出來はしない。歴史文學のむづかしさはかういふところにもある。純文學の人達の歴史小説を我々が見て、腹が立つ點はこゝにもある。

歴史小説の典型

海音寺──純文學の人達が歴史小説といふと必ず森鷗外といふ。鷗外には歴史小説はさう澤山ありはしない。また今の歴史文學の進歩した目から見れば、それほどとり立てゝ云ふほどのものではないとわしは思つてゐる。鷗外の歴史に材料を求めた作品の大部分は小説ではなくて、史傳である。純文學の人々はあれをしも小説文學と見ようとしてゐるのであらうか。飛んでもない話だ。讀んでみてから言ふがよい。鷗外にモデルを求めるのは彼が故人になつてゐるからだ。あの人達は何かよりどころがほしいのだ、偶像がほしいのにすぎない。いくぢのない話さ。なぜ自ら先(せん)を爲さうと考へないのだらう。

村雨──鷗外の歴史文學は、極端な主觀主義に對する反動として考へて見ると面白い。勿論彼の史傳物は別だ。あれは文學として論ずべきもんぢやない。あゝいふものを小説文學に加へるなら、蘇峰、日南、鼎軒みな小説家として扱はなければならなくなる。

中澤──鷗外の史傳は小説ぢやないが、近ごろの「傳記小説」とかいふものなぞは、大いに鷗外さんの史傳の態度を學ぶべきだよ。

戸伏──ぢや、踏ばつて、僕等が歴史文學のモデルを後世に殘すやうに勉强しよう。

岡戸──史傳物では、まだ露伴の方が讀ませようとする色氣をもつて書いてゐる。しかしこれも小説にはなつてゐない。鷗外はそれを抑へやうとしてゐる。それだけリアルだ。鷗外を小説家として論ずる場合は、現代物の「雁」などが非常に重要なものになつてくるだらう。

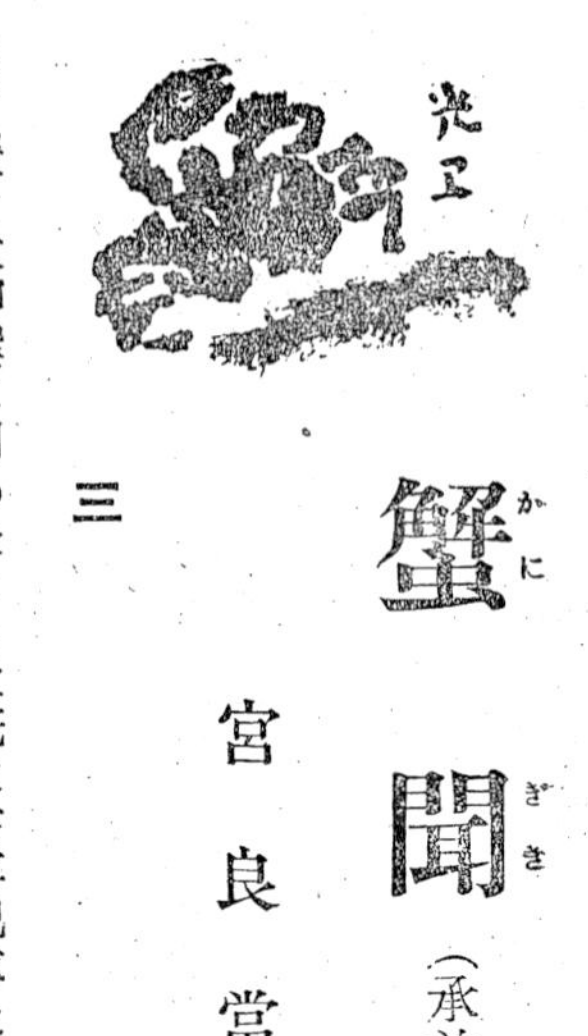

蟹聞（承前）

宮良當壯

三

古、蟹を大御饌に用ゐたことは既に古事記傳などにも述べてある。萬葉集卷十六に「爲ㇾ蟹述ㇾ痛」長歌がある。こゝにわかりよく書き直して見よう。

忍照や、難波の小江に、廬作り、なまりて居る、葦蟹を、大君召すと、何せむに、吾を召すらめや、明らけく、吾が知る事を、歌人と、吾を召すらめや、笛吹と、吾を召すらめや、琴彈きと、吾を召すらめや、彼も此も、命受けむと、今日今日と、飛鳥に到り、立ちたれど、おきなに到り、突かねども、つくぬに到り、東の、中の御門ゆ、參り來て、命受くれば、馬にこそ、ふもだしかくもの、牛にこそ鼻繩はくれ、足引きの、此片山の、樅楡を、五百枝はきたれ、天照や、日の氣に干し、さひづるや、碓に舂き、庭に立つ、碓に舂き、忍照や、難波の小江の、初垂を、辛く垂れ來て、陶人の、作れ瓶を、今日往きて、明日取り持ち來、吾が妻等に、鹽ぬり給べと、まをしはやさも、まをしはやさも。

この歌に見える葦蟹は難波の小江に穴を作つて群居して居る者であるが、「大君が私を召されると云ふが、何をお云ひつけにならうと云つて、私を召されるのであらうか。私は何も出來ない者であるが、歌を歌ふ者として、私を召されようとするのであらうか、笛を吹く者として私を召されようとするのであらうか、或は琴を彈く者として私を召されようとするのであらうか、云々」と、蟹自ら述べてゐるのである。蟹に聲のあることは、前掲川柳の蟹聞でもわかることであるが、こゝでは歌人、笛吹、琴彈などと、いよいよ音樂家に見立てゝゐるのである。これは蟹が汐の引き去つた磯に現はれて甲羅を陽に干しながら白い泡を吹き、その泡の消える音が語り言とも、歌聲とも聞えるのであらう。又その彎曲した爪は琴を彈く爪を思はせるものであるために、琴彈きに擬せられたものであらう。

古事記中卷應神天皇の條に、大御饗を獻る丸邇之比布禮能意富美の女、宮主矢河枝比賣命に大御酒盞を取らしめながら、うたはれた御歌に

此蟹や、何處の蟹、百傳ふ、角鹿の蟹、橫去ふ、何處に到る、云々

と云ふのがある。これなども大御饗に蟹を獻じたことを證するものであると云へよう。

また、蟹を樂人に見たてた例では、沖縄縣八重山郡の民謡に面白いものがある。これを紹介しよう。

一、潮招蟹節（やぐじゃ あまぶし）

（原歌）	（譯）
（一）ウサイぬ泊ぬ	ウサイと云ふ濱の
潮招蟹	潮招蟹は
作田節ば	作田節と云ふ緩やかな歌を
詠みようり	歌つてゐる。
（二）其りが隣ぬ	その隣にゐる
白潮招蟹や	白潮招蟹は
其りに合しゆて	それに合せて
三味線ば彈き	三味線を彈きながら
詠みようる	歌を歌つてゐる。
（三）生りる甲斐	生れ甲斐があつたら
産でる甲斐	生き甲斐があつたら
蝤蛑ぬ仲なが	强い蝤蛑との間に
子ば産し	子を産んで
見ゆうな	見たいものだ。
（四）陽春ぬ	溫い春になると、
若夏ぬなるだら	初夏の頃になると
漁火ぬ事思ひ	漁火が心配になる。
（五）其處ゆ見りばん	其處を見ても
彼處ゆ見りばん	彼處を見ても
炬ぬ火や	炬火の光が
アカラパタラし	ぴかぴかと輝いて
走り來ば	走つて來るから。
（六）大蟹ゆ	大きな蟹を
金蟹ゆ	岸重な蟹を
プチュルパタラし	ポキンポキンと
掬されえぬ辛さ。	掬がれるのが辛い。
（七）何ゆ賴み	何を賴み、
如何賴まば	どうしたら
我胴ぬ隱さりる	我身が隱されようか。
（八）大乳節	大きな木の節や
トング節賴まばど	突き出た節を賴つて
我胴や隱さりる	我身は隱される。
（九）干田ぬ水鷄と	干田の水鷄と

浦田ぬ水鶏と　　浦田の水鶏とが
子ば産しゅて　　子を産んで
奪ひとなあし　　奪ひ合ひして
うしゃむぬぬ面白や　　居るのが面白い

この民謡では潮招蟹が歌人と三味線弾きになつて現はれてゐる。

一、網張の目高蟹賀歌（古謡）

（原歌）	（譯）
（一）網張ぬ 目高蟹でんど	網張と云ふ淺瀬に棲む 目高蟹でございます。
（二）潮ぬ干しゃ 下ぬ家かい	潮が引けば 下の方の家へ「參ります。」
（三）下ぬ家や 瓦葺きでんど	下の方の家は 瓦葺でございます。
（四）潮ぬ滿ちゃ 上ぬ家かい	潮が滿てば 上の方の家へ「參ります。」
（五）上ぬ家や 茅葺きでんど	上の方の家は 茅葺きでございます。
（六）目高蟹 生り年でんど	「今日は」目高蟹の 誕生祝でございます。
（七）蟹數ぬ 踊ぬ有んそ	蟹總出の 踊がございます。
（八）ぎだあさ蟹や 準備人數	ぎだあさ蟹は 準備係です。
（九）だあな蟹や 棧敷人數	だあな蟹は 棧敷を作る役割です。
（一〇）百日咳蟹や 笛吹き人數	百日咳蟹は 笛を吹く役割です。
（一一）木殼ン蟹や 太鼓打つ人數	木殼蟹は 太鼓を打つ役割です。
（一二）木綿引き蟹や 三味線人數	木綿引き蟹は 三味線を彈く役割です。
（一三）潮招蟹や 踊る人數	潮招蟹は 踊をする役割です。
（一四）畔ン蟹や 狂言人數	畔ン蟹は 狂言をする役割です。
（一五）渡れえ蟹や 棒打つ人數	渡れえ蟹は 棒打舞をする役割です。

（一六）フサマラ蟹や
獅子被び人數
（　）蟾蜍蟹や
庖丁人數
（一八）ヤフツァン蟹や
クバン人數
（一九）舟浦蟹や
膳配人數
（二〇）走馬蟹や
給仕人數

フサマラ蟹は
獅子舞をする役割です。
蟾蜍蟹は
料理番です。
ヤフツァン蟹は
神饌を調へる役割です。
舟浦蟹は
配膳係です。
走馬蟹は
給仕をする役割です。

こんな面白い歌が他にあらうか。萬葉人の「歌人と、吾を召すらめや、笛吹と、吾を召すらめや、琴彈きと、吾を召すらめや、云々」と歌つた歌と比較して、蟹の面目の躍如たるを覺えるのである。以上十四種の蟹の性狀をよくとらへて、その役割を排し、目高蟹の誕生祝とし、舞臺、棧敷、音樂、舞踊、馳走、色々の物が動員されて非常なる盛宴が催されるところは正に天下一の大饗宴と云へよう。これが名も無き、無學の農民から卽興的に歌はれたのであるから益々愉快の感を禁じ得ないのである。石垣島の網張の瀬戸のあたりは遠淺で、蟹、蛤類の名産地であるために、陰暦三月三日の大汐には辨當を携へて汐干狩に出掛ける者が多い。この民謡がこんな實觀から生れ出たこともうなづかれるのである。

先年、九州帝大の大島廣博士等が遙々八重山へ出掛けられ、河海のあらゆる動物に就いて實地踏査をなされ、甚だ有益なる發表をなされたことは、近年特記すべき學界の一大快事である。右の蟹の方言名に附した和學名は大島博士等に據つたことを特に記して深謝の意を表する次第である。

（昭和十八年二月十四日記）

會報

四月十五日午後五時から、牛込區新揚場町『藤村』に於いて海音寺潮五郎、岩崎榮、北町一郎三君の歸還歡迎會並びに近く海軍報道班員として壯途につく鹿島孝二君の送別會を開催、會員會友十七名出席、中澤巠夫君の司會の下に、岡戸武平君の歡迎、送別の辭の後、海音寺、岩崎、鹿島三君（北町君缺席）の謝辭があり、晩餐を共にしながら、興味深い現地視察談を中心に、和氣靄々たる一夕を過して、九時半に散會した。

當日の出席者——○海音寺潮五郎○岩崎榮○鹿島孝二○戸伏太兵○佐野孝○岡戸武平○由布川祝○中澤巠夫○村雨退二郎、○東野村章○土屋光司○鯱城一郎○大慈宗一郎○石田和郎○佐和慶太郎。伏木一行○緑野秋子

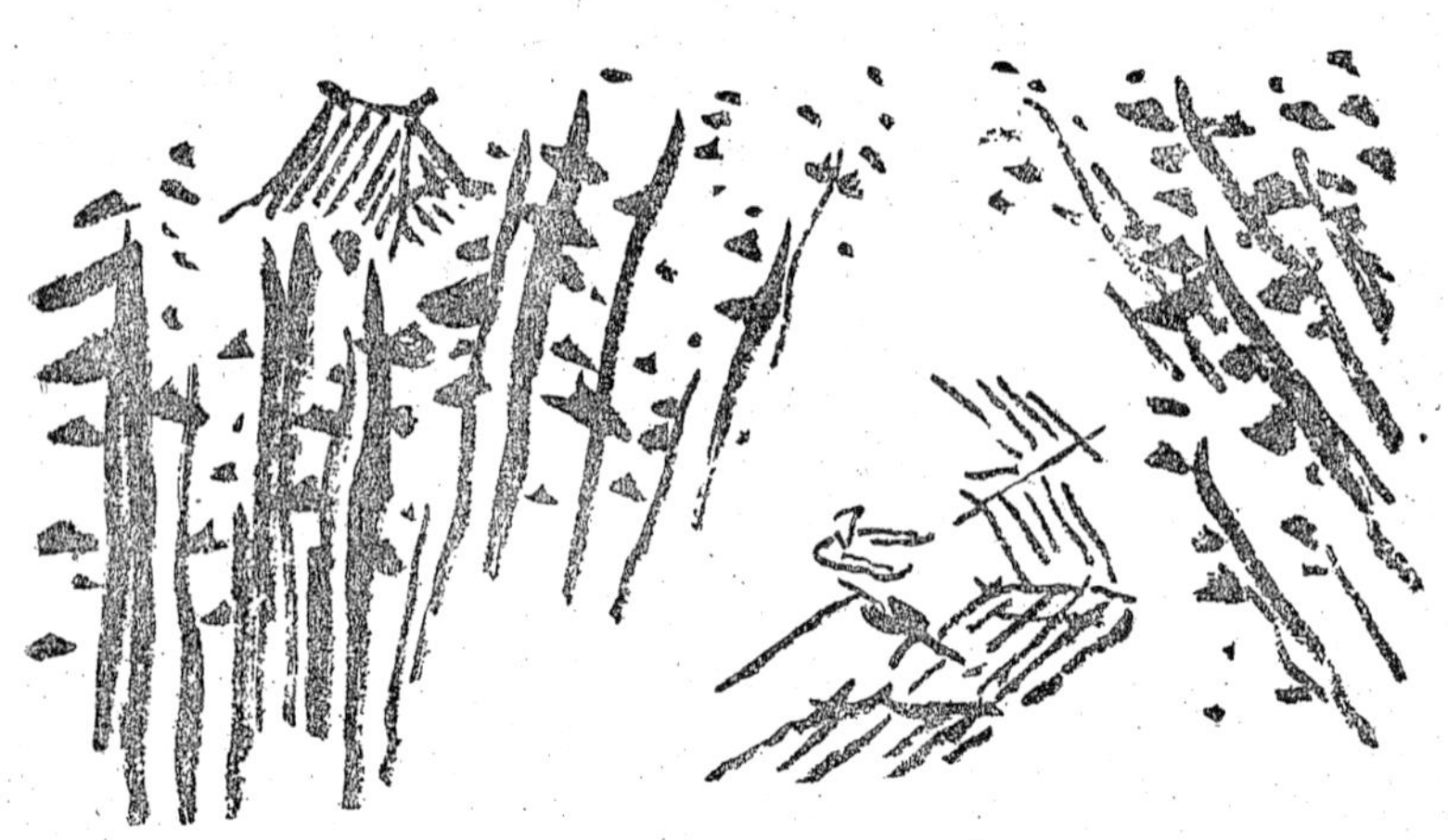

熊狩日記

從二一郎

まへがき

寛政十一年六月すゑの事である、蝦夷浦河に巨熊が現はれた。

蝦夷に熊が現はれた處で、その頃の蝦夷であれば太閤記の山崎街道の舞臺に猪がでてきたほどに定說なのであるが、「休明光記」に依ると、當時の浦河勤番はこの由を松前本府に申遣、功正に聞えしと臺廳に入り、熊狩を拜命した細見權十郎は御勘定役に、西村常藏は御普請役にそれぞれ役をすすめられた。身長九尺七寸と云ふ大熊であつた。

顚末はかうである。

六月二十七日浦河の濱に死鯨が寄つた。

鯨は夏の天日に曝しおかれたため、寒天のやうに皮がちぢれ、靡爛した肉からは臭氣が紛々として寄るものとてはなかつたと云ふ。熊はその臭氣を慕つて現はれたものらしい。部落を徘徊し夷人小屋に入り、食物をあさり、剰さへ家人を傷け山中に逃げ込んだ。

勤番三橋藤右衛門は夷人の訴へをきくと、はじめ熊はその方どもの緣戚ぢや、侍は熊狩に浦河で勤番をして居るのではない、と笑つてゐたが、夷人の乙名は同族どもは熊に怖れをなし、いまにみな部落を棄てて逃げだしてしまひますと、眞劍ただならぬものがあり、重ね重ね懇願するので、大きいと申しても程度があらう、その熊はまさか馬ほどもあるまい、と訊ねると、いえ、いえと通辭は手をひろげて、みたものの訴へでは身長二丈馬の倍はありませうとぬけぬけと云ふ、話半分にしても一丈はある譯で、事の眞僞はとに角、左樣な噂で部落のものが立退いたでは松前家の御威光にもかかわると、御徒目付細見權十郎及御小人目付西村常藏の兩名を呼んだ。

細見權十郎は一刀流をよく使ふ。熊に一刀流がわかるかどうか——大役ぢや、きつと、仕遂げるかと藤右衛門が云ふと、權十郎は西村常藏と顔をあわせにつこりした。藤右衛門は自信ありげな權十郎の顔をみて、仰々しいことの次第に自らも笑ひさうになつたが、これではいかぬと、仕損じたら腹を切れ、武名の恥ぢや、生きて還るなと、わざときつく聲を强めた。しかと、心得ましたと、兩人は神妙に答へた。出立に際し、足輕二人、夷人二人を增援させた。足輕は鐵砲組、夷人はぶしを塗つた毒矢を携行した。

第一日

——寛政十一年七月二日——

川添ひに、ポロナイ、アネチヤ、ノフカとのぼつた。四里半ある。曲者は川上のリクンランと云ふ山からでると見込みをつけた。

靄が流れて朝は涼しかつたが、陽がのぼると、かんかんと照りつけ、それにぶよや蚊がまつはりついて難行をきわめた。喉ばらひもできなかつた。無論、鼻唄などもつての外である。細見權十郎を先頭に、六人のものは汗をふき、喘ぎ喘ぎ細い踏分け道をのぼつてゆく。笹がそよぎ、鳥渡、櫟の小枝が葉鳴りをしても、一行は立停つて呼吸をのむ。

權十郎は今朝新しい肌襦袢をつけてきた。襦袢ばかりではない、さう言へば、上布の單衣も、卸しであるし、ぶつさき羽織にしても、野袴にしても、浦河勤番を命じられたとき、松前からはじめてつけてきた一張羅のものばかりである。

髪は昨夜結ひなほした時、香を焚き罩め叮嚀に梳いて程よく油をつけてきてゐる。妻女を貰つて、まだ二年よりならないが、これほどのいでたちは、妻女にもあまりみせた事がない。熊と心中だてをするのに如何とも思はれるのであるが、これも君命とあれば是非もない。名を惜む武人の常としては、この山野も戰場であり、熊と死ぬるのもまた本懷とせねばならぬ。

權之助と云ひ、これは昨年生れた男子の名であるが、もう初誕生をすぎてゐる。ひと月遲い蝦夷の節句は六月であるが、幟はどんなものを立てたであらう――矢車のからからとまわる、さわやかな音が、いまにもきこえさうに耳につき、ふきながしの下で風にふくらんだ、黑い眞鯉の空をきつてゐるのが、まざまざと眼に泛ぶ。

(歩けるかな。)

(いや、まだかな。)

誕生を迎へた權之助の事である。

交替の御役替も近いので、曲者の事さへなければ、秋に這入るとすぐ歸府がかなふ筈であつた。

「細見氏、もう何刻になりませう。」

背後から西村常藏に呼びとめられ、はつとしながら、あ、ではこの邊で食事にしやうと立停つた。

湧水の音が近いし、海がみえる。

夷人のイカリシタが水を求めて、崖をくだつた。

「シロテ、いままでにその方どもは、熊を射とめた事があるのか？」

居殘つたシロテと云ふ夷人を相手に、足輕の五平が輕口をきいてゐる。なに、一度熊送りで――啞呆め、熊送りの熊なら玩具のやうな花矢を射かけるのぢやらう、女房の乳をのませて育てた熊だ、そのやうな熊なら、猫みたいにおとなしいし、それに、双方から綱で動かぬやうに曳いて居る、云ふな、云ふな、儂は不運ぢや、と五平は坐りなほして、草鞋の紐を結びなほした。

權十郎が笑ひながら、五平の話をきいてゐた。

「いたく、嘆(なげ)いて居るの。」

眩しさうに五平は顏をあげて

「いや、さうと知つたら、儂が三橋の旦那にお願ひしても屈强なのをお賴みして來るのでした。」

眞顏でほんたうにさう想つてゐるらしい。

「草鞋の紐は男結びに結ぶがよい。生きては還れん。」

「まことで。」

「ふふ、貴樣の推量にまかせる。」

イカリシタが水を汲んできた。

「身共は水はいらん。」

と訊ねもしないのに、西村常藏はひとりで云ひ、虎杖の若莖を鹽で揉んで、むしやむしややりながら、これは趣好ぢやと權十郎の前にふくべを差出した。

「燒酎です、傷の手當と思ひ、携へて參りましたが、ひとつ如何です、それはそれ、これはこれ、ま、氣付藥ぐらいにはなりませう。」

「いや、身共はこの方がいい。」

むすびを頰ばりながら、權十郎は手を振つた。常藏はぽりぽりと音をさせてうまさうに虎杖の莖を嚙り、ちびちびと惜しさうにふくべの酒を汲んでゐたが、ひとりで持てあますと、お前もやれと足輕や夷人を呼んでふくべをまわした。

呑氣な男だと權十郎は西村常藏の事をさう想ふ。双肌を脱いで、蚊がとんで來ると、ぴしやりぴしやりと、白い餅肌を平手でたたくのである。たたいたところだけが、いつまでも赤くふくれあがつてゐる。

第二日

下山して朝陣屋で眼を覺すと、昨夜また例の熊が出たと云ふ。細見權十郎はそれをきくと追取刀で現場に急行した。

昨日は九里歩いた。足馴しにしては少し歩きすぎたが、蟹でも踏みつけたやうに足裡がふくれあがつてゐる。肉刺ができるのかも知れない。

現場はやはり浦河上の海邊から四里ほどのぼつた山道の夷人の草小屋である。なるほどそれらしい熊の足跡があり、夷が引崩したと云ふ毀れた拜み小屋の門口もまだそのままになつてゐる。夜六つ半頃夷人の親娘が、爐端で小布をひろげてゐると、門口に物の怪がするので、誰か同族が訊ねてきたのだと思つた。それで母のはうが、どなたと聲をかけると、いきなり家鳴りがして御幣がひつくり返り、愕いてゐると、巨熊がによきつと顏を出し、家内のものをぢつと覗くやうに身構えてゐた。娘がきやつと、けたたましい叫びをあげ、母に抱きついたが、母のはうは山の中に住むだけに氣丈とみえ、咄嗟に爐のなかで燻つてゐる火のついた焚木を摑んで投げつけた。

熊はそれきり逃げてしまつたが、まだ附近にうろうろしてゐるやうで氣色わるく、親娘は生きた心地もなく、寢もやらず抱きあつて夜を明かしたと云ふ。

ふんふんときいてゐた細見權十郎は愈々曲者の城地に足を踏み入れた感じで當分陣屋に戻らず、このあたりの山野を狩りたててみやうと考へた。

この熊が夜に限つて現はれるところをみると當の熊も、相當曲者らしく氣取つてゐて、その點張りがあるのであるが、いづれはこの附近に穴でもあつて、日中は盗人らしく晝寢をし、夜陰にはいるとのそのそと這ひだしてくるらしい。人數をふた手にわけ、權十郎は足輕五平及夷人イカリシタを連れて附近の山野を狩つてみる事にした。晝のうちによく地形を見究め、夜陰の襲撃に支障のないやう足場固めをする必要がある。

附近はリクンラシの山裾になつてゐる。

リクンラシの後方は、カモイ、セタウシ、ピセナイなど聳立した高い山が自然の境界をなして居り、川が帶のやうに小さなリクンラシの山裾を洗つて坦々と海にそそぐ。隨つてこの附近は、なだらかな丘陵地帶である。

楢や、樺や、蝦夷松など大きな立木がならび、人間の背ほどもある笹や虎杖が密生してはゐるが、附近から曲者が動かないとすれば狩りたてるのはさう難事とは云へない。

山野に狎れてゐるイカリシタが先頭で、叢林を歩く。拔身の山刀で、イカリシタは要心ぶかくそれでゐて敏捷に、泳ぐやうな恰好ですいすいと先に進んでゆく。まごまごしてゐると、足早なイカリシタの姿がみえなくなるが、權十郎はそれを見失はぬやうにイカリシタの纐飾（せんかき）や繩紋の厚司を見當にすすむ。進むのに邪魔な、蔦や葡萄づるがあると、イカリシタは山刀でそれを斷ちきつて、道をあけ、沼地があると、旦那（にしぱ）旦那（にしぱ）と注意をしてくれる。

斷えず小鳥の啼き聲がきこえる。

かけす、こま、るり、かつかう、などあらゆる鳥の囀りが、岩清水（しみづ）の音や、楢の立木の葉搖れをたのしむやうにうたひつづけてゐる。

權十郎は、時々熊狩の事を忘れて、鳥の啼き聲に立停つて耳をすませた。そんな時五平の方をみると、五平も鳥の囀りに耳をすましてゐる。

「旦那。」

「うむ。いいなあ。」

多くは云はない、云はなくとも互ひの心は通じる。

五平は山百合の咲いたのを見付けて、はじめ、大切さうに切花にして片手に持つてゐたが、叢林にはいると、何處にでも無雜作に咲いてゐるので、いつの間にか棄ててしまつた。

「鳥渡でも、物の怪がしたら知らせるのだぞ。」

イカリシタに云ひ、五平は重さうに幾度も鐵砲を擔ひなほす。

「旦那。」

と先頭のイカリシタが立停つた。笹を踏み分けて、何か前方からやつて來るものがある。いよいよ出たな、權十郎ははやる五平やイカリシタを抑へて、よいか、充分に獲物を近づけるのだ、と小聲で私語いた。

獲物はそれかあらぬか、だんだん近付いて來る。イカリシタは視界が利かず、弓が用をなさぬので、小刀(まきり)を片手にいまにも獲物がでたらとび付きさうに身構へた。距離が二三間になつた。

「射て。」

と權十郎が叫んだ。硝煙のただならぬ匂ひがあたりを罩め、その時已にイカリシタは叢中にとび込んで行つが、どうしたのか、旦那、旦那、と頓狂に叫びながら、笑ひ聲を立ててゐる。

「射とめましたぞ。」

まだ、全身の震(ふるへ)のとまらぬ五平はきほひ込んで、イカリシタの後を追ひ、權十郎も續いたが、三人のみたものは銃の音に愕いてとぶやうに駈けてゆく鹿のすがたであつた。

「五平、中原にて鹿を愕かすか。」

權十郎も聲を立てゝ笑つた。

夜、夷人の家で不寢番をする事になつた。酒の好きな西村常藏は、不寢番をいい事に、勝手に粗駄を焚いては、ゐろりを圍んでひとりでちびちびやつてゐる。夷人の娘が、酒の肴に、百合(ゆり)の根と鹿のあぶり肉を持つてきた。今夜は燒酎でなくて、本物の酒を携へてきた。神窓(ぷらや)から、蒼白い月が洩れてゐた。灯はあじかの油を焚いてゐたが、白い削花に灯がゆらいで、まるであじさいの花を眺めてゐるやうであつた。

昨日一日で、燒酎を清酒に取替へたのはどう云ふ理由に基くものであらうか、燒酎は傷の手當をするのだと云つてゐたが、まさか、淸酒は傷を洗ふために持つてきたのではあるまい。權十郎は西村常藏の氣持を測りかねた。

たとへ、相手が獸であつても、打ち洩らしたとなればお役追放は覺悟をせねばならぬ。

「西村氏、御酒の味は。」

さぐりを入れたのではない、權十郎はひとこと何か云つてみたかつたのである。

「いや、飮む程に、醉ふ程に結構ですな、御貴殿もひとつ如何で。」

「いや、身共は。」

「おかたい、お奬めしますまい、五平が云つて居りました。草鞋の紐の事です、大事の前ゆゑ、紐は男結びにしたがいいと――身共はそれをきいて、御貴殿の覺悟の程を推察いたし、はづかしく存じました。今度の熊狩に際しましても、身共は改つた感慨が湧きませぬ、平常と同じです、二本差しで歩いてゐる以上、平常と非常の距りはなく、いつでもお役に立てると存じてゐます、如何でせう。」

「だから、いつ何處で酒を呑んでもいいと、さう仰言られる。」

「さう云ふ結論になりますかな。」

常藏は首を傾げた。

權十郎はそれきり、口を噤んで立ちあがつた。草履をつかけて戸外に出て、うむ、いい月だと、ひとりで呟いた。ぎこちなく、何故ともなく、月の美しさとは別に胸に蟠るものがある。それよりも、口の下手な自分に腹が立つ。西村は腹を立てぬ男である、だからと云つて何を云つてもいいと云ふ事はあり得ない。酒の事に觸れんでもよかつた。武人の覺悟にしても十人十樣、思ふところがあらう、酒を飮む飮まぬにかかはらず、あの場合性格の相違だと云へば穩當であつた。

その時突然銃の音がした。

權十郎はくらがりの中をかけていつた。五平が鐵砲を握つてゐた。拔身をさげた常藏もいつの間にか權十郎と竝んでゐた。

「愈々、現はれましたかな。」

草がふかく、よくは見究める事ができなかつたが、獸らしきものが、まだ十間ほどさきを歩いてゐるやうである。異樣に草が動く。一發、二發、都合三度火蓋をきつたが、はつきりと夜陰のため見定める事ができなかつた。その夜六つ時、また、そのやうな氣配があつたが同樣うち洩らした。

第三日

前夜鐵砲を放つた場所を朝になつて、調べてみると草叢に熊の足跡がある。

「やはり現はれ居つた、さう云へば、小牛ほどもありましたぞ。」

足跡をみて五平が云つた。

「わざと當らんやう鐵砲を撃つたのと違ふか。」

西村常藏が笑つた。

露をふくんだ、月見草が踏みひしがれ、莖から落ちた花が散らばつてゐる。權十郎は熊の足跡を手繰るやうに、草叢を蹤いていつたが、行きつ戻りつしたその足跡は亂脈をきわめ、それも途中で消えてしまつてゐた。

その夜も、夜徹附近を張つたが曲者は遂に姿を現はさなかつた。

第四日

「旦那、虎は一日に千里駛ると云ひますが、熊はどれほど駛るものでせう。」

五平がきく。

「さあ、わからんな。」

と權十郎は答へる。

「軀つきをみると、もつそりして居りますが、はやいさうですな、一里ぐらい先にゐても、人間の匂ひを嗅ぎわけると云ひますな。」

「さあ、わからんな。」

「樹のぼりもするさうで。」

「わからんな。」

今度は流石に權十郎も氣の毒になつたやうで、五平に北叟笑んで、川で鮭を獲るさうだと、ひと言智識をふりまわす。

「知つとります。」

「さうか。」

と權十郎は河原へ下りると、つめたい水でざぶざぶと顏を洗つた。ふとみると魚が居るやうである。すい、すいと、かなり大きな黑斑の魚が、きれいに澄んだ水底に玉石の肌を舐めるやうに泳いでゐる。石をとるとざり蟹が出てきた。

空が高く涼しさうに鳥が啼いてゐる。

けふも、熊狩りである、常藏とふた手にわかれ、朝から五里ほど歩いてゐる。

權十郎は近頃每晩熊の夢ばかりみてゐる。大きな熊――小さな熊――ふとつた熊――瘦せた熊――咽喉に月の輪のある熊――毛のちぢれたきたない熊――怒つてゐる熊――うとうととすると、もう熊の夢をみてゐる。種々さまざまな熊が、權十郎の五官にふくれあがり、血脈のやうに、かけめぐり、のそのそと這ひ、飛つき、逃げまわり、うづくまる。

「さあ行かう。」

腰をすゑ、掌に煙草を轉がしてゐる五平を尻目に、權十郎は立ちあがつた。權十郎の羽織も、野袴も、四日たつただけでぼろぼろに千切れてしまつた。月代がのび、頰が落ち、めつきり焦悴したやうで、旦那は近頃少しをかしいと、五平は思つた。

第五日

霧がひどかつた。

壁のなかにゐるやうで、海も部落もみえなかつた。

朝、例の如く出立しやうとしてゐると、通報がきた。吉多源左衞門と云ひ、槍を抱へた異樣なすがたで、昨夜また熊が浦河の町近くの夷人小屋を襲つたと云ひ、三橋氏の下命で通報かたがた助勢にきたと云ふ。と、間もなく、また別の知らせで、リクンナシの山一里餘程の道筋に熊が現はれ、通行中の夷人をおどしたと云ふ。

それとばかり、一行は俄かに色めき立つて、現場に急行した。だが、途中細見權十郎の提案で、いつものやうに人數をふた手にした。

權十郎は五平とイカリシタを連れ、熊を見掛けたと云ふ夷人を道案內に現場へ行き、西村常藏はシロテと吉多源左衞を同行、現場で落ち逢ふやうにわざと道を落した。

常藏はいつものやうにけふも酒を入れたふくべを携へてゐた。

シロテが先登をきつた。弓を抱へてゐる。

その次に鐵砲をかついだ足輕の友平が續く。その次に槍を持つた吉多が續き、殿を西村常藏が受けもつてゐる。途中夷人に逢ふと、一行の物々しい恰好にあわてゝ草叢に逃げ込んだ。

友平、友平と殿の常藏が、足輕友平を呼びとめ、如何いたしましたので、と歲よりも老けてみえるこの男はいつもの大袈裟な顔付きで、何事かと踵を戻すと、一服ぢや吉多氏にさう云へ。たつたいま憩んだばかりではと友平が答へると、常藏は横を向いてわざと友平の顔をみないやうに、理屈を云ふな、ともう、どつかり腰を卸して、例のふくべを握つてゐる。常藏を中に五平と吉多が目白押に竝んだ。

「細見氏と一緒に歩いてゐると、どうも呼吸がつまるやうぢや。」

誰に云ふともなく、常藏はさう云つて、面白さうに聲を立てて笑つた。常藏の笑ひ聲が、谺になり、忘れた頃、谷を渡つてかへつてきた。靄があり、また眞夏の陽が頭上にかんかん照りつける。

「旦那とは違ひ、細見樣は何事にも、眞面目で御熱心な方で、殊に熊狩のお役がでてからは夜も碌に眠をとらず、端でみてゐる私共が却つて痛々しい程で御座いまする、それに引換へ旦那は。」

友平が吉多源左衞門に聲を落して話してゐるのだ。友平、何を云ふ、と常藏がききとがめた。

「へい、ただありのままを申しあげて居りまするので。」

「主人を思はぬ不屆の下郎ぢや。」

さう云つてまた常藏は聲をあげて笑つた。

吉多と云ふ侍はをとなしい男で、笑ひながら主人と下郎の問答をきいてゐて、別に口を挾まうともしない。だが鳥渡、休んでゐる間も、もどかしさうで、立つたり坐つたり長槍をりゆうりゆうとひごき、時々立ちあがつて、えつ、と裂帛の氣勢をあげ、その度に夷人のシロテを愕かせる。

今度の熊狩に就いては、本府に加増御褒賜の申遣をすると云ふ事は、上役の三橋藤右衞門が洩らして居り、三橋氏が自分を助勢に立たせた肚のうちには、貴樣の手柄にしろと、云はず語らずあたたかい内意が秘んでゐると讀めるやうな氣がする。三橋氏の恩顧に報ひるためにも、此度の熊は、是非自分が射とめねばならぬし、その手柄をひきあてるために、世の中のふしぎな廻りあわせがあるやうな氣がするのだ。だが、それを顏に現はすやうでは、いけぬと思ひ、西村常藏が何を云つても、默つて笑つてゐる。

常藏はいい心持になつた。酒が廻つてきたのだ。ひとりで飲んでは惡いと想ひ、それでも殘つたのをみんなに廻したのだが、シロテまで遠慮をしたのか、口をつけやうとはしなかつた。晝日中、酒氣を帶びてゐるのは端の眼からみてどうかは知らぬ、だが、常藏はこの琥珀いろの飲物が軀のなかにはいつてゐないと、芯をぬかれたやうで、軀が萎れ、ぼんやりしてしまふ。はじめ、常藏の酒は、冬の寒氣と鬪ふために、藥用として愛飲したのに始まる。地方の勤番侍は、外出の仕事が多く、始終煖をとる事はゆるされないし、例へ厚着をしても、一歩外へでると、氷雪に身が縮んでしまふ、そのやうな時に、少量でも體內に酒がはいつてゐると、體中がほかほかと煖房作用をして寒さを忘れる、しかし、その酒が、冬ばかりではなく、夏の暑い時は暑氣ばらひによく、春はまた花の陽氣に素面では鹿爪らしいと云ふ事になり、西村は呑兵衞だと朋輩の噂にのぼるやうになつた。松前に居たとき、世間なみに妻女をすすめられ、自分もその氣になつたが、折惡しく、浦河に轉勤を命じられ、その話もそれきり立消えになつたが、いまになると、松前へ戻つて、安い御手當で袢をつけ鯱ほこ張つてゐるよりは地方勤番も呑氣でいいと想ふやうになつた。母は弟の處に居る。弟がしつかりしてゐるから、家の方は心配なく、ただ友平が氣を揉むくらいで、弟は少々迷惑でも、自分が地方勤番の故に家庭圓滿天下泰平と云ふ事になる。

細見權十郎を眞面目な武士であるとするのに異論はない。常藏も日頃から敬服して居る。だが、酒は飲んでも飲まなくとも、士道を守る事に於ては、決してひとに遲れをとるものではないと常藏は想ふ。權十郎が白無垢でやつて來ないだけで、松前の留守宅に遺書を送つたと云ひ、髮に香を焚きこめ、すでに死を覺悟して役を受けた事は、武人として立派な事には間違ひないが、さうまでしなければ武人のつきつめた心情は現はし得ないものであらうか。武人の道はただ死ぬる事にありと葉隱は敎へてゐる、すがたかたちはどうであらうと、要はただ死所を得る事にある。相手が獸（けだもの）では、心意氣ははなはだ潔よしとせぬものがあるが、君命なれば詮かたなき次第と云はねばならぬ、要はただ熊が現はれるまで根氣よく待てばよいのである。現はれたら、熊を刺せばよい——そんな事をひとりで考へ、鳥渡橫になつた心算（つもり）の常藏は、草枕でいつの間にかうとうととしたらしい。あたりが俄かに騷々しいので、常藏はふと眼をさました。頰にぺつとりと涎（よだれ）がついてゐて、かゆいと思ひ頸すじに手をやると蚊に喰はれたか大きく二三個所ふくれあがつてゐる。常藏はそれに唾をつけた。

「如何したのだ。」

常藏が云ひ空を見上げると、何處からきたのか、鷹が五六羽悠々と大空をとんでゐる。

「弓組、射つてみい。」

常藏がシロテに云つた。シロテは手を振つて尻込みをした。

「では鐵砲隊。」

「旦那御冗談を。」

と友平が笑ふと、常藏はシロテから弓をとり、無雜作に矢をつがへ、ひようと放すと、舞ひ下りて櫟の梢に羽をやすめやうとした一羽の大鷹にそれが當つた。鷹は千代紙のやうに、ひらひらと地上に落ちてきた。

「幸先きがよいぞ。」

さあ行かうと常藏はあとの者に聲をかけて、また脇道の叢林にはいつた。

半刻も歩いたであらうか、流の音がするので、川があるのかも知れぬと、笹をわけた瞬間、常藏の眼にとまつたのは、磧に半ば足を踏み入れ、じつと物音に眼を凝してゐる、小牛ほどもある熊のすがたである。なるほどこれは大きい、硬い毛が、枯れた松葉のやうに赤ちやけてゐる。

「うむ、よし。」

と、はやる胸を押へて、常藏は素早く大刀を拔き、出たぞ、と短く連れに云つた。熊は腰を据ゑてゐる。人をみても逃げないところをみると、此奴相手を甘くみてゐる。常藏は何を想つたか、大刀を鞘に納め、今度は小柄を拔いた。まづ、熊の出方を試さうと考へたのだ。ねらひを定めて發止と投げた。

熊はふわりと後足で立ちあがつたと思つたが、その時はすでに常藏の頭上をとび超え、吉多源左衛門に襲ひかかつてゐた。源左衛門は槍を構へる餘裕がなかつた、突嗟の事で、身をかわすだけが上乘で、籔のなかを轉つた。常藏が熊を追つて一太刀浴びせたが空をきつた。シロテだけは心得たもので、すぐ手頃の樹にのぼり、矢をつがえて二筋放したが、手應がなかつた。熊は籔をつきつて逃げだした。しばらく、風が通りぬけるやうに、一條の笹の動きが、きこえ、追手の喊聲がきこえてゐたが、また靜になつた。

常藏の眼からはぽろぽろと泪が滾れた。

組めばよかつたのだ。動くのを待つたのが不覺だつた。地團太を踏み、きりきりと齒を鳴らした。友平の撃つ銃の音が、いま頃になり、はるか遠い笹原のなかで、づどん、づどんと、木鼠を愕かせてゐる。

第　六　日

捜査網をちぢめ、昨日西村常藏が見かけた現場附近を山狩する事になつた。

今生の想ひ出なりと、呑氣な常藏も、今日は悲壯な面持で、出立に際し、ふくべを傾けた。

「酒氣を帯びて大丈夫で御座るか。」

と權十郎が眉をひそめると、

「心身を淨める神酒で御座る。」

シロテから貰つた干鮭を器用にむいて、頬ばると、先になつて夷人の家を出た。

眼が沁みるやうに空があをい。

けふも鷹がとんでゐる。

常藏も月代がのび、髯がぼうぼうとして、衣服はぼろぼろになり、碌に顔も洗はぬため、脂のういた黒い顔に、眼ばかり異様にぎらぎら光る。

「旦那は兇状持ちのやうで御座います。」

と友平が云ふと、自分でもさう想つてゐるのか

「まだ、それくらいか、ま、いづれ島送りぢや。」

と尤もらしく云ひ、みなを笑はせるのであつた。權十郎のすがたかたちも、常藏と同様だつた。

山にはいると、權十郎も常藏も、無言であつた。あをい空も、涼しさうな鳥の聲も、眼にも耳にもとまらぬのである。ただ、熊を射止める事があるだけである。

ならんで歩いた。

葡萄蔓がたえず足にまつはりつく。その度に、ふたりは足を攫はれ、のめつたり轉んだりした。

「また、近日下から助勢がやつて來ると云ひますぞ。」

聲をかけたのは權十郎である。常藏は默つて痩せた權十郎の顔をみた。常藏はそれには答へなかつた。

「上司の見込みに添はねば、それも止むを得ぬ仕儀だと想ひます。」

「助勢などお斷りしたはうがよいでせう。」

「でも、そのやうな身勝手なことが。」

「いや、熊が昨日逢つたとき、身共にさう申しました。いづれ、近日年貢をお納めいたしますと。」

さう云つて常藏は、小づくりな圓い肩を搖つて笑つた。權十郎どのは疲れてゐるのだと、常藏はさう想ふ。權十郎はそれきり口を噤んだ。不快だつた。西村常藏がそんな風に言ふ事はとりもなほさず自分を信賴してゐぬからだと考へる。

はじめ熊を發見したのは權十郎だつた。

用意の法螺貝をふいた。

それと同時に拔刀して權十郎はいきなり、熊を眼掛けて斬り込んだ。熊は動かなかつた。眼をむいたまゝ權十郎を守勢で近づけてゐる恰好だつた。

笹をわけて、わあつと追手が集つて來る樣子がみえたが、その時西村常藏も權十郎のあとを夢中で追つてゐた。

身近に來ると、熊がいきなり立ちあがり、うおうと咆哮しながら後足で立ちあがり權十郎に負ひかぶさつてきた。權十郎は熊と取り組むやうに體ごと、刀の尖を熊の咽喉に押しあて、突きまくつた。血しぶきがぱつとふきとんだ。熊が轉り、權十郎もはづみで力餘つて熊と一緒に轉がつた。手負のまま怒りに怒つた熊は、今度は常藏を襲つた。常藏は一歩退いて、熊をはしらせる姿勢のまゝ、一刀を眼より口にかけて斬り下げた。權十郎が立ちあがつてとどめを刺した。

「お手柄でした。」

と常藏が云つた。

「いや、御見事です、手柄は貴殿のものです。」

ふたりとも肩から呼吸をついてゐた。熊を前にへなへなとふたりとも坐つてしまつた。權十郎が先に笑つた。常藏も笑つた。それから、期せずして一緒に笑聲をあげた。ふたりの眼には泪が光つてゐた。

――完――

三月六日脱稿

會友募集

文學は國民のものである。文學者の專有物ではない。國民の中から常に新たなる文學者が生れて來る。そして日本の文學は進歩するのである。然し、出版界の現狀は、文學界の新人出現の途を、やゝ阻むかのやうに見受けられる。

本社は、日本國民文學樹立を目標として、運動を續けてゐる團體だ。國民文學に志望を有する新人に、どしどし誌面を開放するつもりだ。志を同じくする士は、本會の會友となつて貰ひたい。

一、文學建設會友は會費半ケ年分六圓を前納すること

一、會友の原稿は、編輯委員會に於て批判し、その推薦によつて掲載すること

ウマノスズクサ

山田克郎

1

海が近いせいか、光の清澄な大氣の中に、芝生のやうな稻田が、ひろがつて意外に走り去る。

ところ〴〵收穫の終つた所もあり、まだそのまゝ、重い穗を風になぶらせてゐる所もある。農家は收穫の時期で忙がしいのであらうが、經子はさうしたことには思ひがとゞかず、力のない眼を窓の外にむけて自分自身の思ひにひたり、同じ考へばかりを追つてゐる。

どうしたことかこの二三週間、良人は焦だつて、ひどく怒りつぽくなつてゐる。今朝もほんのつまらないことから、家を出がけに口喧嘩になつた。そのまゝ出てきてしまつたのであるが、後味の惡さが、經子を苦しめるである。

ふたりの結婚生活に、破綻が來たされやうとしてゐるのではなからうかと、そんな嫌な考へがつき纏ふ。そして、自分の職業を拋げてしまひたいやうな自棄な氣持さへ抱かされる。

保健婦の彼女は、その仕事の性質から、一日ぢう家を外にして、夕方、疲れて戻つてくる良人を、迎へることもできない日が多い。良人は、自分でお茶を拵らへるが、それも面倒な時には、朝の味噌汁を御飯にかけて濟ましてしまふ。

さうした家庭の冷たい味氣なさが、良人の心を空虚なものにしてゐるのではなからうかしら、と考へる。……が、もともと、彼女に保健婦になるやうに奬めたのは、良人であつたのだ。それまで彼女は、保健婦といふものを知らなかつたし、自分がどんなことにでもあれ、職業を持つ女にならうとは、考へてみたことさへなかつた。

結婚して、三月目ごろであつたらうか、良人から保健婦になるやうに奬められ、彼女は良人と別居して濟生會の病院へ入り、二年間、その方の勉强に專念した。保健婦としてどうにか一人前になつてから、もう一年半以上になる。

良人は瀬戸内海の小さな島の、國民學校の先生である。高等科を受持ち、自分で漁民道場のやうなものを開いて生徒を訓育してゐる。その爲、毎日、ゆつくり瞼を合せる暇もないほどの忙がしさであつた。

保健婦の仕事は、經子のやうな若さでは世間の迎へも暖かくはなく、辛いことが多い。それでもその仕事の大切さに、氣の挫けることはなかつたが、また經子は、島の少年を立派な漁民に仕上げようと、それにすべての力を傾け盡してゐる良人の仕事をも、尊敬してゐる。從つて、さうした良人を家庭で暖かく憩はせることこそ、妻の最良の道ではなからうかと、思案にあぐむのであるが、その爲には、折角の保健婦を犧牲にしてしまはねばならない。……

經子はいつまでも考へが纏らず、腰掛の背に頭を凭せかける。

2

汽車は鐵橋を過ぎる。河裾に、瀬戸の海が秋空に冴え冴えとした色を見せてゐる。

列車はやがて田圃の中の寒驛に、ゆるくとまる。經子はホームに降りて、列車の通りすぎてゆくのを待つた。

この村へは二度目で、二三軒、これから往診に見廻らなければならない家があるのである。

患者の家ではどこでも、野良へ出てゐるといふことであつた。稲刈りに忙がしいので、病氣だからと云つて、家にぢつと寢てゐることはできないのである。一粒でも多くをお國へ納めやうと、必死の氣構へを、經子は感じるのである。

忙がしく農夫の立働く田圃の間の、細い畔道を傳つて行く途中に、林に圍まれた小さな鎭守様があつた。普段でも經子は神社の前は素通りしなかつたが、今日は特にお祈りをして、心を靜めたい氣持を抱いてゐる。

林の中には、幼稚園の生徒と思はれる歳頃の子供たちが、どんぐりの實でも拾つてゐるのであらうか、たくさん方々に散つて遊んでゐた。

鈴を鳴らして、お詣りを濟まし、道の方へ戻らうとすると、

「中瀬さん」

と、まだ結婚しない前の姓を、呼びとめる聲が追つてきた。

「あら、誰かと思つた」

經子は笑ひを含んで二三歩、その方へ歩みよる。女學校時代に、親しいといふ程ではなかつたが、いつでも同じ級であつた弘江が、子供たちと共にどんぐりを拾つてゐる姿を認めた。

「へんな所で、出逢つたものね」

弘江は手を拂ひながら、立上つてきて云つた。

歳月の流れの早さが、急に身にしみる程、その容姿はすつかり變つてゐる。

弘江は商家の娘で、友達の間でも有名なほど贅澤で、浪費家であつた。弱げな身體で、美しい容貌の持主であつたが……。——その容貌の良さは、未だどこかに翳を殘してゐるが、その大柄な身體はすつかり肥え太つて、顎も二重にくゝれ、反つて醜いばかりである。これが學校を卒業してから、わづか五年足らずの間の變化なのであらうかと、眼を瞠る思ひであつた。

弘江は學校を卒業すると、その翌年、この村のお寺の梵妻になつたのだと云ふ。自分の子供もひとりあるが、お寺では農繁期に附近の子供をあづかるので、かうして毎日夕方まで、遊ばせてゐるのだと云ふ話であつた。

そして、經子が保健婦をしてゐることを知ると、この子供たちを診察してやつてはくれまいかと頼んだ。

經子にもその意は動いたが、今日はぴつちり豫定がつまつてゐるので、改めて都合の良い日に訪れることを約した。

女學校時代の友達に會ひ、他の友達の噂なども聞き、すつ

かり輕やかな、日頃の爽快さに返り、車中での厭な考へを忘れることができた。

「それぢや、ほんとに、きつとよ、診察てやつて下さいね？。……でも悪いかしら？　お禮といふほどのことは、出來ないかもしれないんだもの」

「やあね。二三日のうちに、暇をつくつてきつと訪ねるわよ」

道のところまで、弘江は送つてきて、田圃の向ふに白い塀をめぐらした寺を指さし、自分の家を敎へた。

「立派なお寺ねえ。あれぢア、うんとお禮を貰はなきやひき合はないわ」

「さうね、どうぞ。……日曜日にいらつしやいよ。ご主人と御一緒に、主人も、御紹介するわ」

「紹介したいんでせう。そんなことを云つて。うちはだめなの。日曜も祭日もないのよ。漁民道場を引受けてゐるの」

もうすこし、經子はこの友達と、他の友達の消息を話したりなどする、ゆつくりした時間を割きたい氣に誘はれたが、氣のせかれるまゝ、別れを告げて道を急いだ。

3

その日は早く歸らうとそれを氣にしながら、やはり遲くなつて、いつものやうに丸龜から尾道通ひの連絡船に乘つて島の家へ歸つてきた時には六時を廻つてゐた。

島の荒物屋の二階を、彼女たち夫婦は借りてゐる。部屋へあがつてゆくと、秋の夕映えが、射しこんで、貧しい部屋を、輝く宮殿のやうに見せてゐる。

四つ折りにした座布團を頭に、良人はうたゝねしてゐる。まだ食事を濟ませてゐないやうである。疲れて戾つてきて、食事をする暇もなかつたのであらうか。

その足元に壁の着物をとつてのせ、階下へ降りて食事の支度にとりかゝつた。今日は良人と共に夕飯をとれるのだと、心が彈む。

お茶の煮える間に、洗濯を濟ましてしまはうと二階へ引返してくると、良人は眼をあいて、煙草を指にしてゐた。

「お腹空いたでせう。もうすぐなの。大急ぎで支度をしてゐるわよ」

「なんだ、歸つてきてゐたのか。ほんの十分ばかり、とろりとしてゐたやうだな。少しも氣がつかなかつた」

「今朝のこと、ごめんなさいね」

「………」

眼を宙に据ゑたまゝ、返事をよこさうとしない。

——やはり、まだ怒つてゐるのかしら？

「經子」

良人は膝を組んで、起き上つた。煙草の灰が、その膝の上に落ちかゝつた。

「聽診器を出してみてくれんか？」

「聽診器つて、何かなさるの？」

「ちよつと、僕を診察してみてくれないか？」

「……　あら？　お惡いの、どこか」

押入れのよごれ物を纒めてゐた經子は、驚いた顏をふりむかせたが、良人はマッチの空箱に灰を落しながら、

「惡いといふ程ではなからうが、このひと月ばかり、夕方になると熱が出るんでね。僕はまだ生れてから一度も醫者の藥を呑んだことのない身體だから、自信を持つてゐたんだ。そのうちに治るだらうと、平氣だつた。病氣なぞ精神力でどうにでもなると、無理に押してきたのだが、………どうも精神力といふ奴も、當にならんやうだな。この頃では、すぐに疲れる。氣が焦だつ。お前にも日頃隨分無理を云つてきたやうだな。辛かつたらう？」

「そんなこと……。でも、わたしが行屆かないから、お氣にいらないのかしらんと、そんなことを考へて、仕事をやめて、いつそ家にゐようかしらなどと」

「そんなことを考へるものかねえ、女つて。………さうかなア、だがお前はそんなことを考へちやいけないな。もつと、仕事に自信を持たなければ。お前の身體は、もはや、お前個人のものではないのだ。自分のものだと思つたら、大間違ひだよ。病人の爲のものだ、お前が居なければ、病人はみすみす、病名も知らず、醫者に手を握られることもなくて、死んでゆかなければならない。それを考へろ。お前はさうした人たちの生命を預つてゐる、大切な身體ぢやないか。自分の身體だと思ふから、そんな迷ひが出るのだ。自分の身體ではない。社會の身體なのだ。いゝか自分の仕事を輕んじることは一番いけないことだ。良人の一顰一笑に迷ふやうでは、まだまだ駄目だな。どれ、ひとつ賴まうかな、名醫さん。診察してみ

寢汗がひどい。頭痛で吐氣を催してくる。食慾はない。痰が少しづゝ出るといふ。肺炎のやうであるが、醫者に診斷をして貰はなければはつきりとは定めにくい。氷嚢と氷枕をあて、胸部濕布をした後、絕對安靜のこと、濕布の仕方、食べ物の注意を松爺さんにくどい程繰り返し敎へて、歸り道、經子は役場へ寄つた。

松爺さんの家は貧乏で醫者を呼ぶことができないので、救護法發動について社會係と相談した。丸龜の醫者へ電話をかけ、今日はもう遲くて連絡船もないので、あしたの一番で來て貰ふことを賴んだ。

それからもう一度松爺さんの家へ行つて樣子を見た後、漸く彼女は家へ歸つてきた。すると良人はいつものやうに机によりかゝり、明日の漁民道場の敎材を拵らへてゐる。

「たゞ今――。もう御飯はお濟みになつたのね。……直ぐに診ませうかしら？」

「それでもいゝが、お前、お腹が空いてゐるんだらう？先に濟ませたらどうだ。腹ぺこで誤診でもされると困るからな」

「信用がないのね。それは大丈夫だけど、ぢや、ちよつと頂くわ。とつてもとつてもお腹が空いてゐるの」

おばさんに賴んでいつた野菜鍋のほかに、煮魚が膳の上に乘つてゐる。

「これ、階下から頂いたの？」

小さく肯いて、良人は心覺えのメモを熱心に書きつけてゐる。

良人の病氣はまだどんなふうなのか少しも判らないが、今朝、汽車の中では色々なことを考へ、ふたりの間に破滅がくるのではないかとさへ思つて、悲しかつたのに、それはすべて杞憂であつたのだと、經子は反つて氣が輕い。

良人の仕事の邪魔になるのだと知りながら、氣の輕いまゝ、今日女學校時代の友達に逢ひ、その寺で預つてゐる子供たちを診察に行く約束をしたことなどを話す。

「あなたとね、連れだつていらつしやいつて云ふのよ。皆なさうなのね。御主人は、どんな人なのかしらと……好奇心なのね。どう？　行かない？」

「いゝのかい、一緒に行つても。誘つたりすると、本當にのこのこ連いて行くかもしれないぞ」

良人は苦笑しながら、氣嫌のいゝ聲で答へる。その態度はておくれ」

つい今まで部屋ぢうを明るませてゐた夕燒け雲は、いつか西の海に薄れて、あけ放した窓硝子は宮殿の色彩を失つてしまつてゐる。經子には良人の顏が、思ひなしか、いつもの生氣を無くしてゐるやうに見えた。

鞄からとりだした聽診器の象牙が、冷酷な冷やかさで、指先にふれる。聽診器を手にしてから、こんな苦しい氣持でそれを手にとつたことは、これが初めてゞある。

ひと月も續いて、熱が出てゐたといふ良人の身體を診察することは、怖ろしさで背が寒いばかりである。聽診器を手にとりたくない。

もし病氣が惡かつたら……？　と、平氣で兩肩をぬいだ良人を眺め、男は強い神經を持つてゐると、女の弱さが、顧みられる。

「小林さん！」

階下からおかみさんの聲が、呼びあげてきた。

「松爺さんとこのお婆さんがな、惡いさうでな、診にきて貰へんかと、云つて來てるんやがな？」

良人の顏を經子は眺めやつた。せつかく、今日は夕飯を共にしようと、樂しみであつたのに……、低聲で、

「すみません」

「いゝとも、行つてあげなさい。――飯は、先に食べるからね」

「さうですか！　遲くなるかもしれませんし、それぢやお願ひします」

七輪にしかけたお茶をおばさんに賴み、使ひの松爺さんと一緒に家を出た。

松爺さんの家は、土間に續いてすぐひと間きりである。そこに老夫妻が住んでゐる。高いところにたつたひとつ小さい明り窓があるきりで、中は薄暗い。――その底に、お婆さんは夜具にくるまつてゐる。

體溫計を脇の下に入れながら、病狀を訊ねかける。

「どこが痛むんです？　お婆さん」

「胸が痛うてなア、切なうてなア……」

「どの邊なの？」

すると、左側の肋骨部を指さす。

「どんなふうに？　痛むつて」

「呼吸をするたんびになア。切ないなア……」

元經さうで、普段と少しも違つてゐない。經子はすつかり安心した氣持になつた。そしてゆつくり御飯をたべ終へる。食膳を片づけ、いくらか、おどけた口ぶりで、

「さて、さて、それでは名醫さんの診察を始めませうかね。……まづ、脉からね」

と、良人の膝の前に、ぴたりと坐つた。

脉をとると、悪い。經子は心のひき緊る怖れを覺えながら、良人の肉の厚い胸や背に、注意深い聽診器をあてた。

診察を終へると、それを疊へ置くことも忘れて、手にさげたまゝ階下へ降りていつた。裏へ出て、井戸の水を汲んで、顏を洗つた。耳が火照つてゐるのがよく判る。

良人の病氣は、かなり進行の度を進めてゐるのである。よくもあれだけになるまで平氣で耐へてゐたものだと、反つてその自制力の强さが怨めしいばかりである。

星の多い、暗い夜。風が出て、近くの竹林が騷いでゐる。あとからあとから涙がこみあげてくる。踞んで洗面器に顏をひたしたまゝ、經子はいつまでも泣沈んでゐた。

4

約束の通り、經子は、弘江の寺を訪れた。あの日から、八日ばかり後である。まだ朝が早いせいか、子供たちの姿は見えない。庭は掃除がゆきとゞいて、箒木の跡が殘り、御堂の正面の重い扉は開かれてゐる。

階段を登つて、誰もゐない御堂の中に入つた。朝日はそこまで射しこまず、空氣は重く濕つて皮膚に感じられる。

隅に、オルガンが一臺、長い間置き忘れられてゐるやうに、靜まつてゐる。御厨子に掌を合せた後、經子は近づいていつて、オルガンの前の椅子をひいた。

そして低音部から高音部へ、一本づゝゆつくり鍵を押へる。心は虛ろであつたが、いつか女學校時代に習ひ覺へた歌を指先は彈いてゐる。すると樂しかつたあの頃、世の中のことがすべて薔薇色に見えてゐたあの頃のことが、眼前に浮んでくる。

彼女は兩手で顏を蔽つて、音盤の上にうつ伏してしまつた。すべての鍵が一時に鳴りたつて耳に入つてきた。經子は、身動きをしようともしないで、そのまゝ伏せてゐる。僅かな時間が過ぎて、その肩に優しい手がふれた。

「どうしたの、經子さん？」

經子は淋しい眼でわらつて、弘江を見上げた。

「うゝん、何でもない。ちよつとね、オルガンを彈いてゐたの。そしたら、女學校へ通つてゐた頃がなつかしくなつてしまつたの」

「まア、赤ちやんねえ。……庫裡にゐたら、急にオルガンが聞えて、それが「故鄕の廢家」なんでせう。あゝあなたが來たなと、直ぐに判つたわ。……羨ましいわねえ。子供ができると、自分の生活なんて失くなつてしまふわ。もう生活のすべてが、子供本位。昔のそんな純な氣持、いつかすつかり忘れてしまつてゐたわ。淋しいわねえ」

「さうかしら。……故鄕の廢家だつたの？　わたしの彈いてゐたの。故鄕の廢家ね……」

口の中で呟いてみる。

「嫌な人、なんなの。それさえ氣がつかないで、ぼんやり彈いてゐたの？」

「彈いてゐるうちに、悲しくなつてしまつた……」

「なんとまア、のんきで、感傷家の奧樣ねえ」

弘江は大仰に、肩で溜息をついて、

「わたしも、もう一度、そんな氣持になつてみたいなあ。そんな氣持、なつかしいな。すつかり忘れてしまつて、思ひだすこともなかつたんだもの」

　さう云ふ弘江は肥え太つて、丈夫さうで、いかにも母親らしいゆとりもでき、日々の生活は樂しさうである。

　經子の頰には、うすく皮肉な影が掠める。

　今朝、彼女は、良人と別れてきたのである。當分、別居することになつて、父母の家へ歸る良人を驛に見送つてきたばかりである。

　あれからすぐ、學校へ休職願ひを出して、良人は暫く休養することになつたが、自分が校長に願つて創立し、それを指導してきた漁民道場を他の人に委しきることができず、やはり毎朝出むいてゆく。——それでは折角休暇をとつても、何にもならないので、經子は良人に島を去つて、父母の家へ歸つて貰ふことをすゝめた。そして遂に、夫の同意を得た。

　今朝、良人は、顏を洗ひに出たまゝ、井戸端に蹲みこんで、地面を眺めいつてゐる。今日は良人と別れる日である。その後姿は、これまで彼女が見たことのない淋しいものに、眼に映る。

「船に遲れますわよ。お顏はまだなの？」

「一寸こゝへお出で、經子」

良人は蹈みこんだまゝ、呼ぶ。下駄をつつかけてゆくと、井戸端のまわりに紫綠色の筒狀の花をつけてゐる草を、良人は指さして云つた。經子が案じてゐたとは別な、張りのある聲であつた。

「この花の名前を、知つてゐるかい？」

良人が何を云はうとしてゐるのか、經子は圖ることができないまま、

「雜草でせう？何だか蔓が臭くて、嫌な草ね。わたしは拔いてしまひたいんだけど、おばさんが熱さましに利くんだと云つて植ゑてゐるのよ」

「これまで、僕は、……ねえ、經子、身體をすこし粗末に使ひ過ぎてきたやうだな。そんなことを、今朝はなぜかしきりに考へるんだ。氣が弱くなつたのかな。生命といふことに就て、僕はこれまで一度も考へたことがなかつた。むしろ生命なんか輕んじてきた位だつたが、今から考へると、誤りだつたな。こんなことは、判りきつたことだが、生命が失くなつちや、何をすることもできないんだからな」

良人はその花を摘んで、指先でくるくる廻しながら、

白髪

湯浅文春

萌しては頓に殖え來る白髪をも齢となして虔み生きむ

休日は書齋に火入れ香焚きて老いづく吾れを閑かに居らしむ

雜びさぶ吾が感傷を嗤ふがに戰ひは進む神の御業と

君子は窮するが常と妻にいひ事なげにゐつ愉しきにあらず

きららかに晝を灯せる銀行に吾が待ちてゐるさやけき金

「身體の丈夫な時には、さうしたことは考へないんだね、……良く見てごらん。この草も見過せばつまらん普通の雜草だが、これでも、生きる爲、といふか、種族の保存の爲には、僕たちがびつくりする程の努力を傾けてゐるんだ。ウマノスズクサといふ花だが、ほら、この花の底がフラスコのやうになつてゐるだらう？　蚊などがこゝへ入りこむんだ。そして甘い密を充分吸つた揚句、さて、飛び出ようとすると、そこには下へむいて澤山な毛が生えてゐるので、飛び出ることができない。慌てゝ出口を探してゐるうちに、他の花からつけてきた花粉を雌蕋の先につける。と、數時間たつて、雌蕋の先はすつこり萎れてしまふ。

さうしてゐるうちに、一日、二日經つて、三日目になると、雄蕋が成熟し、その花粉が蚊の身體について花粉の塊りのやうにしてしまふ。――驚いたことには、すると、今迄フラスコの口をとざしてゐた毛がすつかり萎れて、口元が自由に通れるやうになる。蚊は飛び出て、また他の花へ移り、身體についた花粉をばら撒いてゆく。

ねえ、普段は眼にかゝらない、繁殖したつて何の役にも立たぬやうなこんな雜草でさへも、生きる爲、種族を後に殘す爲には、これだけの巧妙な努力をつゞけてゐるのだ。

僕はまだ學校の爲、この島の人の爲にぜひとも實現させたい仕事が、頭の中にいつぱいある。せめてその計畫の第一歩の、漁民道場だけでも立派に完成させたいと思つてゐる。それでないと、死に切れないからな。今になつてもつと身體に氣を配るのだつたと、後悔してゐるよ。……併し、大丈夫だな、家へ歸つてゐる間は、うんと身體を可愛がるよ。二三ケ月もすればまた歸つてこられるだらう。そしたら今度は、充分身體に氣をつけてやらうと思つてゐる。」

「さうね、三月(み)もすれば、すつかり癒くなりますわよ」

……………………

經子はひとり考へに沈み、傍の弘江を忘れ、オルガンの鍵を指先で低くたたいた。そして愛媛縣の漁村へ歸る良人を丸龜の驛に見送つた時の、車窓の別れを、瞼に追つてゐた。弘江が何か聲をかけて、庫裡の方へ立去つていつたが、何を云つたのか、耳にはいらなかつた。改めて注意をむけようといふ氣も起らない。

「先生、先生」

口々に呼びながら、三四人の村の子供が階段を先を爭ひ、オルガンの廻りへ駈け寄つてきた。そこにゐるのが弘江ではなく、經子なのを見て、互ひに後ずさりをしさうにしながら、眼を見合はせてゐる。

經子は、診察をする前に、子供たちと友達になつておかなくてはと思つた。

「皆なで一緒に、仲よく歌ひませう」

やがて數が增えてきた子供たちの聲が、經子の聲に和す。子供たちは御堂內を小さな輪をいくつも作つて走り廻る。足を踏み、大聲で喚き散らす。

經子の指は、次第に早く、調子を高めてゆく。

そして、かうして元氣に走り廻つてゐるすべての子供たちを、病魔の手より防ぐことが自分の務めなのだと、考へ、それは良人に別れてきたことを瞬時忘れさせる、強い喜びを心に漲らしてきた。

編輯後記

◇國民文學の本體が民族精神の上にあるといふ認識を、もつと〳〵强くせねばならぬ。――これは、もはや漠然たる印象や、觀照に終つてしまつてはならない。大阪藥罐の如く、熱し易く冷め易い浮はついた氣持から、時局のうへを馳け足で通らうとする慌て者の多い世の中に、ジツクリ立ちどまつて考へねばならぬのは、果して誰のつとめであらうか？ 個人的な氣まぐれな美や、眞は、決して民族的な美でも眞でもあり得ない、といふことだけは判つてゐても、民族普遍の琴線に强烈なる氣魄を以て觸れ得るもの、すなはち眞に國民的なるもの、眞に民族的なるもの〻研究と探索は、浮はついた時好的のものであつてはならぬ筈である。

◇われわれの文學運動は、實踐に入つて以來着々とその歩を進めて來てゐる。われわれは純眞なるものを求めて止まない。更に高きを求めてやまない。われわれは不純なものを排するけれども、純なるものは廣く享け入れようとしてゐる。いたづらなる排他主義は、われわれの側には無い。偏狹なる黨派意識の殘滓は、先づこの際、一切拂拭してかゝらねばならぬ。

◇われわれは、志を磨くを專一なりとする文學者集團である。實踐の鋭利にして最も苦難の道に身を挺する覺悟を持たねばならない。この信念ありて、はじめて民族共同渾一體の中に、永遠の理念をハツキリと把握することが出來るのだ。幽谷を出でて喬木にのぼる！ 志士は常に、おのれの本道を見はぐることはない筈である。

◇今月は、外人の日本觀の一端を批評して、以て特輯記事とした。まなこを蔽ふことなく廣く直視するためには、外人の眼の中を窺くのも又ひとつの窓であると思ふ。ケムプエル、ロチ、ヘルン、まだ採るべきは多いが、さしあたり此の三人にとゞめた。創作は四本立てゞ、當分作品特輯をつゞけてゆきたいと思ふ。各雜誌とも薄ツペラになつて作品が少いときだから、本誌は出來るだけ作品をのせて讀者の鑑賞に供したい。陸軍報道班員として現地にあつた海音寺潮五郎君の凱旋初筆を掲載できたのは、近ごろでのうれしいことである。

文學建設 五月號
（定價三十錢 送料一錢）
昭和十五年五月六日第三種郵便物認可
昭和十八年四月二十五日印刷納本
昭和十八年五月一日發行
（每月一回一日發行）

東京市小石川區白山御殿町一一四
編輯兼發行人　岡戸武平
東京市赤坂區青山南町二ノ一六
印刷人（東東一八）岩本米次郎
東京市赤坂區青山南町二ノ一六
印刷所　愛光堂印刷社
東京市神田區神保町一ノ二二聖紀書房內
發行所　文學建設社
文協會員番號（一二八五二五）
振替東京一五六五九八
東京市神田區神保町一ノ二二
發賣所　聖紀書房
電話神田(25)二〇六八
振替東京一二五八八
東京市神田區淡路町二ノ九
配給元　日本出版配給株式會社

假面の舞踏

暴戻英國の非道なる罪惡史！

演出　佐々木啓祐
脚本　野田高梧
撮影　渡邊健次

佐分利信
桑野通子
水戸光子
徳大寺伸
土紀就一
青山杉作
山口勇（大映）

明治十九年十月廿四日、英船ノルマントン號熊野灘にて難破、二十五人の同胞は、英船員の暴虐の仕打に海底深く恨を呑む！

松竹映畫異色大作

昭和十五年五月六日第三種郵便物認可
昭和十八年四月二十五日印刷納本
昭和十八年五月一日發行
（第五卷第五號通卷五十二冊）

明治・大正・昭和・三代を飾る歴史文學の金字塔

名作歴史文學

長與善郎作
青銅の基督
獨佛伊葡西語に譯された國際的名作の決定版。

田山花袋作
通盛の妻
巨匠花袋圓熟期の傑作。他に短篇秋の日影。

藤森成吉作
悲戀の爲恭
幕末の大和繪師冷泉爲恭と妻綾衣の悲戀を描く

貴司山治作
盲龍圖
櫻田事變直前の井伊直弼の心境を描く盲龍圖。

細田源吉作
一念
黒田武士の典型勤皇家加藤司書の最後を敍す。

片岡鐵兵作
陽炎記
南進の雄圖に燃える松浦黨の活躍を敍す長篇。

菊池寛作
仇討禁止令
新理知派の巨匠擡頭期に於ける傑作歴史小説集

吉川英治作（近刊）
大谷刑部
日本武士道の華大谷吉繼の最後を語る名篇。

武者小路實篤作（近刊）
日蓮
信念と師弟愛の大行者日蓮上人の法難記。

裝幀　オフセット四色刷・上製・函入。
版型　B六判各册三百二十頁以上。
印刷　五號新鑄活字使用。
定價　二圓－二圓三〇錢。送料二十錢。

發行所　東京神田神保町一ノ二　振替東京一二五八八　株式會社　聖紀書房

國民文學の旗の下に

文學建設

六月作品號

作家と作品批評座談會

ロッパ劇

新企劃に依る
傑作長篇の
二本立!!

1 **パランガ** 五場

火野葦平原作
菊田一夫脚色・演出
「ロッパと兵隊」續篇
裝置 島公靖
音樂 鈴木靜一

2 **映画の世界へ** 十景

如月敏
齋藤豐吉 作・演出
裝置 吉田謙吉
音樂 平野好夫

六日—卅日

毎夕五時開演
土・日十二時・五時二回

料金共税	
四・六〇	三・五〇
二・〇〇	一・二〇

ヒビヤ
有樂座
省線—有樂町・市電—日比谷御下車　電話銀座五九六一番

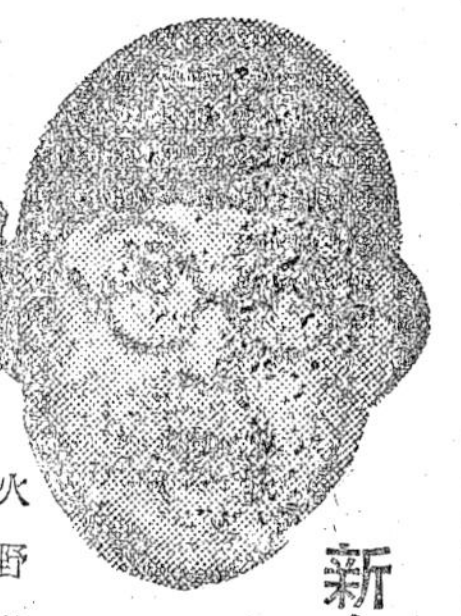

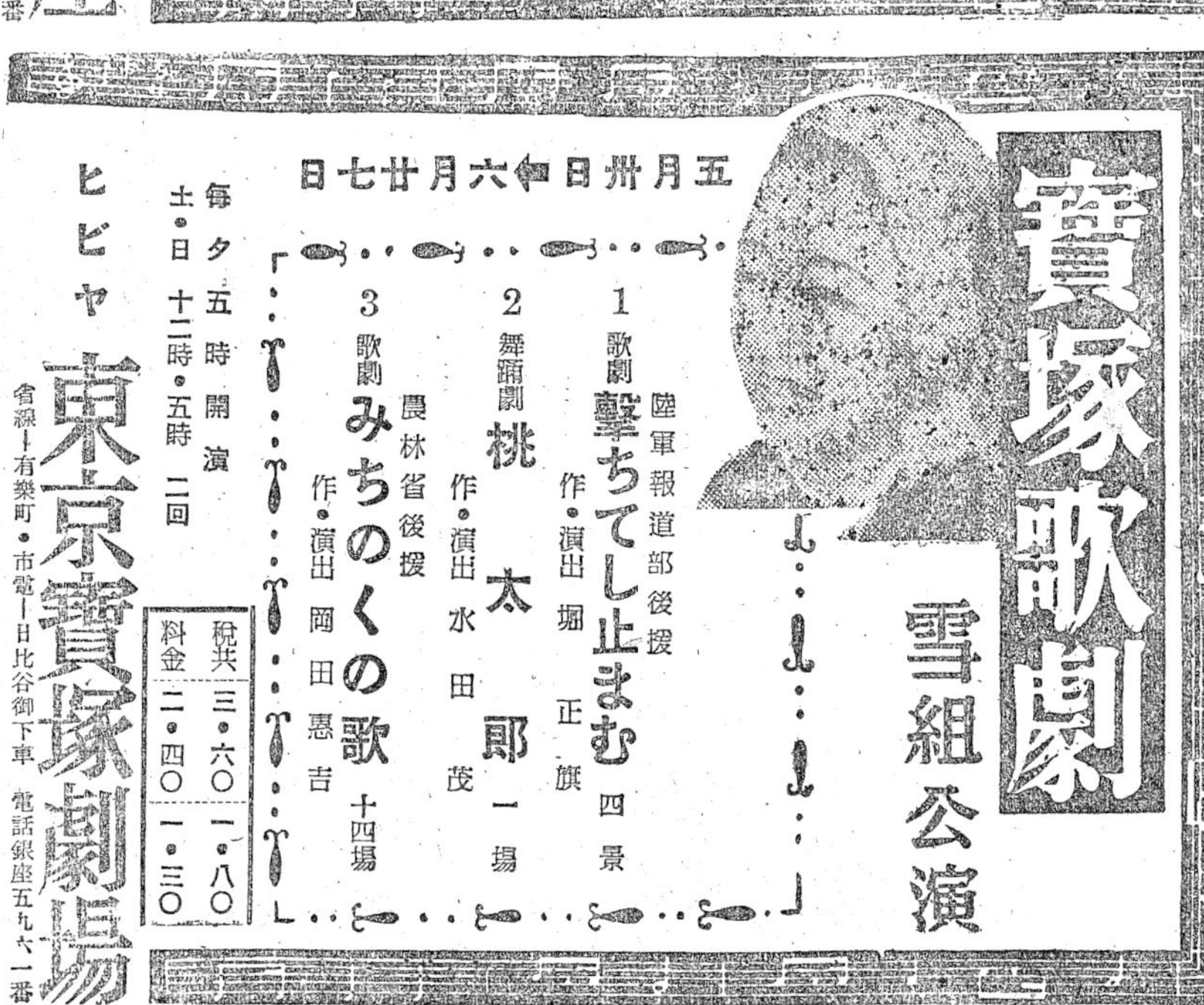

寶塚歌劇
雪組公演

五月卅日→六月廿七日

1 歌劇 **撃ちてし止まむ** 四景
陸軍報道部後援
作・演出 堀正旗

2 舞踊劇 **桃太郎** 一場
作・演出 水田茂

3 歌劇 **みちのくの歌** 十四場
農林省後援
作・演出 岡田惠吉

毎夕五時開演
土・日 十二時・五時 二回

料金税共	
三・六〇	一・八〇
二・四〇	一・三〇

ヒビヤ
東京寶塚劇場
省線—有樂町・市電—日比谷御下車　電話銀座五九六一番

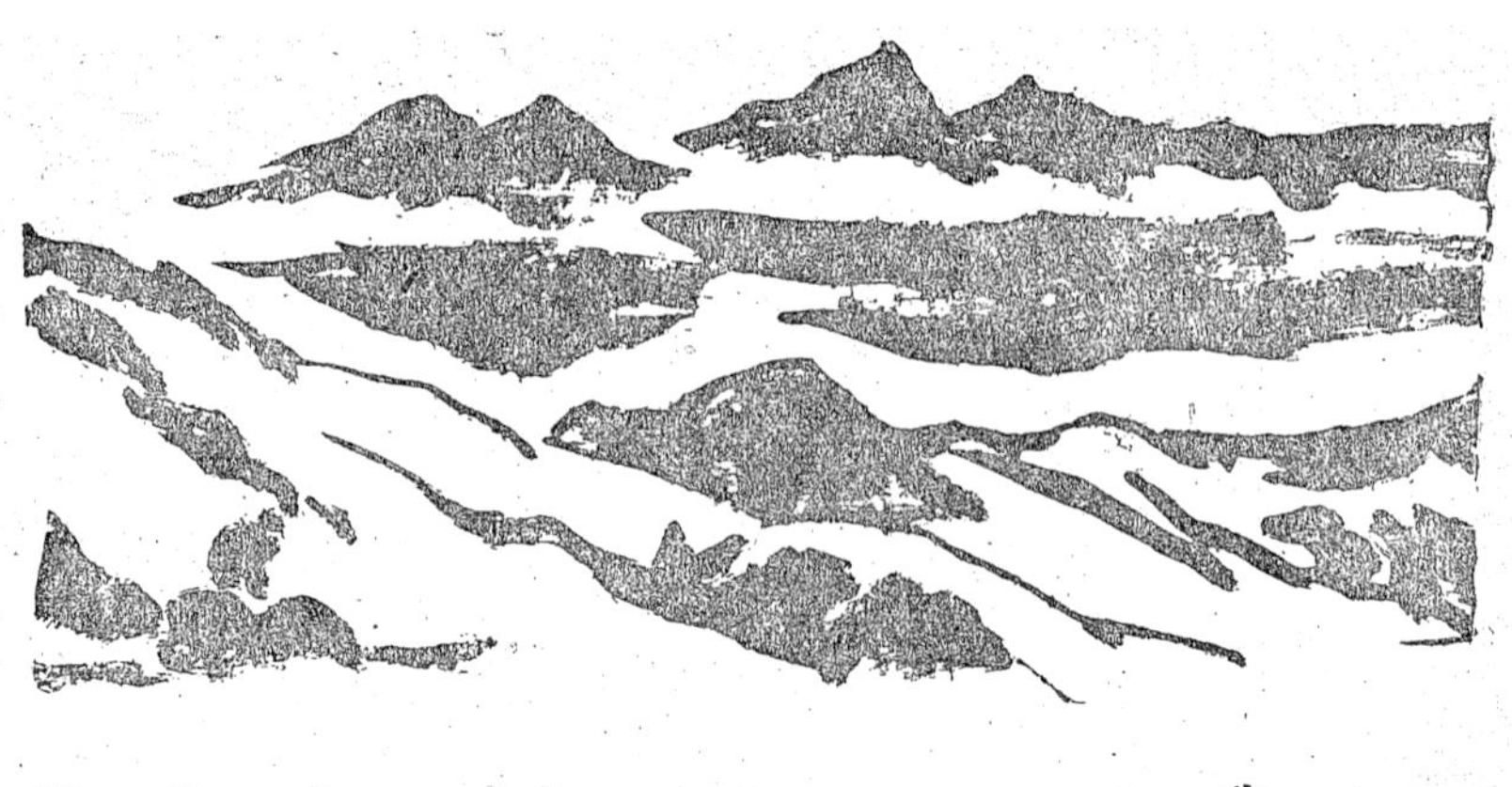

文學建設 六月號 目次

文學建設

第五卷第六號

『言葉よ、翼もつ言葉よ……』

嘗てある詩人がかう歌つた。翼もつ我等の言葉は、温帶から熱帶へ、さらに寒帶の空までも翔るであらう。我等の決意と誇りとをこめた國民文學作品は、赫々たる武勳をあげた荒鷲の如く、翼を大きくひろげて天翔りゆくであらう。

新しき世紀の波を見おろしながら……。

（土屋光司）

牡丹

綠川玄之

一

文政の頃の物語りである。

「甚どん、丹精で今年もよう咲きましたのう」

聲をかけられた牡丹畑の甚次郎兵衞は、水柄杓を使う手を休めて振向いた。鍬を擔いだ野良歸りの六郎治が、黃楊の垣根越しに、延び上るやうにしてこつちを見てゐた。

「今年の冬ア、馬鹿に寒じた日が續いたもんでな。薰蔽ひだけぢや根が凍みやせんかとえかい難儀をしたゞよ。おまけにのし、春先めつぽう雨が多かつたもんで、肥料の利きが充分でなう、花もあんまり上出來ではねえだ」

甚次郎兵衞は、ゆつくり云つて、頰かむりの中の皺だらけな顏をニコつかせた。

春の靜かな黃昏時である。

眠氣を催しさうな虻や蜂の羽音のなかに、眞紅、絞り、淡紅、白、と百株にも餘る色とりどりの牡丹畑は、すさまじいばかりの芳香を放つてゐるのであつた。

「へーえ、さうかのし、おらの目から見れば、どれもこれも大した花だどもなア」

六郎治は、小首を傾けるのである。

一たんは謙遜をしてみたものゝ、さう云はれると甚次郎兵衞はうれしくなつて、

「まあま、これぐれえなれば、別段、文句も云うれんがのし」

と相好をくずした。

「さうらともさ、なんせ、甚どんとこの牡丹畑は、この荻上村の名物だすけのう。お蔭樣でおらも此處を通るたんびに、牡丹の花の匂ひで、何とも云うれんえゝ心もちになるんだぜや。ハツハツハツハ」

と、六郎治は、齒の拔けた口を開いて、愉快さうに笑つた。

「六どんは、なんでも世辭がうめえすけのう」

云ひながら、葉に附いてゐる塵を、手桶の柄にぶら下げてある鴨の羽箒で拂つては、株の根もとへそろ〳〵と少しづつ水を注いでやつてゐる。

その容子は、恰度、壞れ易い大事な寶物を勞り賞でてゐるといつた風情であつた。

さうしいしい垣根のそばまで寄つてゆくと、そこでうーんと一つ腰を延ばして、

「六どん、おらの牡丹畑は大したもんでねえどものし、西蒲原の角田といふ村には、ごうぎな牡丹畑があるつてこんだ。息のあるうちに、おらアそれを一ぺん拜みてえもんだと思うてゐるがのし」

と、甚次郎兵衞は、信濃川の堤防を越した向ふに、淡藍色に霞んでゐる彌彥山の方を見ながら云つた。

夕陽がその左肩へ落ちやうとして、火焰を薙いだやうな茜雲の中へ、一羽の烏の飛んでゆくのが、豆粒くらゐの黑點となつていつまでも見えてゐた。

「そのことなら、去年も一昨年も、おめさんはおらに、云うてゐなすたやうぢやねえか」

「ほう、さうだつたかのし」

甚次郎兵衞は、苦笑した。

今年六十七才の彼には、角田の牡丹を見ることが、六年前

からの切ない願望であつたのだ。毎年牡丹の花咲く頃になると、そのことは痺れるやうに胸の中に疼き出して來て、夢にすら見るのである。

「今年は暇を拵ようて、どうでもかうでも一ぺん見に行かつしやるこんだのし」

「行きたいのは山々だがのう……」

甚次郎兵衞は、悲しげな眉を上げて、彌彦山と並んでゐる牛の寢たやうな形の、低い角田山の方へ目を移してゐた。角田村はその麓、海に面した向ふ側にあつて、道程にすれば八里である。

「ま、ま、休まつしやれ」

六郎治に、挨拶をして、垣根を離れた。

「休まつしやれや」

甚次郎兵衞も挨拶を返して、また手桶の水を小さな竹柄杓で掬ひ上げた。

三

水をやつて終うと、藁屋の縁へ來て、手拭をとり、どつこいしよと腰を下した。くずれた丁ン髷の先が埃で白くなつてゐる。

夕陽が架稲木の間から見える地主の土藏の白壁を、カーツと代赭色に染めてゐる。微風に乘つて、こゝまで馥郁と牡丹の香が流れて來るのだつた。

甚次郎兵衞は、目を細め、丹精の結晶である繚亂たる牡丹畑を遠くに眺めて、ホーツと吐息をつくのであつた。

六年前に、毒消賣の婆さんが云つた、角田の酒造家安中家の見事だといふ白牡丹が見たくて堪まらないのである。

牡丹は、その落着きのある品格から云つても、容姿、匂ひから云つても、百花の王であるが、その中でも目も眩むほどに清麗なのは何といつても白牡丹である。

未だ嘗つて見たこともない海の落日を浴びて、宵闇のなかに仄かに浮び上る白牡丹の群落を思ふと、彼の心は打顫へるのであつた。

自分の畑は、白牡丹こそ尠なけれ、そこへらに滅多にない程立派なものだとの自信がある。安中家の牡丹畑は一體どんなであるか？　自分のと較べて果して勝つてゐるであらうか？　一度この目で確めて兩者の優劣が知りたいとも思ふのであつた。

だが、彼は貧しい農夫である。兄弟も子供もなく、女房のまさと二人切り、三反歩の小作をやる傍、四季の草花や蔬菜類を植ゑて、それを町へ賣りに出ては、細々と暮してゐる身の上なのである。何の樂しみとてない彼等にとつて、たつた一つの慰安は、毎年牡丹の花の咲く五月が巡つて來ることだけであつた。けれど、さうした牡丹の栽培すら、たゞに愛翫するだけを許されず、それをやはり一株一株賣つては、生活の資に供さねばならぬのであつた。だから、旅に出るなどといふ呑氣で贅澤なことは、今の彼には到底出來得ないことなのである。

甚次郎兵衛がぼんやり考へに耽つてゐると、まさが、柳の枝で作つた空（から）の三角籠を脊負つて、一里離れた町の市日から歸つて來た。

二の日と七の日が町の市日に當つてゐて、月に六回あるその日は、雨が降らうが風が吹かうが、いやどんな眞冬の吹雪く日であらうと、一日とて缺かさずに、まさは附近の百姓の女房連と共に、未明から蔬菜類を町へ賣りに出てゐるのである。

良人と違つて白髮（しらが）も少なく、六十五才とは思へぬ血色のいゝ顏をしてゐた。

「今日は、さんど豆や胡瓜がなぐれて了うて、いつもかちつと手間どつてのし」

なぐれるといふのは、品物多く出たため需要が件はず値の下ることを云ふのである。

「いや、大ご苦勞、大ご苦勞」

甚次郎兵衛は、やさしくまさの勞を犒つたが、すぐと、

「あの牡丹は、いくらに賣つたかや？」

と、氣にかゝつてゐることを問うた。

今朝、彼は眞紅の蕾のまゝの牡丹を二株、まさに持たせてやつたのだつた。

「いつもの横關さんで十五文に値切られてのし、賣りまいかと思うたども……」

まさは、良人の心をおし計り、すこしおどおどしながら云つた。

（安いなア）と思つたが、甚次郎兵衛は少し淋しさうな顏をしただけで、別になんとも云はなかつた。

蕾のまゝで剪ることが、自分にとつてどんなに辛いことであるか――莖の切口を碎き、丹念に鹽をもみ込んで水揚げを

させ、葉や花の傷まぬやう丁寧に藁に包んで持たせてやる——その度毎に、愛しい子供を一人づつ失ふやうな淋しさを自分は感じてゐるのだ。牡丹よ、町家(まちや)の床の間に立派に豊麗な花を開け！、と、一株々々に無量の想ひを籠めて送り出す。さうした自分の愛着や、育てる苦労など、町の連中などは少しも知らぬであらう。徒ら盛りの子供が折角咲いた葩を毟り取りはしないか？　水の少なくなつたのを構はずに放つておいて、七日もつ牡丹を五日に凋ませはしないか？　などと餘計な心配までも絶えずしてゐる甚次郎兵衛なのであつた。

　それはまた、女房のまさにはようく解るのである。町の人達は、百姓の持つてゆくものを、たゞ値切りさへすればいゝと思つてゐるのだ。

「今日の牡丹は、二十文と思うてゐたんだれものし。無理に十五文に取られて了うて、申譯のないことしたゞ……」

「なーに、いゝともさ〳〵」

　心では何と思はうとも、甚次郎兵衛は、まさの働きに對しては、不平がましいことを露ほども云つた例(ため)しがないのである。

　それだけに、まさは、心から良人を尊敬もし、ことに牡丹にかけては一層濟まないと思ふのであつた。

　だが、今日は、とても良人を喜ばせることがある。まさは、背籠の中の風呂敷包みへチラと目を遣りニコ〳〵した。

　同じまゝの姿勢で、まだ畑の方を眺めてゐる良人に、

「ぢーさんも、遲うなつて腹が空(す)いただらうな。すぐ夕飯(ようはん)にするからのし」

と、いきいきした聲をかけて、背戸の方へ廻つて行つた。

　まさが台所の竈の下で、焚付けにしてゐる干した枝豆の殻を燃やす、パチパチと爆ぜる音が、縁に居る甚次郎兵衛に、牡丹畑で忘れてゐた朝からの田圃での疲労を急に蘇らせるのであつた。

三

荒蓆(むしろ)を敷いた八疊の間(ま)に、行燈の明りが仄暗い。老夫婦は、食後の山茶を一服喫んだところである。

　この部屋にも木鉢に植ゑた恰度見頃の牡丹が二株、花台の上に載つてゐる。一は登(のぼり)五段と呼ぶ淡紅色のもの、一は狂獅(くるひ)子と呼ぶ純白の、いづれも大輪の花である。この二株は、甚次郎兵衛自慢の逸品である。

甚次郎兵衞は、狂獅子の鉢を手許に引寄せ、葉裏から、七分咲きの花瓣の層々と重なり合つたあたりを、ためつすがめつ見て居る。さうするのが、此頃毎夜の日課なのであつた。

微笑しながら、良人の樣子を見てゐたまさが、

「今日は、ぢーさんに、喜んで貰へることが、あるんだれや……」

と、自分で自分の言葉を樂しむやうに、ゆつくりと云ひ出した。

「なに、おらを喜ばせる、とそりやまたなんだい？」

鉢をすこし押しやつて、甚次郎兵衞は爐の方に向直り、煤で黑光りのしてゐる竹の自在鉤の向ふから、顏をつき出すやうにした。

その面前へ、藥罐の湯氣がほのぼのと立昇つてゐる。

「おめさま、明日(あした)お彌彦樣へ參らつしやれ。ほんで、序に角田の牡丹畑を見てござらつしやれ」

「えツ」

吃驚した甚次郎兵衞は、いつ時まさの顏を穴のあく程見据えたが、すぐと、

「そんげな路用(ぞうよう)が何處にあるかい」

冗談もいゝ加減にしろ、と云ひたげな顏でわきを向きかけた。

「そりや、おらが拵(こし)よておいたがのし」

云ふと、まさは立上つて、寢間の方へ行つた。怦ツ！　としたやうに、甚次郎兵衞はその後姿を見送つた。瞬間、呼吸を忘れたやうな顏付であつた。

まさが、寢間から持つて來たのは、唐草模樣の風呂敷包みだつた。

開くと、中から糊のこわい盲縞の新しい袷に、紺の香も淸(すが)々しい股引、手甲脚絆が出て來た。手製の新しい縞の財布を開けば四貫の錢、更にまさは納戸から竹の杖と菅笠まで、新品を取揃へて出して來たのである。

「ど、どうしてお前、こ、こんげな錢や着物(きもの)、いつの間に用意したかや？」

甚次郎兵衞は、吾と吾が眼を疑ぐる想ひで、吃りながら、訊くと、まさは、再びニツコリしながら、

「この品々は、決してよそ樣の物を盜んで來たのぢやないのだすけ、心配せんと使うてくんなさい。おら達二人、だん〴〵に老ひかがまつて行末を賴む子供もなう、朝晩の暮しに

息をつくことも出來なうて終るのが、せつないと云ふんぢやないし、駕籠だ行厨だと、花見や遊山にぞめきありく、財産持ちの人達が羨りいと云ふんぢやないけんどもなア。來る春も來る春も、角田の牡丹が見たいと朝晩云らつしやるおめさまの氣持がいたはしゆうてのし。おら、六年このかた好きな烟草も止め、町へ出ては人様に雇はれて、酒飲み代として貰うたその駄賃を溜めておきまいたのぢや」

「……」

「今まで隱してゐて申譯がないども、話すとおめさまに、餘計なことせんな、と、叱られやしまいかと思うたんで、おらも話したうてならん時も何度かあつたども、今まで辛抱して默つていまいたんぢや」

「……」

「この袷はおらが手織りだども、恰度忙しい盛りにかゝつたもんで、町の仕立屋へ賴んでおいたのが、今日やつと出來て來たし、錢も路用だけはどうにかかうにか溜つたすけな。明日は天氣もよささうだから行つてござらつしやれ。田圃畑仕事はおらが一人でするすけ安心してのし。ゆつくり泊つて、角田の牡丹をようたんのういくまで、見て來ておいんなされや」

活々と話つぐまさの言葉半ばに、默然と首を垂れてゐた甚次郎兵衞は、この時つと顏を上げると、老妻の面をぢつと見た。そして、

「濟まんのし」

と、低い聲で、一言云つた切りであつた。

彼の兩眼はかすかに濡れてゐた。まさの前に泣き伏したいほど、彼は、深い感動とよろこびのなかにあつたのである。

六年間の人知れぬ苦勞が報ひられたまさも、じはりと込み上げて來る嬉し涙のなかに、後の言葉が續かず、二人は默つたまゝで圍爐裡の火だけを見守つてゐた。

四

稻の綠と、菜の花の黃と、空の青と、ちぎれ雲の白さの中に、越後平野の春は何といふ樂しさであらうか。

女房の心盡しの品々を身につけ、六年越しの願望を果す旅に出た甚次郎兵衞は、耳馴れた雲雀の囀りまでが、今日の日を祈つてくれてゐるやうに思へてならなかつた。

運ぶ足も自づと輕やかで、燕、吉田の宿々を過ぎ、六里の

道を彌彦へ辿り着いたのは、丁度九ツ半（正午）であつた。出る時に、まさは疲れたら駕籠を雇へと云つたけれど、無論そんな勿體ないことは出來なかつた。

彌彦神社は越後一の宮であるだけに、參詣人は絶え間なく、町の賑はひはこの田舍の老爺の眼を瞠らせるに充分だつた。朱塗の大華表は、背後の靈峰の杉の緑に映えて美しかつた。長い敷石を踏み石段を登つて、森嚴な拜殿前に佇んだ甚次郎兵衞は、低く頭を垂れてまさの勞苦と溫情を神に報告した。

それから、鹿の遊ぶ邊り茶店に來て腰を下した彼は、持參の握飯を食べ、澁茶を喫した後、勇躍角田村へとこゝろざした。

彌彦から角田までは、三里以上も在る上に、道が入組んでゐるため、幾度も間誤ついた。すれ違ふ村人に何度となく道を尋ねて、やうやうのことで角田村大字越前濱の安中屋傳右衞門の家の門前に立つた時は、逍がにぐつたりと疲れてゐた。最早餘程西へ傾いた陽射しが、痩せた身體の影を一層ひよろ長く地上に印してゐる。

海鼠壁が周圍を巡らした宏壯な邸宅を前にしては、甚次郎兵衞の兩足はわけもなく顫へるのであつた。表門を這入る勇氣がないので、塀に沿つてずーと廻つてゆくと、裏口が見付かつた。

恐る恐る耳戸を押すと、眞ツ先にプーンと芳潤な匂ひが鼻を衝いて來た。牡丹の匂ひではない。酒の匂ひである。「寶山」と、門内に見える幾棟かの土藏の白壁に大書してあるところから見ても、この家は餘程大さな酒造家であるらしい。

這入つて行つた甚次郎兵衞の耳へ、

ざくり〳〵と今とぐ米は
酒に造りて江戸へ出す
なんと皆さん二（ふた）とぎとげば
今度とぐ時アのけのとぎ

と中の一棟のうちから、四五人で唄ふ酒造り唄が聞えて來た。戸が一枚明け放してあるので、覗いてゐると、巨大な桶が五六本据えられてある、その緣（ふち）へ向ふ鉢卷の若い衆が四五人上つて、中の酒を、音頭をとりながら、こねり棒でしきりと掻き廻してゐるところであつた。

「ごめんなされ」

と聲をかけると、皆は一勢に手を休めてこちらを向いた。じろじろと不遠慮な視線に射竦められて、甚次郎兵衞は、額にじわ〳〵と汗をかいた。

「あのう、おらは萩上村の者(もん)ですども、實はお宅の……」

中の一人が皆まで聞かず、

「用があるんなら、台所(だいどこ)の方へ廻つてくんなされ。こつちに來たつて手が離してらんないがな」と、突樫貪に云つた。

そして、えゝかア、と云ふと、また、

酒に造りて造りて酒に
酒につくりて江戸へ出す
江戸へ出しても名のある酒よ
酒は劍びし寶山　ヨイシヨ

と、歌を唄へ出した。

もう振向いてもくれないのである。

甚次郎兵衞は、仕方なく其處を離れた。あたりを見廻して見ても、牡丹は何處にも植えてないのである。こりや、牡丹畑などないのぢやないか？　失望しかけた彼は、それでもと思つて土藏と土藏の狹い間を通り拔けてゆくと、二階建ての堂々たる母屋があり、楓の老木が枝を廣げてゐる脇に台所口が見付かつた。

ホツとして近付いてみると、行處もまた忙しげで、下男や下女が何かガヤ〳〵云ひながら立働いてゐた。

一度鼻を打つたので、甚次郎兵衞は鳥渡訪れると勇氣がなく、もじ〳〵その場に立つてゐると、下男が見とめて、胡散臭さうに、

「何ぞ用事がありますんかネ？」と、内から聲をかけた。

甚次郎兵衞は、戸口で膝に頭をつけんばかりに下げ、

「こちらに、大層りつぱな牡丹畑があると聞きまいたもんで、實は、それを、見せていたゞきに來ましたのだいし……」

と、云ふと、

「牡丹畑はあることアあるが、今日は奥にお客樣があつて忙(せは)しうて、そんなことには構つてゐられんすけな。明日(あした)でも來てみんされ」と、これも、そつけない挨拶であつた。

身なりの卑しい窶(やつ)れた年寄りなど、多寡を括つて相手にしてくれんのである。

甚次郎兵衞は、がつかりして頸垂れたが、

「あの場所を敎へて下されア、おらが一人で見せて貰ひますだ。花には間違うても指一本觸れはせんからのし、萩上から十里の道を歩いて來たのだすけに、どうかお情けで見せてやつておくんなされや」

と、勇氣を出して、執拗く願ふのであつた。

下女の一人が見兼て、

「勘造さ、あゝまで云ふんだから、畑へ一寸の間案内してやつたらえゝ」

と、取なしてくれたので、勘造と呼ばれた下男は、「うるさい爺だナ」と呟きながら、やつと出て來た。

「どうも申譯がございませんだ……」

「こつちへ來なされ、牡丹畑を見せますだ」

下男は先へ立つて、スタ／＼歩いて行つた。

宏壯な母屋の裏手の方へ出ると、向ふにハツと目を射る牡丹畑、甚次郎兵衛の心臓は早鐘のやうに鳴り出した。

近付いてゆくに從つて、彼は、やーと云ふやうな妙な呻き聲を發した。

「こゝだよ」

下男が立停り振返つた時、吃驚する程甚次郎兵衛の顔は、打ちのめされた慘めな表情に歪んでゐたのであつた。

なんたるつまらぬ牡丹畑であらうか！

數へるまでもない五十株ぐらゐの畑には、純粹の白牡丹は見當らなかつた。どの花もみな月並で、こんな畑なら自分の畑の方が數も遙かに多く、花も立派ではないか。優越感が湧くどころか、期待が大きかつただけに、暗澹とした失望感だけが胸を一ぱいにしてしまつたのである。

「如何だね？　爺さん」

「……」

「どうだえ、見事なもんだらう？」

「……」

「こつちは忙しいんだから、見たら直ぐ歸つて貰へてえな」

「……」

甚次郎兵衛は、顔を蒼白にしたまゝ何とも答へない。一生の思ひ出に一度見たら死んでも心殘りがないとさへ思つた、これがその牡丹畑か!?　あゝ、俺は人の口車に乗つて、その上女房が粒々辛苦の路銀を使つて、どうしてこんな所までのこ／＼やつて來たのか？　何といふ俺は大馬鹿者だ！　歸つたら女房に一體何といつてこの言譯をしたらいゝのか？

甚次郎兵衛の心は今は千々に亂れ、骨に徹する口惜しさに唇をひたと嚙んで、凝然とその場に立つたきりだつた。涙がつーッと一筋頰を傳はつた。すると、もう止めどがなく、果ては聲を上げて彼は泣き出したのである。

（次號完結）

白衣の歸還（六）

岩崎　榮

雨期に入る

1

ビルマの戡定を了ると、奥地に行つてゐた連中が、ぼつ〳〵歸つて來た。われ〳〵の部屋へは、北林透馬が、隣の部屋へは高見順が歸つた。島田君は早速隣室へ復歸し、現金に魘されなくなつた。

高光畫伯も旺盛な仕事慾を取り戻して、また、いろんな人物を引つぱり込んで來るやになつた。

或る日は、おそろしく姿のいゝビルマ女をつれ込んで來た。中年の、すらりとした、しかもこれは、ヨーロツパ種の混血らしい顏をもつてゐる。

「岩崎さん、こんなのはどうです」

畫伯は、ネクタイでも買つて來たやうなことを云ふ。

「どこから、どうして引つぱり出して來たの？」

と訊いたら、

「唐澤君の自動車で、街を歩いてゐたら見つかつたから、唐澤に談判さしてつれて來たんや、これなら、ビルマ婦人のえゝモデルになるがや」

非常に唯物的に返辭をする。

「いゝ度胸だね、心臓といふのか。君はこのあひだ僕が、唐澤兵長と、ウー・サニョンやセツチヤン一家のことを、根堀り、葉堀り訊いたら、ようそんな、づうづうしい突ツ込んだ訊きかたをするもんだとか、なんとか非難してたけど、いきなり、これはと思つた人間を引きずり込んでくるなざ、昔の專橫武家政治時代の惡代官だね、まるで」

「さう云やア、そんなもんやね。しかしこれは藝術のためや。それに、この女は內心得意らしいですぞ、モデルになることが」

「さうかね。それならいゝね。しかし、きみ、この女はイングリの混血らしいぜ」

「そんなことはないやろ」

「ないことがあるものか、君は繪描きのくせに、人間の顔が判別出來ないのかね」

「そんなこたアないけど、さういはれるとすこうし別嬪過ぎるようやな。整ひすぎとるなア」

「聞いてみたまへ」

高光君は、所在なさゝうに、ソフアへ腰をかけて、窓の雨を眺めてゐる女に、

「ユウは、その、イングリとビルマのアヒノコか、オイ」

と訊いた。

女は、當惑の色を、眼と、媚笑に泛かべてもじ〳〵してゐる。

「そんなことを云つたつて通じないよ」

「おや、岩崎さん一つやつてよ」

そこで、ベツドの上から、お前さんはミツキスだらうと云つたら、イエス、と眼を伏せながら小聲に答へた。

「イングリシユか」

「さうです。しかし、直接ではありません私の父が混血なんです」

「と、君の父の母が、英人と結婚したわけだね」

「さうでせう」

「君はもう獨身ではないでせう。良人は、やはり英人なのか

ね」

「いえ、純ビルマ人です」

「何を職業とする人なの？」

「ローヤーです」

「いま一緒にゐるの」

「いえ、彼はトングーにゐる筈です」

「トングーは、戰爭で大變だつたらう。もう秩序が恢復したのかね」

「いえ、大變でせう。戰爭のすぐ前まで、私たち、トングーに生活してゐました。戰爭になつたので、良人は私をラングーンへつれて來て、伯母に預け、彼はまた一人でトングーへ行きました。それから、何のたよりもないのです。心配してゐます」

　高光君としては、ビルマの服姿の中年の女が畫家の審美眼を滿足させれば、以て足りるわけなので、その夫が、ローヤーだらうが、うどんやだらうが、敢てとふところではなく、トングーで、親日派として活躍してゐやうが、親英派として逃亡してしまつたらうが、ちつとも關するところはないのだらう。すくなくとも、さうらけとれる態度で、自分も身の上を話してゐる上にポーズをつけながら、實驗材料に向つた科學者のやうに、峻嚴な顏つきで仕事にかゝつた。

　だから彼女は、泰西名畫春の訪れに描かれた女性のやうに、片腕を曲げ、掌を上にし、片手を後ろに伸ばし、憧憬れる顏を天に向けて足を踏み出した姿態を、高光君からつけられたまゝ、そのまゝの、うきうきした容姿でゐて、自分との會話は、混血兒の悲哀と、夫のゆくへと、生活の心配──と云つたやうなことが主題となつてゐるのだ。

　そこへ田村孝之介畫伯が入つて來た。けふの田村氏は、洗ひたてのシヤツとショーツをつけてひどく輕快に、いゝ男に見える。

「いかゞですか、ごべうき」

と、たづねてくれる。

「いけません、だん〴〵ひどいやうです」

「困りましたね、だいじよぶですか」

「あやしいもんですよ」

「いけませんね、酒でも飲みませんか」

「ありますか、酒が」

「晩にどうにかしますよ」

「どうにかなつたら、どうにかしてください。やけくそで飮んでみます」

「さうなさい」

それから田村畫伯は、モデルの混血女に眼を据え、ふン、これは一つ描いとくかなと云ひながら、パイプを銜へたまゝ、位置をとり畫架をたてゝ仕事を始めた。

寫眞の山村君が、前頭部の禿げ上つた、善良さうな、身裝りのよくないビルマ人をつれ込んで來た。高光君には、豫て村山君が紹介してゐたと見え、向ふも挨拶し、高光君も、あゝ、いらつしやい、と繪筆を動かしながら笑顔を向けてゐた。ビルマ人は肩にかけてゐた圖駄袋から、二枚の風景畫をとり出し、高光君の寢台の上に並べて、壁に凭しかけた。それで、あゝ、この男が、ビルマの洋畫家なのかと合點が行つた。

山村君は、この男のパトロンを以て任じてゐるんだと、いつか高光君が笑つてゐた。

およそ、ビルマで文藝の道にこゝろざすものは、皆生活的には貧しいのだ。いつかも高見君だつたか、ラングーンで第一流の文藝家を訪問したところが、おかみさんがゐて、何か內職をして居り、主人は露店へ物を賣りに行つて留守だつたと云つて歸つて來て、なんしろ、ビルマの菊池寬だといふから行つてみたら、文豪は露店商人さと笑つてゐたが、山村君は、この、ビルマの和田英作みたいな男に顏料代や、畫布料として、五圓か十圓後援してやつたらしい。それであの男が描いた繪を、個展でも開いて、日本の兵隊に買つて貰ひたいらしいんだが、とても、それが、藝術に屬するところの繪ではないんでね、と高光君がかつて苦笑してゐた。

なるほど、その寢台の上にたて並べた繪を見ると、それは、シユエダゴン・パユダを描いてゐるのだが、いかなる東京のお湯屋の江ノ島の繪よりも、もつと〳〵巧妙なる寫生にして、且つ高價な繪具が塗つてあつた。

ビルマの畫家は、高光君と田村君とが描いてゐるモデルに對して、すぐに自分も寫生をはじめた。

山村君が、ベツドのところへ來て、どうですあの繪は、藝術としては、なつちやゐないんですかと訊く。

「高光君なぞはどう云ひますか」

「はツきり云つてくれないんです。まアねとか、そんな調子でせう。高光、田村兩畫伯が折紙をつけてゞもくれなきや、こつちとしては個展も開けないでせうが」

「正直に言ひますとね、あの繪では、兩畫伯、決して折り紙はつけやしませんよ」

「さうですか、そんなに拙劣ですか」

「拙劣……ならばいゝですよ、まだね。ところが、あの繪は、畫家の謂ふ藝術の繪ではない。ラグーザお玉さんの繪見ましたか君」

「あゝ、改造社にゐた頃、寫眞を撮りに行つたりしましたよ」

「よく、ハンカチの封紙や、鑵詰のレツテルに、實物そつくりの繪があるでせう、いかにもみごとな、あれですよ、この繪」

「なるほど！　いや面白い。なるほどなア」

山村君は妙に感心し、唸つてゐたが、氣を取り直したやうに云ひ出した。

「心がけしだいでは、これだけの技倆に、藝術の魂を入れゝば、何とか生きてくるでせうね」

「さア、そこですよ。それ、あの態度をごらんなさい。もう描きあげて、窓のところに立つて、何か外の方を見てゐるでせう。よろしいか。高光一也、田村孝之介と云へば、日本でも名の知れた畫家でせう、そんなのが二人も、偶然こゝに來てゐて、君の紹介で毎日でも會へる。彼としては千載一遇の好機會でせう。何を措いても、日本の兩大家から學び取らなくちやならない。構圖のとり方、繪の具のこなし方、對照の睨み方、筆の持ち扱ひ方だつて、何に一つ參考にならない筈はないと思ふな。あの男は一たい、けふこゝに來たら、まづ二人の日本畫家が仕事をしてゐるのを、穴のあくほど見てゐなくてはならない筈だ、どう描くか、どう摑むかをね。それを、そんなことは覗かうともしないで、自分は自分獨自の立場があると云つたふうに、さつさとスケツチにかゝり、もう描き上げて、あゝして茫然と遊んでゐる。あれでは、どだい、もはや、藝への精進といふものは無いですね、國民性なのか、個性なのか知らないが、もしも一般がこの調子では、ビルマは、日本から何物をも學び取ることは出來ませんね」

「なるほど！　さうだ」

山村君はまた感心し、膝を一つ、ぽんと叩き

「さう云へば、ビルマ人は、皆、あんな傾向ですよ。相手を尊敬せず、羨まず、質問をせず、どだい、相手を知りもせず、

知らうともせんですな、妙な人種だ。これぢやア發展性はないね。中學生時代に、よく先生が叱つてたですよ。質問しない生徒は、熱心さが足りないんだ。頭が無いんだッてね」

と云ひながら、ベッドの上に展げてあつた繪をしまひ、ビルマの畫家をつれて、どこかへ出かけてしまつた。

高光君は、もう描きあげて、田村氏の仕事を傍觀しながら、

「表情が出てゐて描き易いだらう」

などと云つてゐる。外はまた、怖然たる豪雨だつた。猛烈な雨の壓迫が、直接に病む脚へ響くやうな疼痛が襲つて來た。

田村氏が描き終ると、女は、高光君に何か媚びるやうな樣子で訴えだした。

「金か、金はあげるよ」

高光君が蟇口を出しかけると、女は慌てゝ押し止める手つきをし、いくらか傲らしげな口調で、金なぞは要らない、たゞ、證明書が欲しいのだ、それがないと、ビルマ人が迫害して一歩も外出出來ない、自分がこんなイングリの顏をもつてゐるのが因果なんですと訴えてゐる。

「何を言ふとるですか、この女は」

田村氏が訊く。

「交通證明書みたいなもの、紙ッ片れに書いてやりたまへ、それでいゝんだ。ビルマ人どもが苛めるさうですよ、イギリスの混血だから敵國人だつて」

「あうさうか、なるほどなア」

そこで兩畫伯は相談し、何か書いて渡し、非常に欣ぶ女を、自動車で送つて行つた。

山本和夫と倉島竹二が來て、ベッドの左側のソフアに並んでかけ、どうかね病氣は？と訊く。

「どうつて、相變らずだが――さうね、しだいにいけないやうだ」と強ひて笑ふ。

「足がいけないだけなら、いくら烈しく痛んだところで、單なる外科的問題に過ぎンが何十日も全然食慾がなくて、さう形容が枯稿してゐちや、こりや生命の問題だよ。入院しなきやいかんと思ふな」

山本君は例の、怒つたやうな調子で熱心に云ひ出す。

「そやなア、入院せんとあかんやろなア」

倉島君は春霞のやうにそれをうける。

「久保軍醫は、どういふの一體」

「神經だから、すぐなほるだらうつて云ふんだけど」

「神經！　神經にしたつて大變だ、怪しからんぢやないか」

「そやなア」

「久保さんとこへ、僕これから行つて入院手續きをとるやうに談判してくる」

山本君は、もう立ち上りながら、決然とした顏つきをしてゐる。

「そやなア、どや岩さん、そないするか」

倉島君が顏を覗き込む。

入院——病院船——歸還。その道程は普通に歸つて行く日數の三倍はかゝるといふのが、常識になつてゐる陸軍である。どうしたものかと考へざるを得なかつた。

しかも、歸航途中の敵潜水艦を想ひ、便所にも行けなくなつてゐるこの身の不自由さでは、遭難の場合、甲板へ這ひ出すことすら出來ない。まして、海上を漂ひ、泳ぐことなど到底不可能だらうと思ふと、何とかして、このまゝ治療したかつた。

「もう一晩、考へさせて貰ひたいんだ」

と云つて、そんな心配を語り、逸る山本君に一夜の猶豫を乞ふた。


（つゞく）

馬來の支那人（二）

海音寺潮五郎

支那芝居

コーランポーで、最初に芝居が公演されたのは、シンガポールが陥落して一月半ほどもたつたところ、三月の末あたりだつた。この以前から、ペナンではあつたらしいが、ペナンはほとんど戰火を受けなかつたのだから別として、戰火の洗禮を受けた土地としては、ここがおそらく第一着であつたのではないかと思ふ。

町の眞中にひろいあき地がある。このあき地は、その中心地帶に幾十軒とも數へきれないほどたくさんのコーヒー店、そば、おでんに似てるくしざしの煮込み、豚や雞の臟物料理等のたべものやが、しみだらけの幕をはり、よごれて油光りした白木(しらき)の食卓と床几とをならべ、それをぐるりととりまく外廓地帶には、石鹼、齒みがき、香油等の化粧品、布帛類から、肉、野菜、くだもの、その他、どこからか盗んできたものとしか思はれないもの――錆ついた扉(ドア)の取手(とって)、ひきだしの金具、窓の掛金、鼻のかけた佛像、右足だけ二つそろつた古靴などといふ不可思議極まるものまで賣つてゐる露店が、實ににぎやかに、かつ、このうへもなく亂雜にならんで、未明から夜なかにいたるまで、黑山のやうに人の出さかつてゐるところである。

このわきに、中華劇場といふこやがあつた。戰前には映畫館だつたさうだが、ここに廣東芝居がかゝることになつた。俳優は、李翠芳(りつんふおん)、鄭玉棠(ちいよくとん)、劉麗荷(ろうらいほう)、梁覺生(りやんかくさん)、何劍生(ほうきんさん)、朱聘蘭(ちゆへいらん)などといふ名前の者共で、皆、戰前には馬來の藝界では一方の旗頭ともいふべき者共だつたさうだが、こゝでの公演では、李翠芳が座頭格となつてゐた。實際、技倆の點でも、一頭地も二頭地も拔いてゐた。おやまの中でも花旦(ふあたん)といふやつで、實に美しかつた。三十二三の頭でつかちの足の短い、妙にまくり足めいた歩きぶりをする小男だつたが、扮裝して舞臺に出ると、艷麗富贍、牡丹花にまがふばかりの趣きがあつた。馬來の支那人達も、彼は廣東の名優である。本來ならこちらあたりにまごついてゐる男ではないのだが、こちらの興行者にあざむかれて來て紛争中に、戰爭の勃發にあつて歸國できなくなつたのだといつてゐた。僕が、彼にあつた時にも、「自分は十六歳の時李園の人となつて、月八十元の俸給をとつたのをはじめとして、最近では年二萬四千元をとるやうになつてゐた。その間、十五六年、いまだかつて興行者にあざむかれたことはないが、はじめて馬來の興行者にあざむかれた。」となげいてゐた。その後廣東の案内書を讀んでみると、隨所に彼の名前が出てゐたので、その決していつはりでもはつたりでもないことを知つた。

劉麗荷もおやまだつた。おやまといつても、これは女優であつた。彼は武旦といふやつで、武張つた役の女性に扮するのである。素顔でもまづ美人の部に入るべき容姿があつたが、舞台で武裝して劍を舞はし槍をふるふ姿には、實に凄艶な色氣があつた。彼女は一座の深覺生の妻だつた。戰前、戀に落ちて結婚したのだといふ。彼等のラブローマンスはちよつと面白いが、それは他日に讓らう。

男役では鄭王裳が最も人氣があつた。かつての日活時代劇の尾上松之助をエノケンほどに小柄にした感じの男だつたので、われわれは「松之助」とあだなしてゐた。實に達者な藝だつたので、相當な年輩だらうと思つてゐたが、あつてみておどろいた。まだ子供なのである。年をきくと、二十一だとこたへた。舞台顔より素顔の方が美しかつた。舞台では老けてみえたし、松之助に似てゐたので、決して美しいとはいへなかつたが、素顔の時は溫乎玉の如き美少年だつた。

劉麗荷の亭主の梁覺生も以前は大へんな人氣役者だつたさうだが、麗荷と結婚したことと、阿片吸入の惡習にそんだことが、急速にその人氣を失墜させたのだといふ。阿片吸入は支那人の間でも非常に惡いことだと考へられてゐるのである。

何劍生は、ちよつと中車に似た堅實な藝風のもちぬしで、男性的なきびきびした役によく扮した。實際の人柄もさうだつた。

朱聘蘭は、老旦といふやつで、老婆役だつた。悲劇的役割を演ずるに諧謔を持たせて、泣き笑ひに似た味をただよはすところは、なかなかのものだつた。役柄がはなやかでないので、さう人氣はなかつたが、役者なかまでは李翠芳についでは彼だといつてゐた。

さて、この芝居──一座の名は萬年青劇團といふのだつた──がはじまつてから、僕は毎日のやうに見物に行つた。大體、百二三十回も見に行つたらうか。おそらく馬來に行つてゐる日本人のうちでは、僕ほど熱心に通つた者はあるまい。憲兵隊の人達がいつも臨検に行つてゐるのだが、その憲兵さん達が、「宣傳班の海音寺さんはよほどの支那劇通らしい。實に熱心に見てゐる。」と噂しあつてゐるといふことを聞いたが、それほどだつたのである。が、實のところは、芝居は全然わからなかつた。筋さへもよくわからなかつたのである。わからうとする努力と、觀客席と舞台とをみくらべてゐるとなんとなく支那人の感情のかんどころがわかるやうな氣がすることとが、しつこくかよはせたのである。

萬年青劇團のやる芝居ほ、全部が史劇であつた。僕は支那史については、相當に智識があるつもりでゐたが、それでゐてほとんどわからなかつた。彼等の芝居は、毎日だしものがちがふのであるから、百二三十日通へば、たまにつづきものがあるにしても、大體七八十種のものを見たことになるが、そのうち、たつた三つだけしかわからなかつた。ひとつは晋の文公とその臣介子推との故事、ひとつは宋の太祖趙匡胤の擧兵までの話、ひとつは水滸傳や金瓶梅で有名な武松とその兄夫妻の話、わづかに三つであつた。まことに他愛のない芝居見物で、今にして思へば、よくも辛抱したものかなとみづからあきれてゐるが、思ふに、南洋的のんきさ——いはゆる南洋ぼけなるものの一症狀だつたのであらう。

「あんなくだらんものはもう見に行かん」

新興キネマの小出英男君は、數回にしてみきりをつけて惡口を言ひ出した。あとにして思へば、さすがにくろうとの見識だつたのであるが、僕はこの全稱否定的な論斷にむかつぱらを立てて、「美意識といふものは、先驗的なものばかりではない。むしろ、後天的に養成されたものの方が多いのだ。おたがひ筋もわからんほどまづしい智識しか持つてゐない自分自身を棚にあげて、くだらんと一蹴しさるなど、はなはだふらちである。」とくつてかかつて、えんえんと通ひつめたのだから、南洋ぼけも膏肓に入つてゐたといふべきである。

本場のやつを見ないで、いはばドサまはりに過ぎない馬來あたりの廣東芝居ぐらゐを見て、藝談もすさまじいが、今では、僕も考へてゐる。廣東芝居に藝なし、すくなくとも、藝術の名に値するほどの藝なしと。

いろいろな方面からそれはいへるが、まづあぐべきは、公演の方法である。前にちよつとふれたやうに、毎日だしものがちがふのである。これでは、せりふを覺えるのがやつとのことで、藝の習練などできようはずはない。いふまでもないことだが、字ひとつ習ふにしても、技術といふものはひきつづきくりかへして、苦心工夫するところに向上練達するので、かう無暗にちがつたもの、ちがつたものとやつて行つては、とうていそれはのぞみ得ないことである。觀客の方にも責めがある。一體、廣東芝居は部類わけにすれば皆悲劇である。が、觀客共は決してその悲劇的場面をよろこばない。馬來の支那人ほど無作法にしてさわがしい觀客は多く類がない。開幕中といへども、南京豆をかじつたり、くだものをたべちらしたり、西瓜のたねをかじつたり、べちやべちやとしやべつたり、たえずざわめいてゐる。日本人ならば、滿場水をうつたやうに、しーんとしづまりかへるべき高調した悲劇的場面でも、そのざわめきは、決してしづまらない。そのくせ、劇全體の效果の上からいへば邪魔ものでしかないつまらないギヤグにどつと來るのである。こんな觀客を相手とする芝居がどうして藝術的向上をすることができよう。

　こんなことも聞いた。支那本土でも、俳優の人氣のよるとこは、ほとんど全部が容貌と音聲である。なにかの原因でいづれかをうしなへば、いかなる名優といへども、全然かへりみられなくなる。したがつて、日本のやうに、七十、八十の老名優といふのはないと。つまり、ひところの日本の映畫俳優的人氣であると思はれる。萬年青劇團に於て、梁覺生が結婚後人氣ががた落ちしたといふのも、つまりはミーちやんハーちやんたる姑娘共が、そのもやもやした希望をうしなつたからに外ならない。支那本土でもこんな調子だとすれば、馬來ほどのことはなくとも、その藝なるものもおよそ底の知れたものであらうと思はれる。

　支那芝居は、一種の歌劇である。隨所で歌をうたふし、せりふでも歌がかつていふことが多い。また、觀客の方にむいて、うたつたり、せりふをいつたりする場合が實に多い。歌劇だから、これは當然のことではあるが、出來るだけ觀客を意識しないふりをしてゐる。寫實的な日本の芝居を見なれた目にははなはだ異樣である。

　共に元曲から出てゐるからであらう、日本の能に似てゐる點が隨分ある。幕があいて人物が出て來て、歌をうたひながらぐるぐると舞台をまはつて、所定の場所に落ちつくところなど、「これは諸國遍歷の僧にて候、ひととせ鎭西の地にありしが、東國の歌枕見んとて云々」などいふ能の出を思ひ出すことしきりだつた。演技も、能ほど渾然としてはないが、象徵的なところが多い。李翠芳にあつた時、日本の芝居とどうちがふかときかれたので、いろいろと所感をのべた末、能の話をしてやつたら、彼はおそろしく面白がつて、ぜひそのうち日本に行つて見たいものだといつてゐた。勿論、それは支那人らしいおせじにすぎないのだが、その時、僕は考へた。もし、この男に本當に能を見せたら、どう批評するだらうか。あるひは、小出君の如く、「こんなくだらんものはもう見ない」といふかも知れないなどと。

　廣東劇は史劇であると僕は言つたが、服裝、調度等の考證は全然だめである。春秋の時代をやつても、宋の時代をやつても、皆同じであるから、文學建設の諸大人の叱責を蒙ることうけあひである。これは支那本土でもさうだと聞いた。芝居だけでない。映畫でもさうだ。史劇に出て來る人物は、いつの時代でも同じ服裝をしてをり、同じ調度のなかに生活してゐる。ヌーボーな性格の民族だから、そんなことは考へもしないのだらう。

演戲中、役者が手ばなをかむのをよく見る。男もかめば花の如く艶麗な姬君もかむ。「なんてきたない民族だ。」と日本人はよく憤慨する。僕もそのひとりだつた。が、たびたび見てゐるうちに、それが悲泣する場合にかぎつて行はれるやうであることに氣がついて、思ひ出したのは、詩經の中の「寤寐爲スナシ、涕泗滂沱タリ」といふ句と、李白の岳陽樓の詩中の「檻ニ憑リテ涕泪流ル」といふ句だつた。涕も泪もともになみだで、目より出づるを涕といひ、鼻より出づるを泪といふとあつたと記憶してゐる。以後、注意してゐると、悲泣の時以外は絕對に行はないことがわかつた。僕の見當はあたつた。あのはなは單なるはなではない。なみだなのである。とすれば、手ばなも藝のうちだといはねばなるまい。その場にあたつて器用にはなを出すなど、たやすく出來ることではないからである。餘談にわたるが、日支兩國の融和といふことが、しばしば言はれるのに、なかなか實效のあがらない點は、かういふところにもあるのだ。批評したり、行動したりする前に、まづ周到な研究と理解が必要なる所以である。

支那では、幽靈のことを鬼（クイ）といつてゐるが、芝居や映畫に出てるそれはかならず、上が鉾形にとがつた長い冠をかぶつてゐる。そこで思ひ出したのは、加藤清正のことである。清正は朝鮮で鬼上官といつて恐れられてゐたと傳へられ、それは彼の武勇によつてつけられた、あだ名だと普通には考へられてゐるが、僕はそれよりも、彼のあの烏帽子形の冑に由來するのではないかといふ氣がしはじめてゐる。これも餘談ながら、日本で意味する鬼のことを、支那人は夜叉といつてゐる。

僕が支那芝居の見物に精出したのは、その民族性を知ることに主たる目的があつたのだが、そのためには、芝居よりむしろ映畫の方がためになつたやうに思ふ。來月は映畫のことを書く。

（つゞく）

◇消　息◇

淺野武男氏　短篇集『奉公さん』を泰光堂より近刊。

岡戶武平氏　短篇集『美しき餞』を那古屋書房より近刊。

中澤巠夫氏　長篇小說『東湖父子』を京都新聞に連載。

大隈三好氏　轉任に伴なつて、市外國分寺町三三二番地、原英三郞氏方へ轉居。

北町一郞氏　下記の書をそれぞれ近刊。『微笑戰線』北光書房。『凱歌高らかなり』啓德社。『マライ・パントン』鎌倉書房。『星座と花』東成社。『南部スマトラ』育英書院。

土屋光司氏　『アムンゼンとスコツト』を潮文閣より近刊。

鹿島孝二氏　海軍報道班員として從軍。

石井哲夫氏　都合により退會さる。

村松駿吉氏　社則により除名す。

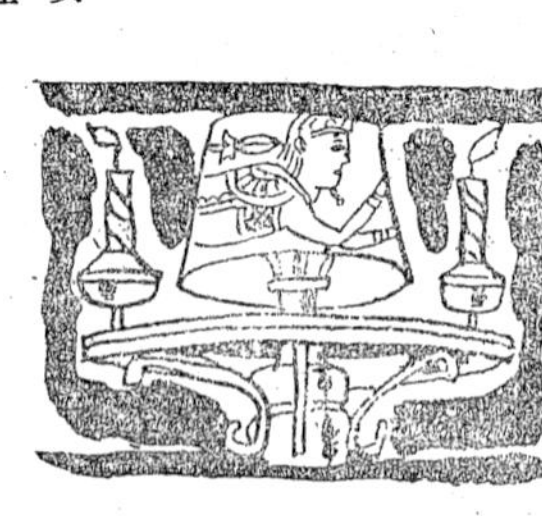

女性と文藝教養

新居格

女性に文藝の教養のあるのは、花に匂ひのあるが如きものだと、わたしはいひたいのである。しかし、匂ひといふのは、自づから發散してゐるから床しいのである。女性の文藝教養も願はくばさうありたいものである。

世には、如何にも文學少女らしい女性がある。さうすることが得意でさへあるやうな人がないでもないが、わたしの見方からすると、それなどは、眞に文學的教養を身に付けてゐないのである。教養とは、身につけることである。その人と共に、その人の一言一行と共にするのである。

或日、バスで一生懸命に本をよんでゐた若い女性がゐた。バスの動搖の激しい今日、しかも、吊革をもたずによみ耽つてゐた。するとバスが曲り角に來たとき、その女性は前に腰を掛けてゐる人達の方へ身體が横轉した。

しかるに、その女は、その人達に向つて「失禮いたしました」とも云はず、起き上つても、吊革をもたうともせず、又しても同樣の姿勢で本をよみ出したので、傍に立つてゐたわたしはそつとその本を偸み見した。ところが、驚いたことには、そんなに彼女を熱中させてゐた本といふのは、世にいふ赤本の低俗な駄小說だつた。彼女に教養のないことは、それで分つた。もし、彼女が教養があれば、そんなつまらぬ本を人前で夢中になつてよまなかつたであらう。假に、よき本であるにしても、こんな込み合つた動搖の激しいバスの中ではよまないであらうし、倒れたときには「失禮しました」と、腰かけた客にお詫びをし、再び本を取上げてよみ續けることをしないであらう。

これもある日、電車のなかに、得々と英書をよみ耽つてゐた。美しくない上に、どこか高慢な態度を示してゐた。彼女のよんでゐるのは「キモノ」といふ本であつた。そのとき、わたしが彼女であつたなら、米・英を敵としてわれ〳〵が戰つてゐる最中、家に在つてよむなら別、さうでない限り、電車中では、先づ、よむことを差控へたであらうと考へた。尤も、その女がアメリカ歸りの二世で、英文しかよめないからよんでゐたといふ場合もある。しかし、それなら、よまないがいゝ。人間にとつてよむことだけがいゝのではない。考へることも、觀察することも必要である。と、すれば、外出したときにまで、本をよまずとも、讀書以上の考へること、觀察することなぞによき機會となすことが出來る。そして敎養こそ、それをさせるのだとわたしは考へてゐる。

問題は、少し離れるかも知れぬが、人間はエスプリのある言葉を使ひたいものだ。そのためには、人に獨居のとき、或は、家庭にゐるときでも、その心がけが必要になる。家にゐるからといつて、エスプリのない放言をしてゐて、餘所行のときに、芳香の高い言葉がはける譯には往かない。敎養とはそんなものである。

女性の文藝敎養もそんなものだ、と思ふ。

女性にして、自分には文藝敎養があるかのやうに誇示する人があれば、その人はわたしに言はせると、文藝敎養がないことになる。あらわに文學少女と見えるやうな女性を、わたしには好意のもてない理由がそんなところにあるのである。

女性にして眞に文藝敎養のある人は、それとなく、自然にそれが身に附いたものとして出るものである。取つて附けたやうに、わざとらしいといつた不自然さがないのである。

まだ、ヴアン・ドンゲンやデュフイーの名がわが國で、洋畫壇の人達は別として、一般に知られてゐなかつたとき、さる文藝敎養の高い一人の女性は、わたしと對話中、何氣なく、全く自然に、「それはドンゲンの繪を思はせますわ」といつた。わたしもそのころ、ドンゲンを知つた許りのときだつたので、その女性の言葉が新鮮な朝の花のやうに、わたしには快かつた。

敎養とは、そんな風に自然に發露するものなのである。

女性にして文藝敎養があれば『人生を美しくも見、善意にも解釋し、纎細に感覺しうるのである。人間的であり、人間味豐かなものになる。考へ方が冷くもなれば、道義的にもなる。

その意味で、女性と云はず、人間には、文藝敎養が必要な

（以下次頁下段へ續く）

燕巣

井伏鱒二

食用の鳥の巣――つまり支那料理の燕巣のことをいふのだが――あの料理の原料は一つの産物として、陸産物と見るべきか、海産物と見るべきか。去年マライにゐたとき私は、あれは陸産物と見るべきだと云ひ、友人は海産物と見るべきだと云つた。どちらでもいいことかもしれないが、そのときはどうしても陸産物と見なければいけないと私は思つた。友人はどうしても海産物に屬すべきだと云つた。燕が海面から膠質の虫狀有機物を集めて來て造るので、それは人間の手にはいる前の出來事だから是非とも海産物であると友人は云つた。しかし燕の營みであらうが大噴火の營みであらうが、人間以外のものの働らきを天然の作用だといふならば、海中に生じた鑛物は海産物であるかと私は友人に反問した。こんな議論は何ら名教の役には立たないとはいへ、友人も私も意地になつて互に譲らなかつた。それでは支那料理屋へ行つて、料理人の云ふのを參考にしてみようではないかといふことになつた。

よく私はミンキといふ支那料理で燕巣を處置してゐるのを見かけたので、

のであるが、纖細な感覺の所有者である女性には、特に必要なことだとわたしは思ふのである。

さて文藝といふことであるが、これは文學よりは意味がひろい。詩歌、小說、戯曲等の所謂文學の外に、繪畫、彫刻等の美術をも含むものである。そしてそれらにたいする教養は女性が人間としてもつて居てい丶のである。

ところで、男性でもだが、女性にしてこの人こそ、眞に文藝教養のある存在だと、感服させられることは尠いものである。分けても、女性たちは、教養をもたうとする意慾が少いかのやうである。そして在るが儘に、常凡の世を因襲的に生きようとする人達が多い。さうした呑氣さで生活してゆく限り、教養の方から近付いては來ない。教養をもつことは、努力であり、今日友人とその店に行くことにした。いつも店さきで料理人が三日月型や馬蹄形の燕の巣を水でほぐし、毛抜きで燕の毛を丹念に取り除いてゐる。

ところがミンキの料理人に筆談でたづねると、燕巣は海邊の斷崖において採取すると答へた。海産物か陸産物かと重ねてたづねると、海邊の燕が造るから海産物だと思ふと答へた。友人もこの答へは彼の議論の味方にならないと云つた。私たちは一皿の料理をたべてその店を出た。

後になつて私はマライ海産業といふ書物を見て、燕巣は海産物に入れられてゐるのを知つた。なるほど、島々の海岸近くで採取されるので、簡單に海産物と片づけられてゐる。何となく暴力的な分類のしかたのやうな氣持がした。

私は燕巣といふ料理をあまり好まない。これは從來、贋造のものを食べさせられた結果かもわからない。たぶん海藻で造るのだらうと思はれるが、わざわざ鳥の胞毛まで入れて仔細らしく出來てゐた。贋造でないものは黑と白の二種類ある。マライではプラウ・テインギとプラウ・ティオマで採取されるといふことだが、プラウ・テインギでは白いのが採取される。戰前、白いのは一ポンドが百八十ドルぐらゐの相場であつたといふことで、ただ私は原物を見て來るだけにすぎなかつた。しかし私は、その巣のなかに海邊のアハツバメの卵がある場合を想像し、なかなか惡くない氣持であつた。

の言葉でいふならば錬成であらう。しかも、知識として頭で知るだけでなく、教養として自己の血肉化し、自己の生活體臭としてもつのには、高い人格的香氣を添えなければならないのである

そこに教養の床しさがあると共に、それに相當する努力がなからねばならぬ筈である。

暇さへあれば、映畫館へゆく、展覽會や、音樂會へゆく。それで文藝教育に至るの途だと思ふならば、大變な間違で、教養であるためには反省も必要だし、自分自身をも道德的に高めるものがなければならぬ。教養があるといつて自負する人は、それだけで教養は跡形もないものになつて仕舞ふ。假令、それに知識としての冷たい殘骸は殘るにしても、その點を、女性達に一考してほしいものである。

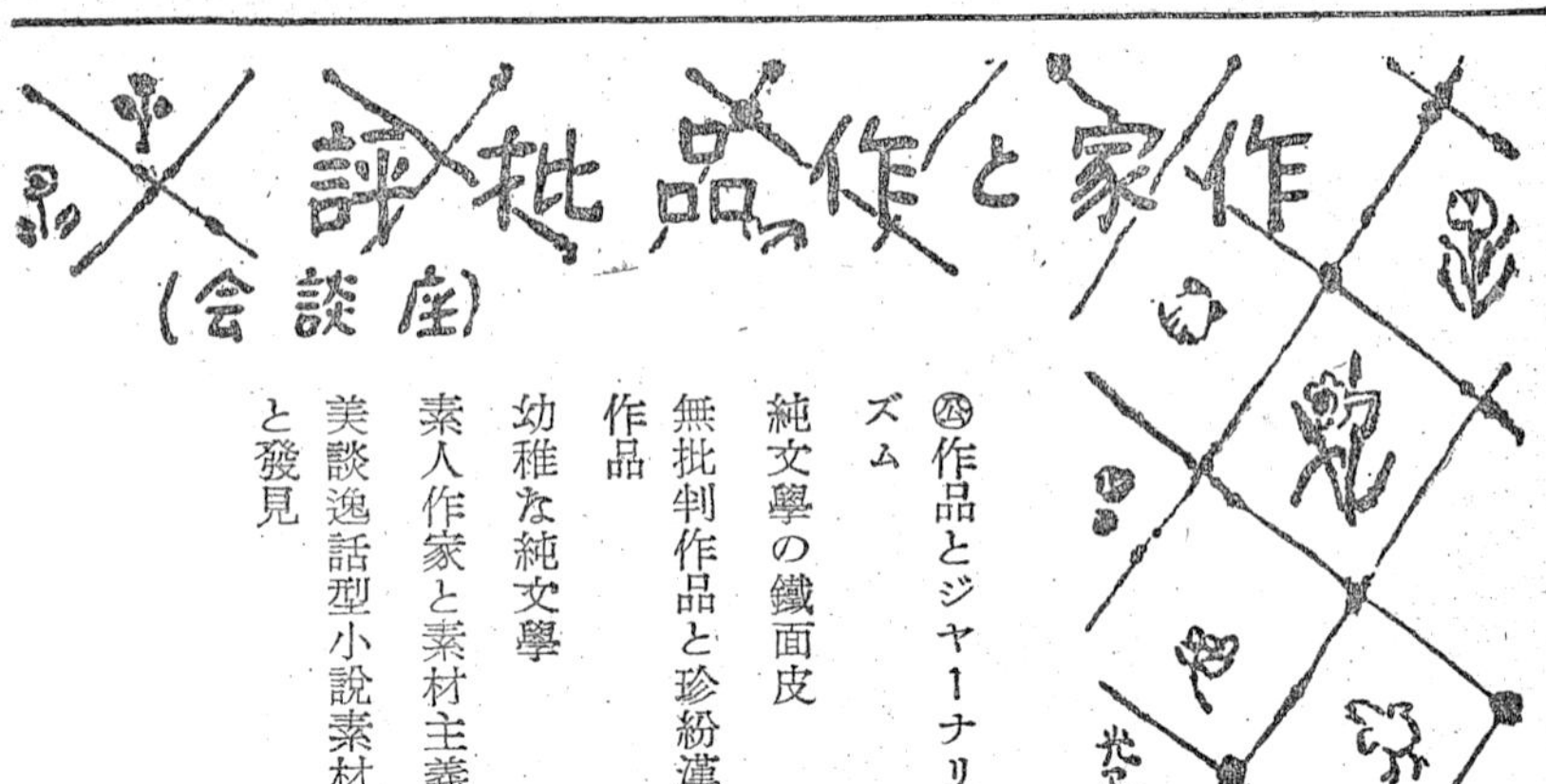

◇出席者◇

岡戸武平
鹿島孝二
大慈宗一郎
土屋光司
戸伏太兵
東野村章
中澤巠夫
村雨退二郎

(公)作品とジャーナリズム

戸伏　始めに僕から總論的にいはふ。どうも一般に、何といふか、非常に圖太い文藝精神といふか、非常に圖太い文學精神に據る作品をやる人がをらん。ジャーナリズムに歡迎されるやうなものばかりで、(公)の判こを無理に押したやうな作品ばかり流行つてゐるんぢやないか、といふ氣がする。もつと文學精神の高い圖太い作品が出ないといかん。もう一つ實際的な面で感じたのは、雜誌が薄くなつたせゐか、微々たる短い作品ばかり集めようといふ編輯傾向になつてきたこと。これは文學の當面の問題として歎くべきことだ。

中澤　その問題に關聯するのだが、大衆文藝四月號で、「大衆文學は短い作品は通用しない文學である──少い枚數では絶對に優秀作品の書けない文學形式である」とかういつてゐる。一がいに斯ういふ莫迦化たことをいふのも一寸困るよ。大衆文學といふものは、大雜把なものでこくのある作品とか、ふつくりしたものはない。だから俺達は荒つぽい、人をざく／＼斬る威勢のいゝものでなければならないから枚數があるものでなければならない、かういふ說なんだね。いくら大衆文學でも、これでは困る。

戸伏　だけど、現在雜誌に載つてをる作品が、いかにも(公)、(停)になつてしまつてゐるといふのは……。

中澤　短いといふ形式が必要とされてゐても、ジャーナリストは短い特殊な形式から特別ないゝ物を拾ひ出すんでなくて、概念としての撰擇基準が長い物を短くしたやうな物を要求する。だから結局規格品になつちやふんぢやないかな。

戸伏 それでは我々はジャーナリズムの全面的反撃をしなければならん、といふことになつてくる。

中澤 既に先々月の文學建設でもそれを論じてゐたが、習慣といふものは恐ろしいから、機會ある每に少し宛でも變へて行くといふことは必要だ。

戸伏 長い物の方がいゝといふことは恐らく迷信だと思ふけれども、しかし時局が要求するから短い物ばかり、といふことになると結局食ひ足りないものになつてしまふ。然し我々は要求に應じてばかり書かなければならないわけぢやないから、さういふものを蹴飛ばしても、本來の文學の道で慥りした物を書いて行くといふことは忘れてはならない。

中澤 それは絶對だね。それが、第一だね、實際食ひ足りる作品が全然ないね。これは日本の文學界全般を通じての現象さ。僕は中央公論が谷崎さんと島崎さん、あゝいふ老大家を引張つてきて、あゝいふ何十年かゝるか分らん桁の外れた物を載せ初めたといふことは、心あるジャーナリストが、みんな考へてゐたんぢやないかと思ふ。かうでもしたら食ひ足りるんぢやないかといふ、所謂ハッタリだね。

戸伏 あれは果して、僕のいふやうなぬけ／＼とした文學精神に據る作品だらうか。

中澤 さうぢやない。ジャーナリズムの迷信がかういふ人でも擔ぎ出したらこくがある雜誌の感じが出るのではないかといふ……。

純文學の鐵面皮

戸伏 すると案外ジャーナリズムは規格品ばかりを求めてをるわけでもないな。

中澤 混亂だよ。例へば文學界、これは全部小說特輯にしてゐる。舟橋聖一の編輯で、これは凡そぬけ／＼したものだね。一體この時局に――時局といふ言葉はおかしいが、かういふ時代に、そして小說の形態が變らなければならないと叫ばれてゐる時に、矢張り私小說をずらりと四本も並べるといふのはどうかと思ふんだな。

戸伏 それは高貴な文學精神といふわけぢやないね、ぬけ／＼してゐるのは……。

中澤 圖々しさだね、そのぬけぬけとした圖々しさに呆れるんだよ。例へば太宰治が、「鐵面皮」といふのを書いてゐるんだ。成程表題の通りだ。自分は非常に厚かましいんだ。舟橋聖一に何枚か原稿を書けといはれた。が、どうも自分は書けない。しかし自分は今三百枚の源實朝のことを書いてをるので、實朝のことが頭から離れない。自分は或る小說を書いてゐる時にほかのものを書く器用なことは出來ない。一所懸命自分は實朝と取組んでゐる。兄貴はお前は馬鹿だといふから、今に見てゐろ、といふと兄貴は、何をいふか、お前なんか何時まで經つても何が出來るか、といふ。成程さうかと思ふが、自分がこれから書く小說は……。云々といつたやうなものを小說であるといふんだから、題名通り鐵面皮だ。これは太宰のみの問題でない。彼等文學者一聯の鐵面皮さの表明だね。

戸伏 僕は文藝を讀んで感じたんだが、三本のうち尾崎君のはさう惡いものぢやない。しかし新田潤のものはひど過ぎる。「夜の橋の上」といふ作品だが、これは先づどういふ小說であるかといふと初めに「七時のニュースは、先づ東條首相の南京訪問のことだつた。それから、アメリカがソロモン方面での損害を小出しに發表のこと、それからドイツ軍がハリコフ完全奪還のこと。そんなラヂオを聞き終ると……」。こゝまで讀むと非常に時局的なわけだが、偖て朝から坐り通して厚稿が書けなかつたといふことになる。これは純文學の昔からある何千何百といふ小説と同じだ。あまり書けなくて頭が痛いから町に出た。本屋をひやかしてゐたら友人に會つた。その友人は戰爭に征つて歸つてきた自動車運轉手だつた。こゝまでが六枚位あると思ふ。それが序文で、その男が何誰はどうしたかと聞く。死んだよ。といふ噂をした末に、その男の昔話を書くんだ。その昔話が二十何枚位あるだらうと思ふけれども、要するに此の三人のぐうたらな酒飲み生活を書いた二十數枚が内容の中心だ。前の六枚程は附けなくてもいゝわけだが、それを附けたお蔭で出征兵士も出るし、東條首相が南京を訪問したといふこともあり、いかにも(公)作品らしい。これがぬけぬけとした文學精神といふのか。君のいふ鐵面皮といふか。未だにかういふものを書くといふことよりも、かういふものへ(公)の判こを自分で押して出すといふのはどうかと思ひます。かういふ作家が純文學には多いのだらう。

中澤　多いね。所謂大衆文學も所謂純文學も見當が違ふね。文學精神といふものを何處かに置き忘れてゐるんぢやない？

戸伏　宇野浩二の「水すまし」、これは要するにぐうたらな繪描きの話なんだ。唯それだけなんだ。それをあの人の例の接續詞の多い文章で書いてゐるので、それが面白いといふ人には面白いかも知れないが、これなんか讀むと一寸も小説は變つてゐないと思ふ。變つてゐなくてもまだいゝんだ、宇野浩二のは……ネ。前の(公)の新田潤のは憎いと思ふよ。

無批判作品と珍紛漢作品

村雨　新潮で僕が讀んだのは壺井榮の「客分」、木村不二男の「北洋の男」、森山啓の「水の音」。矢張り今の戸伏君の話のやうな感じを僕も受けたんだがね、「水の音」はまあ作家の私生活を書いたもので、どうにもしようがない。とても批評の對象にならん。唯非常に書き馴れた人らしい。一應突つからないで讀める。しかしこれは唯單に作文の問題であつて、文學の問題ぢやない。それから壺井榮にしても、技術だけは相當なものだと思ふが、さて何が書いてあるか批評する態度で見ると、どうもおかしい。この小説は非常に押しの太い、そして寄生蟲的な生活を全然無反省にやつてゐる男と、その寄生蟲に取憑かれて八年間莫迦を見る女の話を書いてゐる。」最初は女がだにのやうに取憑れてゐたその男と別れる話が決つたところから書出して、そして八年前どういふ切つかけで、その男が女の處にやつてきたか、非常に精細にその當時のことを書き、それから再び現在に歸つて、そして男と別れた。人を犧牲にして生活するよりほかにこの世の中に生きて行く方法を知らない男。その男が親木である自分から離れて行つたら必らず困るだらう。そして自分の生き方といふものに就て反省することがあるだらう、といふ一つの豫想で結んであるわけなんだ。ところが僕が一番不思議に思つたのは、八年前男が圖々しくその女の處に、坐り込んでしまつた當時から八年後の今日までに、お互ひの生活態度の上に何の變化もない。一年前のことにしてもいゝし、半年前のことにしてもいゝ。八年といふ年月が全然この小説では意味をなしてゐない、さういふことが先づ第一に不思議に思はれたし。それからこの作者はこの一種の古いいひ方ですれば、敵役とでもいふやうな立場に立つてゐる。その古田といふ男に對して、積極的な批判を有つてゐない。それは作中の人物に批判させてゐないばかりでなく、作者自身が批判することを一寸もしてゐない。唯、かういふ男がありました。かういふ氣の弱い女がゐましたといつて投出してしまつてゐる。これは投出すよりほかに方法がなかつたといふべきでなくて、作者の壺井榮といふ人は、これを批判してはならないといふ一つの根柢に立つてゐるんぢやないか。壺井榮の文學精神は、人生を批判することは文學者の任務ではないといふ立場に立つてゐるんぢやないか、といふことを痛感させられた。なぜなれば、この小説には批判の出來る場所がいくらでもあるんだ。女一人の處に雪の降る晩やつてきて、そして雪が降つて電車が停つたから歸ることが出來ない。だからいたずらはしないから泊めてくれ、と云つて圖々しく泊り込んで、そして結局關係をつけてしまふ。やがて今度はその家へ入婿のやうになつて坐り込んで、そして亡夫が遺した遺産をすつかり使つてしまふ。女が年をとり、性的魅力もなくなり、財産もなくなつた上で、現在國策として產めよ殖せよといふことがいはれてゐるから、儂はほかに女を作つた。お前には子供が出來ない。だからほかの女の處に行くのが、それが國策に順應する所以だ、といつて、國策に便乘して自分の不道德を合理化す。かういふ男なんだ。それに對して例へば、女主人公に妹といふものがあるんだから、妹を使つていくらでもさういふ圖々しい怪しからん人間を批判出來る筈である。さういふ機會を全部放棄して、かういふ話があつたとやつてゐる。恐らくこれを讀んだ讀者、所謂文學愛好者といふやうな偏した讀者でなく、普通の讀者だつたら寧ろこの作者の冷酷な態度に對して非常に忿懣を感じるだらう。僕はかういふ小説が未だに純文學として取扱はれるといふ、この事實に對して忿懣を禁じ得ないんだ。その點では「北洋の男」は、いくらか主張があるといふ點で見どころがあるやうに思ふんだけれども、非常に幼稚なので未ださうむきになつて批評すべきものではない。この人はもう少し人生の觀方に就て慥りしたものを摑むやうに勉强しなければならないだらうし、また小説構成法といふやうなこともつと研究してみなければいけない。また文章等が非常に亂暴で、これが文筆をもつて立つ人の文章かと、僕は實はすこし呆れたんだ。恐らく我々が見渡したところでは——といふのは所謂純文學畑でないところには、こんな文章を書く人は吉川英治位しかゐないんぢやないかと思ふんです。（笑聲）例へばこんなのがある。「天候柄緩慢な乾きを食つてゐるのも」

戸伏　何だ、それは。

村雨　これはね、學校の職員室で先生方が免狀を書いてゐる。その免狀がそこに乾してある狀況なのだ。お天氣が惡いので乾きが惡いといふことを「天氣柄緩慢な乾きを食つてゐる」といふんだ。それから「雨手をわちやわちやさせて喚くのを」こんなのがいくらでもある。これは近頃新聞記者の文章に非常に多い文章だが「何々だ」といふ。例へば「關心を持たせた訊き方だ」。「矢張り養子型だ。」これはテニスのやり方が「養子型だ」、といふ型ださうだが……。「銃よりも輕い教壇であつた」これは本文を讀んで貰はないと分らないが、「一貫目も殖えてきた二十一の身體には銃よりも輕い教壇であつた」といふんだが、さうするとこの人は教壇を擔いだのかと思ふが、さうぢやなくて、教壇の上で生徒にものを教へるのは非常に樂だつたといふらしいんだ。どうも實に亂暴で敍述の方法が前後支離滅裂だね。過去のことを、これは過去のことだ、といふことを斷らないでぽつッと過去に飛ぶ。過去に飛んでゐるかと思ふと現在がひよつと出てゐる。讀むに實に苦しまないと讀めない。

戸伏　意識的にフラッシュ・バックといふわけぢやないんだな。

村雨　ぢやないんだ。とにかく無茶苦茶な文章だ。實に讀めないし、苦しいんだ。この話はつきり、所は書いてないけれども、北海道の片田舍らしいんだが、或る漁村の小學校に肺病の妹を連れた船員上りの教師がやつてくる。これが肺病の妹を養ふために、商船學校出身で大體教員等になるんじやないけれども、妹のために田舍に敎師になつてやつてくる。教員氣質で固つてゐる教員の中で、その誠實さと、一種の風格を以つて小姑のやうな連中の間をしのいで行くんだが、妹が死んでしまつたので、再び船員生活に歸る。海の中で生れた彼は矢張り海の中に歸るのが一番性に合つてゐるといふ話なんで、書きやうに依つては隨分いゝ物が出來るんぢやないかと思ふんだけれども、實に惜しいことだと思ふ。僕は新潮ばかりぢやない、文藝を讀んでも文學界を讀んでも、一體今の日本の純文學の諸君といふものは迷つてゐるといふよりは、まだはつきりした文學觀が確立してゐない。唯西洋の何かの型といふやうなものだけを模倣してゐるんぢやないか。文學精神といふものが一體何處にあるだらうといふやうな疑ひを有つてゐるわけだ。

岡戸　壺井榮がさういふ題材を作者が取上げたといふ氣持に何か根本的なものがありはしないかね。

村雨　現代のあと一つの男の型に對する嫌惡の情がこの創作の動機になつてゐるかもしれない。

幼稚な純文學

岡戸　改造の直井潔の「淸流」と今の壺井榮の作品を比較すると全然違ふ。この人は素人だから非常に素直に書いてをる。三朝溫泉に入つてゐて經驗をそのまゝ書いてゐる。僕は三朝溫泉を背景にした傷痍軍人のものを書いたから、非常に興味をもつて讀んだわけだが、一體中で實際に生活してゐる人の書くものと、我々が參觀して話を聽いて書くものとに非常に相違のあることを思つた。それは所々がまあ一種の第三者として書く場合には、つまり中に入つてゐる患者の何故怪我をした。どういふ働きがあつたといふことから第一非常に關心をもつて訊ねる。それからその病氣、怪我がどうなるといふことも勿論だ。それからその人が將來どうするかといふことも非常に關心をもつことなんだ。その内でも最も聽きたいことは、一體どういふ戰爭でさういふ負傷をしたのだ、といふことが非常に聽きたくもあるし。書く上にも非常に重要なことになつて來やしないかと思ふけれども、この人の小說を讀むとそれが一寸も書いてない。唯酷い神經痛で、體が自由にならない。神戸からおんぶされて汽車に乘つて三朝に來る、さういふところから小說が始つてゐる。そこに一人の動けない患者を、全然專任といふわけでないが特に目を掛けてくれる看護婦がゐる。その看護婦との一種の淡い戀愛關係を書いてゐる。これがこの作者が小說を書きたかつた動機ぢやないかと思ふ。ところがそれに非常に興味をもちながら、最後には自分は生活が出來ないんだ。だから結婚してはその看護婦が不幸な目に遭ふかも分らないから、自分は結局結婚しない方がいゝんだ。最後はかういふおさまりになつてゐるんだけれども、我々が書く場合だともつと、何といふか、國家的に戰爭といふものと自分といふものとの有機的なものをそこに書きたい。書かなくても肚はもつてゐたいといふことを考へるけれども、どうもさういふものが感じられない。本當に私生活を書いたに過ぎなくて、それが唯傷痍軍人であり、療養所の內部であるに過ぎない。そこに本當にさういふ生活をした者と、作者が行つて聽いて書いたものとの相違があるんぢやないか。僕自身どつちがいゝか、どうするかといふことは考へないが、さういふことを僕は經驗した。この作品のいゝ惡いを卒直にいへば、素人の書いたものだ。實に幼稚なものであつて、改造に載るべき作品ではないと僕は思ふ。

村雨 どうだらう。最近日本の每月の雜誌に出る程度の作品の問題だけれども、どうも所謂純文學作家のものを讀んで、非常に幼稚だ、といふ印象を受けるんだけれども……純文學の對象は思索的內容だと思ふけれども、その思索的內容が非常に幼稚で淺薄だ。唯文章を非常に難解にしたり、それから、バルザツクと比較は出來ないけれども、バルザック流にもつて廻つた形容をしたり、さういふことで表面胡魔化してあるが、內容をよく讀んでみると、實に淺薄幼稚だといふ感じを殆んど例外なしに受けるんだけれども。

中澤 非常におかしい現象だけれども、二色あるんぢやないか。全然思想をもたない小說、それからたまにもつたものがあれば幼稚だ。それを分けて考へると、もつた奴といふのは下手な奴がもつんだな。それから少し文學修業をした奴は全然思想をもたん。さういふ傾向があるやうに見えるんですがね。今のところは矢張り間違つたリアリズムといふか、糞リアリズムといふか、無思想リアリズムといふか、さういふ作品が非常に多いんだな。

村雨 さう、殊更文章を難解にするといふことで胡魔化してゐる感じがするんだ。

素人作家と素材主義

岡戸 改造の直井といふ人は文學修業をあまりしてゐないといふことが解る。さういふ人でありながらいかにも小說を書くぞ、といふことに囚はれてゐるものですから、今迄の大衆文藝の小說の組立といふか、構想より一歩も出てゐない。僕は實際さういふ經驗をした人がさういふ小說を書くことは非常にいゝことであるし、將來も大いに出てくれることを歡迎するが、矢張りもう少し勉强してからかゝらないといかんといふ感じがするね。

村雨　僕は所謂素人作家の非常に素直な環境描寫文學だね、さういふ風な物を嚴しい文學的立場からはさう高く評價しちやいけないと思ふんだ。それは要するに純文學のリアリズムに對する誤つた妄執、さういふものからあゝいふ素人が非常に高く評價される。それは實際には結果に於て文學を墮落させることになる。僕は日本の近代文學の一つの病癖になつてゐるリアリズムの文學に對する誤つた信念といふものを、一度徹底的に究明し、打破しなければ、日本の文學は生れ變ることは出來ないといふ考へをもつてゐるんだがね。

戸伏　舊來の文學者、職業的に文學をやつてゐた人は、リアリズム文學を煎じつめてやつても、見聞が餘程廣い人でも先づ大體限度があつて、斯く／＼の職場、斯く／＼の生産部門といふところを精細に知つてをらんのだ。さういふ部門からまゝ筆まめな素人が出てくると、そしてその人が文學愛好者であり筆まめであれば相當効果が出るんだ。そこに題材の淸新味を感じさせる。一時實話が流行つたのはそれだらう。讀者が一時實話にくつついてきたのも文壇的リアリズムが行詰り、そこへ素材の珍しさ、珍奇な世界を特に見てきた素人の、いくらか筆まめな人の觀察に非常に魅力を感じたといふのが原因ぢやないかと思ふ。然し新しい素材々々と追駈けて行くのが必らずしもいゝといふわけにはいかん。文學は素材にあるんぢやないから……。さういふ意味ぢや今度のオール讀物の芥川賞の候補作、これなんか關聯されていへるんぢやないかと思ふ。

土屋　「炎と倶に」でせう。貴方がいふ通りなんだ。これは消防夫の克明な描寫だが、今までの實話的興味と全く同じだ。これを小說と考へる人がまだゐるんだね。

戸伏　この作は文學的摑みどころのない實話的なもので、それが文學かといふと非常に疑問だ、實話的興味はふんだんにあつて、文章は平明で讀易い。

大澁　これは素材の珍らしさだね。

鹿島　僕はこれは小說でなくてスケッチだと思ふ。この前現代部界で近頃の芥川賞は、目新しい物を念に書けば芥川賞が取れるといつたが、其奴をこれが明らさまに證明してゐるんだね。かういふ珍しい世界を書かれると、これはスケッチだらうか、小說だらうかと考へる前に、これはいゝものだと思込んでしまふんだ。といふのは作家が小さい狹い世界に生活してゐたといふことになる。

村雨　素材の珍しさでその作品が價値あるものとして評價するといふことは、いま鹿島君がいつたやうに作家なり、批評家なりの眼界の狹さを告白するやうなもので、文學者としては恥辱だね。

岡戸　芥川賞を二つに分けるといゝね。文學以前賞、文學賞と二つに分ける。（笑聲）

中澤　ずつと前に千葉さんが生きてゐる時分には、サンデー毎日が大體素材の面白さを取上げるといふことがあつたね。

鹿島　あつた／＼。

中澤　そこで、サンデー毎日から非常に澤山の人が出てゐるのに、非常に少ししか一人前の作家になつてゐないといふことを考へねばならないね。素材の珍しいものが必ずしも文學的ではないんだな。珍しい環境の中に生きてゐたらそれで非常に珍しい物が書ける。その代りその人はそれ一つしか書けないんだ。「モンテマイヨール家文書」といふ當選作があつた。これは僕は非常に驚いたんだが、この人はスペイン語科を出て、スペイン語關係の貿易をやつてゐて、かういふ新らしい話を聞き、又書物でも讀んだ。しかし自分は作家ではないので、この話しか書けない。もう後はほかには書かないと、自から語つてゐたが、作品は非常に面白いんだ。上手いんだ。この人のやうに、自らを知つてゐれば問題はないがね。今迄の純文學的糞リアリズムの病弊が多分にさういふ人をぱつと掴み出しては珍しがり、掴み出しては珍しがつてゐたが、これではいくら經つてもこくのある作品なんか新人からも出つこないぢやないか。

戸伏　櫻田氏の行き方が大體素材主義の行き方だと思ふ。勉强して、事實を調べて書くやうだが。結局實話小説の行き方に終つてゐる。「從軍タイピスト」なんか素材がよかつたから成功したといふことがいへるだらうと思ふ。オール讀物の「朔風は呼ぶ」はどうです。

土屋　これは、實話の面白味を調べて書いたのだね。體驗ぢやない。だから「炎と倶に」とはさういふ點で違ふんだ。

鹿島　さつぱり面白くなかつたですね、主人公の性格が分らなかつた。副主人公を通して主人公を書いてあるんだが、副の方が克明に書いてあつて、これはユーモア小説と書いたら面白いね。

戸伏　けれど後半は筋書だね。日本國中を歩いてしらべたノートといふものが、簡單に凡てを解決する。魔法の小槌だね。

村雨　素材と文學の本質の問題、これは例へば「戰記」と「戰爭を取扱つた文學」との相違、さういふ問題にも關係してくると思ふんだがね。その意味で火野葦平の「時計鳥」。これなんかどうだね？

戸伏　これは文學になつてゐると思ひましたよ。最近のものでは、いゝんぢやないか。編輯後記で見ると非常に催促され〳〵してがちや〳〵して書いたらしいが、それにしては實に構想が上手いです。

村雨　僕は火野といふ作家は何か非常に逞しい、本當の意味の文學魂といふやうなものを持つてゐるやうな氣がする。

戸伏　作品は輕いかも知れない、これは一つの挿話に過ぎないからね。しかしその點では作品としての効果なり、さういふ狙ひを――非常に慌てゝ書いたに違ひないが、しかしちやんと効果を考へてきつちり書いてある。

村雨　濱本浩の「護送作戰」はどう？

戸伏　これは新聞記事の方がよいよ。

（笑聲）

岡戸　今村雨君から火野葦平が非常に逞しい作家だといふ言葉があつたが、成程僕も非常に逞しい作家だと思ひます。しかし一面非常に細かい神經を持つて、然も逞しい人だと思ふ。

土屋　この人は今迄は仕事してもこれから先きは全然解らない人ですね。どえらい仕事をするかも知れないといふ意味で……

美談逸話型小説

村雨　田岡君の物はオールに一つと、講談倶樂部に出てゐるが、どう？　田岡君には一つの田岡文學とでもいふやうな型がある。どつちかといふと山手君のやうな型ぢやないかしら。

鹿島　似てゐるね。

中澤　山手君よりは器用だがね、唯、器用なだけだね。

鹿島　ローカル・カラーを持つてゐるね。

中澤　田岡君は利口だよ、土佐しか書かない。

戸伏　オール讀物の「返照」の方は、尻切れとんぼで殘るものがない。あの人は女が出ると特に下手だね。男ばかりの小說を書くとまあ上手と思ふが、女が出ると下手だ。たゞ「返照」に出る娘の父だつたが――これは慥か江戸のぐつと初期の話だと思つたが、あの時分の武家氣質は出てゐますよ。

土屋　お祖父さんでせう。

戸伏　「お草履刄傷」の方はどうだね、田岡君の物は、名君物語とか、名臣物語とか、一種逸話小說的行き方が多いやうだが――。

村雨　一體大衆に讀ますからといつて、かういふ奇智に依つて危機を切拔けたといふだけの美談を、たゞ美談として書いてそれでいゝものだらうか、どうだらうかといふことに非常に疑ひをもつんだ。かういふ行き方の小說が今迄の大衆文學にはざらにある。

鹿島　僕は田岡君のこの作品は美談だと思はない、醜談だと思ふ。醜小話だと思ふ。

戸伏　型として、美談逸話型だよ。君が醜談といふのは、例の君のモラル論からくるんだね。

鹿島　さつきの壺井榮と同じに非常に、ずるいことをやつたのを美談だとする。そこに批判がないんだ。

村雨　そこだ。美談小說が一應改訂されなければならないのは、鹿島君の今の話のやうに、所謂美談逸話を今日の我々の道德觀から見れば美談でない。曾つて美談であつたものが、封建時代でない今日に於ては既に美談でなくなつてゐる、にも拘らず美談として橫行してゐる、このことを檢討してみなければならないと思ふ。

戸伏　これは封建生活に對する批判が先きに必要なわけだ。ところが現代的觀點といふものを立場にすると、封建生活に對する方向は大體きまつてくる。逸話なら逸話を書く場合に、封建生活の批判から書くと同じ形になつてしまやしないかと思ふ。

村雨　僕はその點は、何人かの作家が、同じ史觀をもち、同じ人生觀をもつて、實在の事件なら事件、人物なら人物を取上げて書いた場合にも、必らず違つたものになるといふことに確信を有つてゐるんだ。

戸伏　我々は何時かもいふやうに、歷史を上から下へ見る癖がついてゐるから別だよ。普通に、規格品的な現代の通常理念から、封建制度なら封建制度を批判した場合に、既にこれはもう公式的なものになつてゐると思ふ。だから、さういふ立場からは公式的な、公式化したものしか書けないだらう。

中澤　要するにかうだらう、現代に通用する封建時代を持込んでくる、かういふ行き方が一つある。もう一つは、封建時代には許されてゐたが現代には通用しないものがあるね、さういふ風に問題を截切つて兩方を考へてみるんだよ。歷史の條件の中で人生を觀るんだな。この人生を觀るといふことになれば現代に通用しない封建時代の中に生きてゐた人間を書いたつて、一向差支へないだらう。その場合でも人類共通のモラル、人類として時代を超絶するモラルいふものがあると思ふ。さういふものがあるから、全然表面的の所謂道德は現代に受容れられない道德であつても、現代人がそれを小說として取上げて現代の小說としてのモラルを有つ作品が生れると思ふ。表面の道德と、作品の倫理性は嚴として分けて考へなければいけないと思ふ。特に歷史物の場合は。

村雨 から云へるんぢやない？ 現代的道學者が過去のある封建的な行爲、例へば妾を蓄へるといふやうなことに就て、それを批判する場合にはそれを唯現代に適應しないといつて排除してしまふね。しかし歷史家や或は文學者はそのことの歷史的な意味といふことを考へてみよ。唯それが現代排除されなければならないことだから作品の上で全面的に排除してしまふ、といふやうな偏狹な態度はとらない、唯それは過去に於てのみ是認されるのだ、といふやうな工合に解釋するといふことが我々のいふ批判ぢやないかと思ふんだ。

中澤 今村雨君が明解にそれをいつたが、「お草履双傷」だね、非常に圖々しい男、しかし彼奴は見處があるといふやうな、さういふ道德觀を——人物觀を持つてゐた時代、それをそつくりすら〳〵書いてもそこに批判がないから困るんだね。

鹿島 さうだよ、勿論。

中澤 それだから僕等は美談を美談として扱つても小說ではないといふのだ。批判がなしに、封建時代の美談を美談として書くから、讀む人は何だ今頃こんなもの、といふやうな反撥さへも感じさせるんだ。

素材と發見

村雨 さつき現代物に於る素材と文學の本質といふ問題とも矢張り關聯してくるんぢやないかと思ふ。唯新しい素材を見附けてくる、珍しい話を見附けてくるといふことは歷史文學の方にもあることなんだ。唯さういふ新しい話を見附けてくるといふことに文學のすべての意味が變つてゐるやうな誤解が一般にありはしないか。懸賞や文學賞の作品を選ぶ場合にも、矢張り素材の變つた物〳〵といふやうに銓衡委員が探す、かういふことも矢張り文學の本質を誤つてゐることになりやしないか。一體文學者にとつて發見とは、何かといふことを突込んで考へてみなければいけないぢやないか。素材の新しい領域を發見するといふことは文學としては、本質的な仕事ぢやないと思ふんだ。素材は、新しければ勿論讀者の注意を惹くといふ効能はあるけれども、しかし素材の新しいことが文學たる所以ではなくして、素材は假りに有觸れた素材を拾つてきても、その素材の中に人生の新しい意味を發見するといふこと、文學者として前人未踏の境地を開いて行くといふことは、素材の中にではなくしてその素材をさばく作者の精神の新しさにあるんぢやないか。だからどうも素材の新しさだけを追馳けてゐるやうなことでは日本の文學も前進しないと思ふんだ。寧ろ實に有觸れた話だのにこの人は實に新しい書方をしてゐる。こゝにこそ人生の眞實があるんだといつて人を驚かすやうな發見をしなければ駄目だと思ふ。人が何氣なく見逃してゐることに實に重大な意味がある。さういふことを發見することこそ文學の發見である。

戶伏 ぢや、時間がないからこの邊で。

▽ハガキ回答△

最も合理的な新人推薦制度、又は案

（到着順）

森　銑三

ひとり文壇のみならず、どの方面にも新人の進出が困難になるとしたら、それは國家的にもゆゆしい問題でせう。しかしそれに對して私には何等の具體案もないのです。雜誌の編輯者が、從前のやうに顏觸を揃へることばかり考へないで、實質本位で行かうとしてくれるならと思ひますが、さようなことが期待出來ますかどうでせうか。

片岡鐵兵

當分只今の文報の推薦制度によるほかこれ無かるべく右の審査の公平なるやう外部の批判と監視を嚴重にすること。同時に推薦せんとする新人を紹介する文章を文報の機關紙にのせること。特にさうした欄が機關紙にあつてよろしいと思ひます。

丸山義二

新人の進出、新人の推薦といふことが、おつしやるやうに困難になつてゐるとは、私は考へてをりません。大變抽象的ないひ方ですが、要するに、いゝ小説をかくこと、いゝ小説を書くことに一生懸命になれば、道はおのづからひらけるのではごさいますまいか。なんだかだといつても、文壇ほど公平で、正直で、善良な國民の集りはないのだと、私は信じてをります。出版統制の强化どいふことは、むしろ、ともすれば安易に流れようとする私たちをひきしめてくれると思ふのです。

文章報告にきほい立つ新人の至誠に待たうと存じます。

白井喬二

實はすでに、文報小説部會においては新人育成部の設置が議決になつてをります。文法に就ては目下檢討中ですから不日發表出來るだらうと思ひますが、推薦表彰、生活援助、作品の發表周旋等が當然その骨子になるだらうと思ひます。私個人としての所感はこゝでは省きます。

戸川貞雄

僕個人としての意見ですが、同人雜誌を整備統合してそれを文報公認とする。或ひは文報が新人育成の機關として文藝雜誌を持つ。一方、一般の文藝雜誌なり出版書肆なりに對し、文報に審査機關を設けて新人の推薦に努める。登錄制實施の根本精神如何により今後新人の進出はむしろ明朗に措置されることとならう。さうあるべきだと思ふ。

村雨退二郎

現在の文壇では、合理的な登錄制は絶對に實現不可能です。若し登錄制を强行して既成作家に特權を附與するやうなことがあれば、文壇は必ず現在以上に腐敗します。新人の進出も一層困難になります。私は今後日本の文學の運命を拓く人は、既成作家ではなく、新人、無名の人達であると信じますので、登錄制なぞは止して、文報に新人推薦委員會を設け、毎年二回位新人作品集を出したり、長編出版の斡旋をしたり、雑誌に推薦したり、親身になつて若い人を育てるやうにしなければならないと思ひます。

山田克郎

各雑誌社（改造、中央公論、文藝春秋、オール讀物、講談クラブ等めぼしいもの）で春秋二回定期に原稿を募集し、當選者は會をつくる。そこでは文學の本質を論じ、また原稿を讀みあつて批評する。（こんなことは純文學と大衆文學が、はつきり二つのものとなつてゐた時には實現不可能のことであつたが、國民文學樹立といふ立場からすれば容易に行はれることである。そしてこれが文學の新しい主流とならうと思はれる）最後に各雑誌社はこの會に積極的な支援を送ること。

海音寺潮五郎

出版統制の强化は決戰体制下やむを得ざること。但し文士登錄制などといふことは言語道斷のことなり、結果として既成作家の權益擁護、文壇の情實化、日本文學の萎微退嬰を來たすべきこと必然なり。斷じて與せず。文學の世界はどこまでも正義と實力のきびしき世界であること國技館の角力の如くありたし。新人の進出推薦につきとは、現在諸種の文學賞などその任にあたりつつあるが、なほ、文報などにて作品を募集推薦の方法も考へらるべし。かかることこそ文報の最も力を入るべきことと思ふ。

岩崎榮

この問題の根本にして、同時に先決的なものは、何といつても商業主義ジヤアナリズムと出版業者とその忠實なる新聞雑誌記者との撲滅或は更新である。「いゝものよりも、よく賣れるのを」と云ふ目標のその態度が、どだい時局的でも、新日本的でも、大東亞的でもない今日、それらの國賊的な存在が見逃がされてあることが怪しからぬ社會痴呆といふか、政治の色盲といふか、まつたく言語道斷のことです。この頑敵にして撲滅し去るならば國家有爲の新人はいくらでも登場出來るわけである。

今井達夫

この問題は考へればむづかしい問題です。進出については、平凡ながら、いいものを書くことを望む以外なく、推薦については、個人的にも公共的（報國會その他の團体において）にも、大いに研究の餘地があると思ひをります。具体的には、意見がまとまりません。

北町一郎

推薦の方法として、公の推薦機關を設け、それに應じて審査を受けるのも、一つの方法と思ふ。例へば、文學報國會の中へさういふ委員會の如きを設置する。勿論新人といふ意味は難しいし、明日の文學を思ふとき、すべてが新人と云へよう。現在各種の文學賞があつて、新人の推薦進出に資してゐるが、私的存在の感が深いのもあるので、これが更に公的な强固なものに改編されたらよいと思ふ。元の出版文化協會推薦などばかりに任せることなく、文學報國會自らの機關によつてもまた推薦文學制度を布くべきである。

どなられる話

佐野孝

菊池寛の話

私が、はじめて菊池寛を乗せたのは、たしか初夏の宵であつた。

その頃、私は護國寺の前で夜稼(よなし)の俥をひいてゐた。法政大學の文科に籍をおいてゐたといつても、何も苦學をしてゐた譯でもない、車夫馬丁の徒と云つた俚諺みたいな言葉に反感を持つて、俥夫だつて大學ぐらゐ卒業してゐたつていゝじやないかと云つた氣持と、もう一つの理由は、夜稼ぐ人間にとつて、晝のたいくつさといつたものは、隨分がまんのなりかねるもので、毎日ブラ〳〵することに倦き〳〵して、僅かの月謝で降つても照つても日曜以外休みのない學校といふものが、程よい自分にとつては時間を費す場所であつたからでもある。ともかく佛文科の學生だつたから、最近流行の文學、新道の劇作家で、そして素晴しい人氣の出てゐた菊池寛に關心を持たない筈はない。丁度、當時は、文藝春秋が、發刊された頃であり、劇場は競つて菊池寛の作を上演してゐた。

しかし、私は菊池寛を知らなかつた。護國寺から菊池家といつても、舊の雜司谷の家だ、坂道ではあるが、五十錢の丁場であつた。ところが、寛は默つて五圓くれた。それで私は、ホ！、こいつア株屋かなと思つて、それで門札を提灯の灯で、ちよいと檢べてみると、ひどく下手な字だ「菊池寛」とあつた。さう云へば、寫眞でみた顏である。ハヽアこれが、菊池先生かい、文士といふものは、ハデなもんだなアと思つて、それから數回、乘せたことがある。

奥さんとお孃さんも乘せたが、これは、先生ほど氣前がよくなかつた。

乘せながら、話をする。菊池寛はちつとも威張つてゐなかつたし、深夜でも泥醉してゐたことは一度もなかつた。私はいつも氣前よく御祝儀をくれるからといふ譯でなく何となしに、好きな客だとしてゐた。そして、これも當時プロレタリア文士といふことになつてゐた前田河廣一郎──この二人は、何か新進の大家として張り合つてゐるといふ感じを與へたものだが、その前田河と比較して、そのどつちにも私は興味と好感を持つて乘せたものである。但し前田河は菊池ほど氣前がよくはなかつた。

この二人は、私が學校を卒業して、宿俥の大將に納つてゐるうちに圓タクに負けてしまつて人力車が稼業にならなくなつて、たうとうサラリーマンに下落して、雜誌記者になつてからも、多少の交渉を持つことになつたのだが、菊池寛にどなられて、痛快に罵倒されたのは、馳け出しの時分のことである。

全集物の編輯をしてゐたのだつたが、「毛利元就」を書いてもらつた。それが、全集の狙ふ讀者層からみて少し程度が高い、難しいといふことになつて、手入れして貰ふことを頼んだのである。少しいやな顔はしたが、それでも二三日うちに手入れをして返してくれた。ところが、どうも、それでも難しいといふ編輯長の意見で、だうとう沒にしてしまつたのだが、その處置をどうつけるか、同じ社の別の雜誌に掲載させて貰はふといふことになり、その交渉に、又、私がノコ〳〵と出かけたのである。どなられたのは、その時だ。私は未だ馳け出しの記者で、菊池寛がどんなに偉いものかも知らなかつたし、別に原稿が拙くて使へないといふ譯ではなし、程度が高いといふだけだから、そんなに皆が氣にする程のこともあるまいと、恐縮もせず、理由を述べて諒解を求めた。

菊池寛は私の言葉の終る前に、眞赤になつて怒り出した。實に物凄い形相で怒り出した。私は今迄、相手にあんなにひどく怒られたことは一度もない。

「實に失敬だ！」と云つた。

「俺ほどの人間に、書直しを云つてくるとは實に無禮だと思つたが、考へ直しをして筆を入れてやつたのに、まだ文句をつけて掲載しないとは何たる奴だ、お前じやア分らない、編輯長に云つてやる、名前は何と云ふんだ、オイ何んと云ふのだ」

そして卓上の電話を、ひつつかんで、カン〳〵になつて、殆どつかみかゝらんばかりのけんまくで凡そ五分間ぐらゐ、どなつてゐたと覺えてゐる。私は呆然として、みつめてゐた。そして、むしろ自分が自分達がやつつけられてゐるにも拘らず、何だか實に痛快だなアとさへ考へたものである。

それほど天眞らんまんたる怒り方であつた。お前なんかに云つたつて分らん！と輕べつされながら、ちつとも私は屈曲を感じなかつた。又、なぜ、そんなに怒るのかに就いても考へてみようともしなかつた。人間がこんなに怒り得るものかなアと別なことを考へて、お前なんか相手にせんと云つてるんだから誰か別の人が怒られてゐるんだらう、と云つた自分には關係のない出來事のやうに感じさせられたくらゐ、それ程物すごい怒りであり、こんなに怒り得る人間は、きつと正直ないゝ人間なんだらうなぞと考へたり、ボンヤリしてゐるうちに、ガチャンと電話をおき、「直ぐ原稿を返してくれ」と、少し、きまり惡さうな、おだやかな聲で私に云つた。私は、それでも、まだどうして、そんなに怒るんですかと訊いみたい氣もしたが遠慮して引き下つた。

原稿は直ぐ屆けた。その後は、どうなつたか、きつと編輯長が謝つたか社長が謝つたかしたのだらうが私には誰も話してくれなかつたので分らなかつたが、その後、暫く、「毛利元就」の原稿が、どうなつたか、自分が頼んで書いて貰つた原稿の始末が氣になつてしかたがなかつた。三月程して「オール讀物」にのつたのを見て、ひどく安心したことを覺えてゐる。何かホツとした氣持で、その氣持を手紙でも知らせたい感じが强かつたがそのまゝにした。

その後もう一度叱られたことがあるが、それ以後菊池寛のとこへは私は行かない。

作家として菊池寛の偉大さが分れば分る程、あのどなり方の天眞らんまんさが面白く、そして、私自身、あんな風に怒ることを知らず、どなつたことのないことが少し悲しくなるのである。

そして、もう一度、私は宿俥の親方になり、いつも氣嫌よく御祝儀をくれた菊池寛を乘せて走つてみたくなるのである。

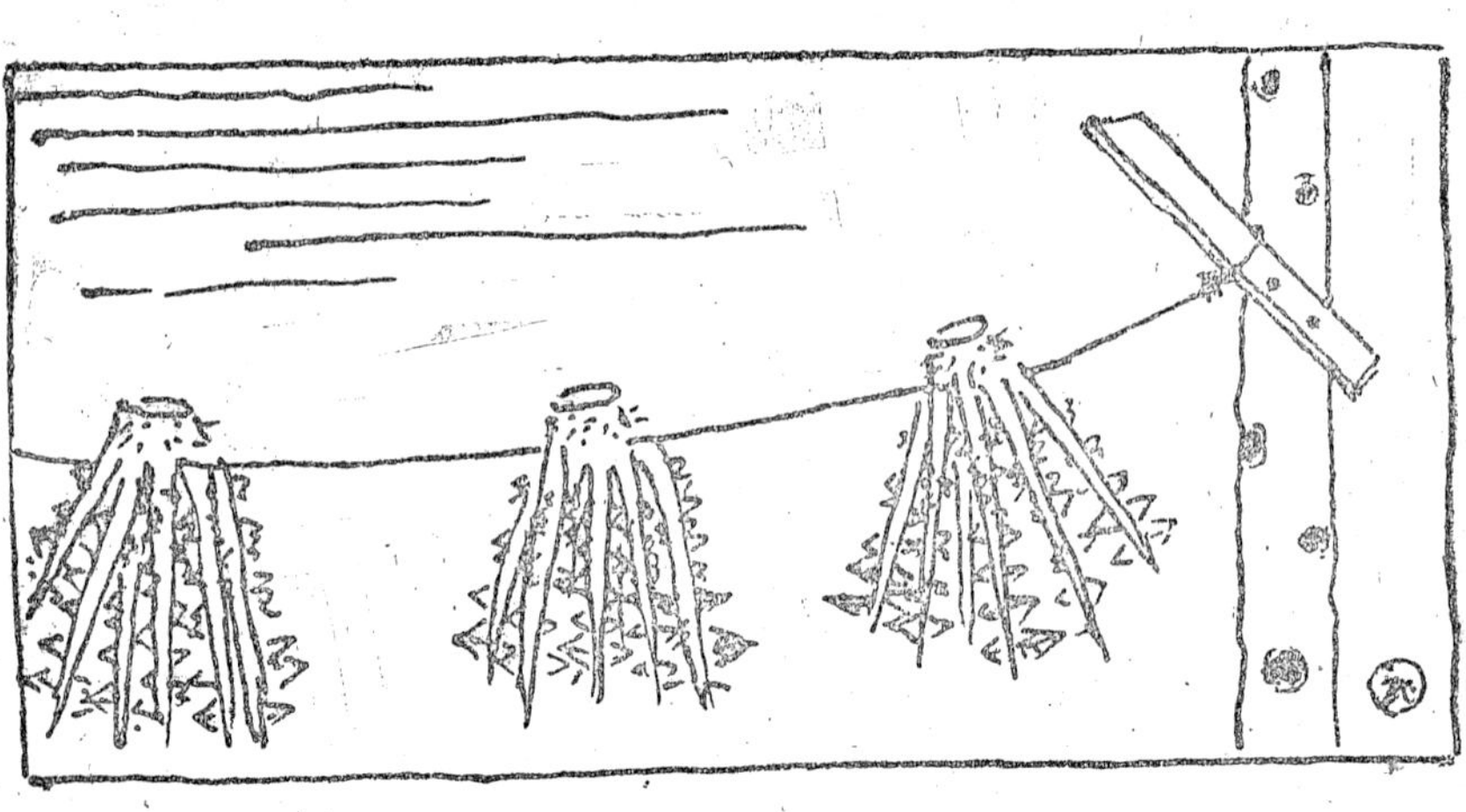

打破

天地有情

由布川祝

何とこの芭蕉の葉ッぱ、よく茂つた事ぢや。此所の土が芭蕉のところによくかなつてゐるらしいが、それにしても、これを植ゑたのは、さう、天和三年の夏であつたから、まだ四年にしかならぬのに、でかい葉鞘（はざや）になりをつて、またあそこにも新芽が二つ。

みづ〳〵しさが風に染むのか、流れる風までが青い。降りそゝぐ晩春の慈光を獨占めに吸ひ寄せるやうに、すつくと背を伸し、をかしい程の大まかな葉をもりもり差しかさねて、傍若無人といふのか、それともあるじのわしを慰めようとてか、まるでこのあばら屋を呑んでしまうた。

尤も、六畳一間きりのあやしい庵を目安に遠慮してゐたなら、芭蕉の生成發展は停まつてしまはうが……

芭蕉は伸びる——

芭蕉は庭一杯をあばれる——

だが、わしは一體どうしたなら此の昏迷から脫け出せるのか。どうしたら俳道の妙要が洞觀できるのか。この停滯から、一轉カラリと疏通する飛躍の法は作麼生(そもさん)——

氣の毒やこの筆も、徒らにわしのあやふやなこゝろを、わしのつたない十七文字を、書寫すのに役立たすだけぢや。此の硯も墨も、安心滿足のわしの欣びに觸れた事はない。どれ又芭蕉の下に坐禪して、頓悟招來の專念にかゝるとしよう。

ほゝオ、床の下のわらじ虫までが、下駄の上で日向ぼつこか。

これ、濟まないが退いて呉れ、どかぬと潰れるぞ。

つわ蕗もはびこつたし、梅の實も數珠の玉ほどになつたわい。おゝ、池のみづすまし奴、けふも丹念に燈心草の根ツこを旋回してをるのう。一つ所ばかりぐるぐる回りして、わしの低徊をあてこすつてゐるのかも知れぬが、しかし、池の廣さに無頓着で、あの埒もない圓運動に滿足しきつてゐるところは、あながちわしの事を嗤つてゐるのぢやとばかりは思へない。つまり同じどうどうめぐりでも、わしのは活路を求めて苦しんでゐるのぢやからな。水すましのどうどうめぐりとは大分に意味が違ふ。

すると、あの虫は松永貞德の立場を眞似てゐるのかな？それとも西山宗因をあてこすつてゐるのかな？ほい、他人のおせつかいよりおのれが惱みの解決が先口ぢやつた。

石の上にも三年といふ。この三階菱の形をした石は、いつもわしに坐禪を誘ひかける。一切諸佛は菩提樹の下で成道したといふ事ぢやが、わしは芭蕉の下で正覺をとりたいものぢや。

牛跏(はんか)でゆかう。芭蕉の葉蔭になつた此の石は、いつも尻をヒヤリとさせる。石の如く無表情とか、石の如く冷たいとか世人はいふが、なかなか石とて、冷灰死物の代表に甘んずるものでなく、わしに坐禪を誘ひ、冷たい——といふ個の主張も持つてゐる。

あゝ、さわやかな風が吹く、芭蕉の葉ツぱ奴、ずるい事を辨へてゐる。廣い平面に、風をもろに受けてはやり切れぬものぢやから、ぐらりぐらりと片面(かたも)づつ風を躱してをるわい。

さういへば、無疵であるやうとわしの禱るのを氣にも留めず、腕白雛僧のころものやうに、やたらと裂目を拵へて得々としてゐるのは、野分や疾風（はやて）をやり過す保身術であつたのぢや。

生物無生物みなこのやうに本性を具へてをり、存在の爲めの意欲をもつてゐる。森羅萬象悉有佛性とはよく觀破したものぢや。それなのに、六道のうち上位に在る人間のわしが、未だに徹底自己を究明できず、十七文字の扱ひ方にさへ惑ふて、高い價値づけを工夫できないとは、何とも口惜しい事ぢや。

閑庭の佛法

はて、誰かやつて來たな。あの跫音は……？これはめづらしいぞ六祖五兵衛さんぢや。せい〳〵三寸幅の芭蕉の破れ目が、首を振り振り近づく六祖の五尺の軀を、丸見えに透してみせるから不思議ぢや。けふは又、えらく思ひ詰めた顔附をしてをるわい。

「ふーむ。素宣（そせん）さんゐるな。イカナゴ……えゝと……イカナゴカンテン……と……えゝイカナゴ、これア可かん。イカナゴカカンテンカ……　いやイカナルカコレ、カンテン……だつた」

「これ六祖さん。ひどく氣張つて……だしぬけにいかなごかんてんでも解らぬが、玉筋魚（いかなご）と寒天をお前さんが賣りに來るわけはなし」

「いやその、ちよつと待つて呉んねえ……イカナゴカ、カンテンカと、そこまでは確かだが、それから先がどもならん」

「池はあるにはあるが、杉風（さんぷう）が昔、鯉屋藤左衛門といつて、小田原町の魚牙子（なやこ）をしてゐた時分の生洲（いけす）の名殘でのう。見らるゝ通り水草は生え放題、今は魚もゐなければ寒天も漬（つ）けてをらぬが」

「飛んでもねえ。おらそんな生臭問答をしに來たんぢやねえや。うむ、解つた。思ひ出したぞ。イカナルカコレカンテンソウマクリノブツポフ──てんだ」

「…………」

「さア來い」

「何所へ行くのぢや」

「何所へも行くんぢやねえよ。公案だい。禪問答だよ」

「公案かの、それなら解きたいものぢや。も一度ゆつくり言つてみて下され」

五兵衛さんが六祖の渾名で呼ばれるいはれは、祖師達摩から六代目の高僧に慧能といふ人があつて、無學といはれたので、六祖どのは文字を知らぬところから、無學といふ代りに六祖といふのぢやそうなが。なるほど四角八面な言葉を無理に使はれてみると、まるきり解釋の見當がつかぬわい

「公案は諄く訊き直すもんぢやねえ。えへん！――イカナルカコレ、カンテン、ソウマクリノブツポフ――」

「無下に釘を刺されても、了解できぬ事には答へもならぬ。まづ最初の――如何なるか是れ――は解つた。それから最後の――佛法――も解つた。ところが、カンテンとソウマクリの意味がとんと釋れぬ」

「素宣さん。お前は學のできる俳諧師だらう。弟子ツ兒も多勢ゐる癖して、頭を働かしてみたらどうだね」

「これは又難題を吹きかける同參ぢや。もつと碎いた言葉で問ふて下されや」

「そろそろ兜かな？」

「意味をずばりと言ふて貰ひたい」

「一口に言へばかうだ。草木の茂つた靜かな場所で、お前さんの修業はどれだけ進んだか――とな」

さては六祖さん。この公案は佛頂老師から口傳を受けて來

たの、漢語を丸憶へにしようとするから無理が行くのぢや。問意は讀めた。

「――如何なるか是れ、閑庭草木裏の佛法――と、かうぢやらう?」

「その通り、その通り、答は?」

「葉々大抵は大、小抵は小――」

「何だか語呂はうまくはまつてるやうだが、平たい言葉でいつて貰ひてえの」

「厄介な人だ。書いて進ぜるから、佛頂老師のお眼に通して垂示を受けて下され」

「しつぺい返しかね。意地が悪いや」

「ぢやア勿體をつけるやうに思はれてもよくないから敎へて上げよう。芭蕉の葉は大きいし、それ、お前さんの踏んでゐるせきこくの葉は小さい。たゞそれだけの事ぢや」

「善哉、善哉。おれのやうな半俗とちがひ、頭を丸め、素宣といふ法名を頂いただけの事はあらア。第一坐禪のしツぷりからして隙がないやね。とほツ！この青蛙ツたら、あわてゝおれの耳に跳び込みやがら」

「六祖さんが見當ちがひの褒め方をするもんだから、芭蕉と、風と、蛙と三位一體になつて、お前さんをからかふのさ。お世辭ならこの芭蕉にいひなされ。どうぢやの、これが常陸の根本寺で、佛頂老師に申受けて歸つた一莖の根から蔓つたものぢや」

「その佛頂老師がさ、今度は此所と眼と鼻の長慶寺に掛錫なさつてね、實は今それを報せに來たところよ」

「なに……同じこの深川へ老師がお出でなされたと?それはそれは一段と心强い事ぢや。ともあれご挨拶に伺はう」

轉法輪

佛頂老師は、わしに大我の爆發する時機がもう來てゐると力づけて下されたが、やつぱり暗中模索をわしはやつてゐる。

融通無礙な世界――獨立滑脫の境地――

そこに悟達できる日まで、わしは俳句から離れてゐたい。

打解けて氷と水や仲直り

貞德一派の、これが行き方らしいが、なげかはしい事ぢや。語呂合せ、輕口、駄洒落、それ以外の何の意味があるといふのぢや。低劣――卑猥――耽溺――陶醉――混濁――如何に天下太平とは言ひ條、これら閑文字の遊戯からは、世の悪徳をそゝり、果ては行詰りとなるだけのこと。

それは解つてゐる。

それ故、高く大きく濶く深く永遠なものを打樹てなければならぬ。

それも解つてゐる。

問題はその軸芯になる規範をさがす事ぢや。大淀三千風が一日三千句を詠んだとて、西鶴が二萬三千五百句を物したとて……

待て待て、他人を誘るまいぞ。わしは一句に三年かゝつても苦しいと思はない。一吟の爲め血腸をしぼつたとて我慢する。日本人の本性の中に流れてをる藝術の本體、感情の神秘を突留めさへすればよい。それまで俳句の筆を折るとしよう。俳號の「桃青」にも用はない。

――芭蕉庵―― 一昨日佛頂老師に書いて頂いた此の水車の廢材の扁額を揭げて、かうなれば俳句弄りよりも坐禪によつて正念工夫をこらす外にてだてはない。

さて、どこに扁額を揭ぐべきか、柴門の上では風雨に曝されて朽ちるばかり、茅の軒にも吊されず。

おゝ、梵鐘が鳴る。あの餘韻のいみじさはどうぢや。おごそかで、高燥で……上野かな……淺草かな。

ボオーン

何だかわしは母の腹に在るよりももつと前から、あの響に馴染んでゐたやうな氣がする。それとも未來佛天からの喚び聲かな。いや、これこそ正、像、末の三世を貫流ずる聲らしい。佛法の精神の振動ぢや。

このひゞきの中にわしの悟らうとするものが潜んでゐるらしいぞ。日本人が直覺ずる共通な思慕――これを何といふのかな？恍惚ではない。哀愁でもない。禪味といふべきか。何かぴつたりと來ない。兎も角禪に接觸したものには違ひない。

幽玄――おゝ！幽玄と言ふものぢや。

痛い！足の拇指の爪が潰れた。思はず額を取落したわい。なに痛くても痛くない。わしは見性した。悟の門に到達したのぢや。日本人に卽した美の價値の源泉を突當てたのぢや。

さうぢや。わしは此の幽玄を求めて孤絕した生活に甘んじてゐたのぢやつた。してみると、幽玄を望んでゐたわしの身邊に、最も日本人向な美の本源を解決する鍵がある筈ぢやつた。脚下を捜せばよかつたのぢや。わしは遠回りばかりしてをつたぞ。脚下照顧ぢや。

だん／＼と整理ができるな。しかしぢや。幽玄といふ感得だけで片附けられぬものがありさうぢやよ。譬へば此の額の揭げ場所にしてからが、柴門の上で風雨に曝されてこそ、此の板の眞價が發揮されるでないか。朽ちれば朽ちたで一層うつてつけな存在になるであらう。粗末に扱ふのでない。この板の在りどころを尊重するのぢや。さうする事によつて筆者の佛頂老師の心も生きるのぢや。

それはよいとして、花は紅柳は綠、あるがまゝの吾が庭の風景——佛の手から來たなりの創作——この在りやうを幽玄といふのは當らない。

池の周りの草藪や灌木、汀の黝んだ砂利、軒端に生えた苔、山吹の葉を匐ふかたつむり、夜前の雨の餘潤、これらの綜合に愬へられる吾が感覺——

どういふ纒め方をしたらいゝのかな、自然の囁き——素朴——無雜作——いづれも具象化さぬ。枯淡、寂しさ——ひそまり——

うむ！ひそやかさ——寂しみ——

これぢや。閑寂といふ精神ぢや。或は枯淡といふものを加へてもよい。

——幽玄——

——閑寂——

——枯淡——

うれしい、うれしい。到達した。全解決ぢや。もうわしの肚はきまつた。もうわしの脚腰はふらつかぬ。禪の悟りの境地といふものはかうもあらう。

早速に弟子たちに來て貰つて俳禪一味の法益に導いてやらねばなるまい。

水の音

「杉風（さんぷう）さん。わしは四十三才のけふになつて、西行法師の境涯がやつと解りましたよ。法師どのは意識して幽玄——靜寂——枯淡を歌はれたのかどうかは御自身何にも語られてない。けれども約（つゞ）めてみればわしのけふ悟つたところを西行どのは歩まれてをりますのう」

「宗匠はお歳が四十三で、けふは四月の三日ですから、四と三が重つてをります。奇瑞ござりませう。お顏の色も常より明るく、さう申しては何ですが、長者のご人相が一層かゞや

會友作品評

田川基博氏

◇凌霄花（二十枚）

この題名は、心理の表象化と思つたが、讀んでみるとさうでない。最初に說明があるがその結末にはなんの關係もない。この作品は、現實の影を對象にしてゐるやうだが、印象は極めて不鮮明である。同人の作品で恐縮だが、北町一郞氏の『結婚靑書』をお讀みになつたら、得るところが多いのではないかと思ふ。

同　氏

◇やまぶき（二十枚）

戰死した幼馴染に對する深い愛情を描からとしたものだが、殊更に心理的に見せようとするために、首尾の一貫しないものを並べたのが、この作品の失敗の原因である。もつと素直に、主人公興子の氣持を辿つてゆくべきであると思ふ。微妙な感情の動きをもつと印象的に描くことを考へて頂きたい。これでは作者の狙ひがかすかにわかるといつた程度である。

柿本秀夫氏

◇祝賀日の午後（二十四枚）

戰捷祝賀日に肺病で床についてゐる靑年の焦燥を書いたものである。それはいい。無理な表現も多少あるやうだが。しかし、滿代といふ昔の知合ひの女を出したところから、つくりものになつてゐる。常識とたたかふといふことは、突拍子もないものをつかまへてくることではない。解決はこれでも常識的なのである。かういふ作品では、作者によほどしつかりした態度がないと、讀者はついてゆかない。一度作者の體驗のうちから書いてみられたらどうかと思ふ。

——土屋光司——

いてみえます」

「四と三か。死と產に通じますのう。死んで產れる。なるほど、桃靑生涯の一轉機で、佛法でいふと涅槃とか入滅とかいふ事になり、不生不滅の法身に歸するわけぢや……

ほオ、其角さんが高話しでやつて來るな、も一人は誰ですかの」

「嵐雪さんです。十藥の根に小便をしてゐますよ。これで今日の顏が揃ふた。餘の人は連絡がとれませんから」

「その他に實は禪の要領を皆さんに知つて貰ひたいと思つて、佛頂老師を屈請しましたから、おつ附けお見えになりませう。例の六祖五兵衞さんも隨いて來ますわい」

「ではあの方がそうでせう。いま芭蕉の葉の破れから、ちらつと頭がみえましたが」

「杉風さんもいつもの竹の皮草履だね。わたしも草履で來たところが、此所らの路はまだ乾いてないので濡らしちやいましたよ」

「雨の跡より、嵐雪さんのは小便で濡らしたのでないかね」

「これは手ひどい……」

「佛頂和尚が來たぞ。相も變らぬ佛頂面だ」

「これ其角さん。聽えますぞ」

「素宣さん。こないだの公案の解答は老師がとてもご感服だよ」

「六祖さんの王筋魚かんてんには弱りましたぞ。

——老師どの。ようこそお出で下さいました。どうぞ……」

老師の前では誰でも固くなるわい。何しろあの御立腹の顔一通りぢやで、皆の挨拶に對しても一向飾り氣のないお返しぢや。わしへのご挨拶は公案でくるらしいぞ

「今日のこと作麼生——」

この頃はどんな行ひをしてゐるか？とお問ひぢやらう。萬物の靈と同化してをります。天地とぶツつゞきになれたから無我です。と言ふ意味に、覺悟の快通した今日の心境を交へて申上げればよいと思ふ。

「雨過ぎて青苔うるほふ——」

「青苔いまだ生ぜず、春雨いまだ來らざる時如何ん——」

世界の始まる前の宇宙の姿はどうぢやとお問ひになつてをられるな？時間も空間も超越した氣持で、一切萬物の本體を直觀で答へる事ぢや。さて——、あツ！あの音は？

チヤツ——ポン
蛙が水に跳び込んだ音ぢや。いかにもあれには悠久と靜寂のひゞきがこもつてをる。あれだ！

「蛙飛び込む水の音——」

「おゝ、見事な解答ぢや。まことに禪の妙機に觸れたところぢや。珍重々々、印下證明を上げますぞ」

「一向に不束でございました」

「硯を貸して下され」


「本分は無相なり、我は是れ什麼物ぞ。若し會せずんば汝等諸人の爲めに一句子を下さん
看よ、看よ。一心法界、法界一心——

界の字が散つたが讀めませうなア。これと一緒に此の鐵如意を進ぜよう。受けて下され」

「分に餘る倖せでございます。有難く頂きます」

「やつぱり素宣さんは偉えよ。二十年苦心したこの五兵衞より長老になつたわな」

「さうでもない。お前さんは達摩大師直流の六祖ぢやないか」

「それに違えねえ。あはゝはゝ」

「あつぱれ。宗匠だ。どうだね杉風さん。嵐雪さん。えエ、禪問答と俳句と一遍にできたぢやありませんか」

「まつたく、蛙飛び込む水の音――いゝ句だ……如何でせう宗匠。初句を附けて十七字になさつては」

「わしもそれを考へてゐた。俳禪一如の新しい發足ぢや。皆さんと一派を樹てる紀念に、まづさういふ嵐雪さんから一つ冠五を附けて下され」


「淋しさや蛙飛び込む水の音――これでは如何でせう」

「うむ。次に杉風さん一つ……」

「宵暗や蛙飛び込む水の音――」

「うむ。其角さんどうぞ」

「山吹や蛙飛び込む水の音――ちと作り過ぎますかね」

「よい。おのおの一理あつて、平生の句よりすぐれてをる。ではわしの考へを申さう。わしは觀相見樣（くわんさうけんやう）の理を離れて、この庭の情景そのまゝに
　古池や蛙飛び込む水の音――と置く事にしませうわい」

混血兒

土屋光司

一

大野丈治が混血兒であることは、誰の眼にも一眼でわかつた。彼は背が高くて、顏の色は白く、瞳だけは黑いが、鼻が高くて、頭髮は赤茶色で、少しちぢれてゐる。丈治といふ名前が、英語を漢字に直したものであることも、少し頭を働かすものには、直ぐに氣がついたことであらう。

私が初めて彼と知合つたのは、もう十年程前のことで、その頃彼は醫科大學生で、神田の東陽館といふ下宿屋にゐた。驛に近い裏町の古ぼけた二階建ての下宿屋であつた。その家には、私の中學時代の同級生であつた松本がゐたのである。

大野は初對面の時から、口の利き方などが、いかにも快活であつたし、學校では走巾跳かなにかの選手だといふ話だつたから、割合に順調な境遇に育つた人のやうに見えた。しかし、彼自身や松本の話を聞いてみると、必ずしもさうではなかつた。

彼は、ヘンリイなにやらといふイギリス人と、大野みつ江といふ横濱在の農家の娘との間に生れた。横濱のハリス商會とかの事務員であつたその男は、本國に妻を殘して來てゐたともいふが、いづれにしても、それは正式な結婚ではなかつた。丈治は、父の顏を少しも記憶してゐないので、同棲の期間はきはめて短かつたのに違ひない。男は急に本國に歸ることになつて、改めて母子を迎へに來るといふ言葉を殘して行つた。丈治を抱へたみつ江は、横濱で一年間、佗びしくその便りを待つたが、結局なんともいつて來ないので、仕方なく家をたたんで、親許へ歸つた。尤もいつ頃か、横濱在住の一友人の手を通して、丈治だけ引取りたいといつてきたことがあつたが、みつ江は老父母や兄の手前もかまはず、約束を盾にとつて、渡さうとはしなかつた。

しかし、そのうちに間もなく、彼女は病氣になり、やがて寄邊のない丈治のことを、父母に繰返し繰返し賴みながら、死んでしまつたのであつた。彼は、母の顏だけは確かに憶へてゐるといふが、母の寫眞は一枚だけ殘つてゐたから、憶へてゐるといふその顏は、あるひはその寫眞の顏だつたかも知れない。

物心がついた時には、祖父母や伯父、叔母にとりまかれてゐたが、彼等はみんな優しかつた。農家としては中流の暮しであつたが、薄倖なみつ江名儀の貯金には手をつけようともしなかつた。貯金は三千圓近くあつた。後でわかつたことだつたが、祖父母の考へは、中學校まで敎育してから、後はその金をつけて好きなことをさせようといふのであつた。

大野は村の小學校へ通つてゐた頃は、あひのこ、あひのこといはれて、特別扱ひを受けた。學校の成績は良かつたが、友達は殆んどなく、やさしくしてくれたのは、今でもその名を懷しく記憶してゐる女の子一人きりだつた。

『ますみさんといつてね、母親同志が仲良しだつたとかで──僕、その女の子とは、六年間いろんなことをして遊んだものです。きれいな女の子でしたよ』

『君の初戀だつたわけだね』

『ハハハハ』

その話が出る度に、彼は明るく笑つた。

横濱市内の中學校へ入つてからは、混血兒はそれ程、珍しくもないのか、誰もそのために特別扱ひしようとはしなかつた。それに、彼の胸底深くにあつた快活な性質は、その頃から表面へ出てきたやうであつた。特に、彼は英語が嫌ひで、普通以下に憶へがわるかつた。

『おかしいね、君には、英語だけは上達する素質がある筈なんだがなあ』

幾人か變つた英語の敎師は、みんな妙な顔をして、彼を見つめたものである。

こんなことがあつた。二年生の時のことである。若い敎師が、雀の繪を鞭で示しながら、

『ホワツト、イズ、ヂス？』

といつて、大野を持さした。

『イツト、イズ、ア、……クロー』

彼は立上るなり、すまして答へた。

他の者はドツと笑つた、敎師は、彼がふざけてゐると思つたのであらう、聲を大きくして、叱りつけるやうにいつた。

『ワンス、モア！』

『イツト、イズ、ア、クロー』

『ばかツ、君は二年生にもなつて、雀と鴉の區別がつかないのか』

『日本語でいつて下さればわかります』

『ワツハハハ』

敎室が割れるやうな笑ひ聲が起つた。

『あべこべだ、あべこべだ……』

敎師も仕方なく苦笑しながら、

『さうか、雀はスパローだ、スパロー、よく憶へておけ、クローといへば鴉だ……　よし、坐れ』

『はい……』

といつて、腰をおろしながら、彼は並んでゐる生徒に向つて、

『英語ぢや苦勞するよ』

といつたので、敎室中が再び大笑ひになつた。

また、あるとき、彼が級友の一人と一諸に、電車の停留場に立つてゐると、外國人の夫婦が、彼の顔を見ながら近寄つて來て、べらべらと話しかけた。彼はあつけにとられて、相手の顔を見つめてゐたが、やがて平然として、

『ワカリマセン』

とつきはなした。すると、傍の級友が、おぼつかない英語で話し出した。今度は、外人夫婦のはうが吃驚したやうだつ

たが、やがてそれが通じたらしく、『サンキユウ』といつて立去つた。

『なんだつていふんだい』

『ばかだなあ、正金銀行に行くにはどう行つたらいいか、といつただけぢやないか――ワカリマセンなんていつたつてわかるもんか』

『ハツハハハ、さうか、どうもおれの顔は不便だなあ』

かういふわけで、彼は英語が一番出來さうな顔をしてゐるくせに、一番出來ない奴といふので、全校の人氣者になつた。

二

その頃から、運動選手で、それ程勉強はしなかつたが、英語以外の學科の成績は良いはうであつた。彼は上級學校を志望して、祖父にその話をした時に、母名儀の貯金帳を示されて、一切を知つた。貯金は二十年間その儘にしてあつたので、利子共で五千圓近くなつてゐた。

『僕あ、醫者になりたいんだけれどねえ、お祖父さん――』

『なに、醫者に？……さうか、お前が立派なものになつてくれたら、みつ江も喜ぶだらう、やつてみるがいい』

と、祖父はいつてくれたし、家中の者が喜んで賛成した。

『しかしなあ、丈治、醫大では金がかかるだらうが、家からはお前のためには一文も出せないぞ』

と、伯父がいつた。

『いいよ、伯父さん、僕あ儉約するし、足りなけれや苦學でもするからね』

と、彼はすべてを承知の上で受驗準備にかかつた。

すると、それから間もなく、祖父が病氣で亡くなつた。七十歳を越えた祖父は、倅や孫にかこまれて安らかに死んだが、丈治は悲しかつた。二十年間、いはば余計者の自分を可愛がつてくれた祖父に、せめて大學生姿なりとも見せたかつた。彼は伯父の計らひで、特に位牌を持たせられて、涙ながらに祖父を葬つた。

その年の三月、××醫大豫科の入學試驗を受けた。ここでも英語が不安の種をつくつたが、それでも首尾よく合格した。同時に東陽館での下宿生活が始まつたのである。

快活な彼の性格は、あらゆる人々を惹きつけた。特に、松本とは同級生であつた上に、同じ下宿屋にゐることがわかつて以來、次第に親しくなつた。松本の父は、郷里の町で病院を經營してゐた。松本はその二男で、氣の弱い良家のお坊ちやんだつた。

親しくなつて、その境遇を話し合つてから、松本はいつた。

『ふうん、それで、君の親父さんは生きてゐるのかい』

『知らん。生きてゐたところで、會ふこともないしな』

『さうとも限らんぞ。洋行でもすることになると……』

『ハハハハ、僕あ英語が苦手の男だよ。それよりも、おふくろが生きてゐてくれたらと思ふよ。僕もこんな顏はしてゐたつて、これでも日本人だからな』

と、彼は元氣よく答へた。

中學を卒業してから、東京へ出たがつてゐた私は、まる二年間百姓の手傳ひをしなければならなかつた。が、徵兵檢査を受けると、丙種を宣告されて間もなく、日本橋のある商事會社の事務員にありついて上京して來た。それから、間もなく東陽館に松本を訪ねて、この混血兒とも知合ひになつたのである。

その頃の學生生活は、私などから見れば華やかなものに見えた。就職難時代などといふ言葉はあつたが、たいていの學生は、その苦勞は卒業してからのことと決めてでもゐるかのやうだつた。

私は勤務の傍、夜は畫塾へ通つて、繪の勉强を始めたので、中學時代の連中を訪ねる暇などは殆んどなくなつた。それでも東陽館にだけはよく出かけた。行けばたいてい二人と遊んで、淺草の映畫館へ行つたり、麻雀を戰はせたりした。

雨の降る日曜日などには、大野から、

『石井さん、一つ將棋を敎へてくれませんか』

などといはれたこともあるが、彼等はさういふじみな遊びはあまり好きではないやうだつた。

私は次第に親しくなるのにつれて、大野を混血兒だと思ふことがなくなつたが、それでも將棋盤を見つめて考へ込んでゐるその白い顏は、やはり生れは爭はれないなと思はせられたりした。

そのうちに、支那事變が起り、次第に長期戰の形をとるのにつれて、社會狀勢が變つてきた。私の會社は、一時の變態現象ではあつたが、急に忙はしくなつて、私はいつとはなく、繪の勉强のはうはやめてしまつてゐた。好きではあるが、その素質がないことをはつきりと知つた自分は、同胞が死を賭して戰つてゐる時期に、繪の勉强でもあるまいと思つた。松

本はそれを殘念がつて、

『天才は努力ぢやないのかね』といつた。

『努力だけぢやないね。少くとも、僕の望むものは、努力だけぢやつかめない』

『すると、全然棄ててしまつたのかね』

『惜しいな』と大野も傍からいつてくれたが、私は心のうちで、全然捨ててしまふつもりもないんだがね、と答へたきりであつた。要するに、私の程度では、繪筆を握ることが國家のためではなく、寧ろその逆のやうに思はれたのだ。

その頃から、二人も卒業期を控へて忙しくなり、自然私の足も遠のいた。たまの日曜日に訪ねて行つても、二人とも研究室へ出かけてゐたりした。

やがて二人は目出度く醫學士になり、松本は歸鄕し、大野は母校の研究室へ殘つた。その年の夏、支那に於けるイギリスの横暴から、日英關係が惡化し、各地で反英大會が行はれてゐた頃、二人とも徵兵檢査を受けた。松本は軍醫に採用されたが、大野からはなんの便りもなかつた。平常日本人であることを主張してゐる彼ではあるが、この反英大會を見たら、どんな氣がしてゐるだらうと思つた。

『僕も軍醫になりたかつたんだが、どうして採用されなかつたのかなあ』

徵兵檢査を濟まして上京して來た松本と、私とを前にして、大野は白い顏を淋しさうに歪めていつた。私はふと、その顏のために採用されなかつたのではなからうかと思つた。

『君の體なら、甲種だつたらうがなあ』

『甲種だよ。しかし、鐵のがれといふやつさ』

『そんなら、どうしてもなにもありやしないぢやないか。そのうちに召集されるかも知れないぞ』

『さうかなあ、この頃、街を歩くと憂欝だよ。この近所ぢやさうでもないが、通る人からじろじろと顏を見られたりしてなあ』

『ハハハハ、かういふ時に、外人から話しかけられると、君が日本人のことが證明出來るんだがなあ』

『英語の代りに、ドイツ語で話す手もあるしね』

と私もいつたが、大野は仕方なしに苦笑するばかりであつた。なんとしても、憂欝でやりきれないといつた調子である。そこで、私はその氣分を引立てるつもりで、二人の顏を代る代る見較べながら、

『松本、學士樣となると、田舍ではもてたらう』

『うんそれやもてるさ。誰よりもおふくろにもてる。大野、君のますみさんはどうだい。醫學士としての初對面の印象を承はりたいものだな』

と、松本はニヤニヤ笑つたが、大野はそれを遮るやうにいつた。

『この際、そんな話でもあるまい。おれは、親のあやまちを二度と繰返さうとは思はないよ』

『……』

『君たちにも、おれの苦しみはわからないのかなあ』

と、大野は私たちを睨みつけるやうにいつた。

『君がそんなに苦しんでゐるとは知らなかつたよ。しかしねえ、それや僕等が君を他人扱ひしないからぢやないのかね』

『それやわかるがね』

『……』

暑い日だつた。街には烈しい陽がカツと照りつけてゐた。

三人が氣まづく顏を見合はせてゐると、遠くから號外の鈴の音が聞えてきた。外相官邸に於ける日英會談の交渉經過の報道であらう。

『……』

二

松本が出征してから、私は殆んど大野に會はなかつた。彼は研究室で、血清療法の研究に沒頭してゐた。私は彼を好もしい知人の一人に數へるまでになつてゐたから、松本がゐなくても親しく交はることが出來たのだが、二人の間をこんなに遠ざけたのは、主として職業の間隔が甚だしかつたからである。

その頃、私は中央線の驛に近いアパートから日本橋に通つてゐた。通勤中の雜踏中の電車の中で新聞を讀む癖が、いつの間にかついてゐた。

ある朝のことである。電車の中で新聞を開いた私は、思はずアツと聲を上げた。

『松本軍醫中尉の壯烈なる戰死』といふ見出しが、私の眼にはどの標題よりも大きく見えたのである。讀んでみるまでもなく、そこに揭げられた軍人の寫眞は、たしかに私の友人の松本である。

○○戰線で、負傷兵を後方に送る途中のことであつた。その一隊が、數十名の敗殘兵の襲擊を受けたので、松本は突嗟に自動車から降り、僅かな看護兵と共に、これと應戰したが、負傷者は全部後方の野戰病院へ送り屆けなければならない。

『おい、自動車は早く行け！』

彼はさう叫んで、軍刀を振りかざして、群がる敗殘兵の中へ切込んでいつた。數名の看護兵がその後につづいた。

○台の自動車は、逸早く病院へ駈けつけて、負傷兵を病院看護兵の手に一任するなり、附近の駐屯部隊に急報した。

しかし、救援隊が駈けつけた時には、松本以下の看護兵全部が壯烈なる戰死を遂げてゐた。敵兵は、この少數の勇士のために、進行を阻められて、その儘どこかへ引上げて行つたものらしい。

死をもつて任務を果した、松本軍醫中尉以下の尊い行動が、現地各部隊の話題になつてゐる、といふ記事であつた。

『えらいことをやつたなあ……』

あのお坊ちやんの松本のどこに、こんな逞ましい力がひそんでゐたのだらう。彼は、敵兵の中で、名譽ある負傷兵の無事を祈る以外に、なにを考へる間もなく自ら戰死していつたのであらう。日本人は、一度戰線に立てば一人殘らず勇士だが、知人の崇高なる戰死となると、電車の中で採合つてゐる人全部に、大きな聲で知らせてやりたい。

私は電車の中でも、東京驛から日本橋まで歩く途中でも、中學時代からの松本のことを考へつづけてゐた。

彼は惠まれた境遇の中で成人しながら、氣が小さくて、人の表面に立つことが嫌ひだつたから、その姿は誰の胸にも强くは殘つてゐないであらう。父の病院で、醫師として平和に世を過す筈であつたが、その彼が、百人近い同級生のすべての表面に立つてしまつた。平凡な會社員である私などは、彼と長い間の友達だつたといふだけでも、誇りにしてよいのではないか……。

出勤すると間もなく、電話が掛つてきた。大野からだつた。

『石井君、松本が戰死したねえ。あの男が、偉いことをやつたねえ』

と、大野は呼吸をはづませてゐた。

私は久しぶりで大野に會ひ、松本の話をしたかつた。電話ではじれつたかつた。で、二三の言葉を交しただけで、その日の夕方、彼の家を訪ねることにした。彼は山手線の驛から少し離れた所で、醫院を經營してゐる先輩の家にゐて、その仕事を手傳ひながら、大學へ通つてゐるといふことだつた。

その頃、大野はチョビ髭など生やして、すつかり醫者らしくなつてゐた。彼は私に會ふなり、松本の話をして、その死を惜しがつた。

『しかし、本人としてはさぞ滿足だつたらう』

『それやさうだらうなあ』

と、大野は淋しさうな顏をした。

『あの男としては、力以上のことをしたわけだからね』

私たちは、いつまでも彼の話をつづけてゐたが、私はふといつた。

『君のところへは召集令は來ないのかね』

『うん、來ないらしい……』

彼は見る見る失望の色を浮べた。

『……』

『僕も研究はいつでも中止して、前線へ出る覺悟はしてゐるんだがね。これぱかりは、自分の希望通りにゆかないからなあ』

『しかし、戰爭はまだ長いんだからね。なんともいへないだらう』

場合が場合だけに、無理もないことではあるが、彼の氣持が重く沈んでゐるのを見るのは、淋しい氣がした。彼が、その生れのゆゑに、取殘されたのではないかと考へてゐることは、直ぐに私の胸にもきた。しかし、話をどこへ轉換させるわけにもゆかなかつた。すると、彼のはうから不意にいつた。

『僕の祖母は、僕に嫁をもらひたがつてゐるんだがね』

『ホウ、で、候補者があるのかね』

『ないこともないらしいんだが――』

私は、いつか松本がますみさんの話を持出して、大野からきめつけられたことを思ひ出した。その話が輕く出かかつたが、あはてて口を噤んだ。

『……』

『親のあやまちを再び繰返すにも及ばないからね』

『でも、君は立派な日本人ぢやないか』

『さうでもないさ。第一、この顏を見てくれ』

『しかし――』

『ハハハハ、そのはうは僕の專門だよ。君がさういつてくれるのは有難いがね、ナチスが血の純潔を叫んだのも、アメリカ人が人種的に劣るのも、つまりはそれさ……　かういふ混血兒はなにも僕一人ぢやなし、結婚する人もたくさんゐるがね。僕は、この血は僕限りにするのがいいと思つてゐる』

『……』

『しかし、戰爭となると、これはべつだと思ふんだ。僕がイギリスのために働くわけはないからね』

『平の重盛とはちがふんだからね』

『さうなんだよ、――重盛の進退ならば、ここにタニまるんだがね』

『しかし、君のお祖母さんを喜ばせて上げないのはよくないね』

『うん……それや考へるさ。ところでね、君、あのますみさんはね、看護婦になつて、未だに獨身らしいぞ』

『ホホウ！』

『ハツハハハ』

『それや君、殘酷だ……てんなら、君も考へ直さなけれやいけないぞ。君は案外人が悪いんだね』

『ハツハハハ』

　彼は自分からいひ出しておいて、心の底を見すかされるのを隱すかのやうに、大きな聲で笑ひつづけてゐた。そして、それきり私の誘導にはかからうとしなかつた。

四

　松本の町民葬が行はれた時、大野はそれに列席するために、初めて彼の家を訪ねた。

『君の田舍は山の中だが、靜かないい所だね。松本の家の人たちも、いい人たちだ』

　と、大野は歸京してから、私の會社へやつて來ていつた。

『松本の代りに、おれが出征すればよかつたと、つくづく思つたよ。松本の家の人たちから、しばらく遊んでいつてくれといはれたけれど歸つてきた』

『葬式は盛大だつたらうねえ』

『うん、ずい分人が來てゐたよ――君には、僕が何故早く歸つてきたかわかるかい』

『それや、わからないよ。研究が忙しいからぢやないのかね』

『フフフフ』と、彼はいたづらつぽく笑つて、

『研究か、大ちがひさ。君の田舍の人たちは、みんな僕の顏をじろじろと見るんだ。どうして、こんな毛唐が來たのかといはんばかりさ』

『それやどうも、お氣の毒さまだつたね』

『そしてね、僕が弔辭を讀んで引下つた時には、へんな顏してたぜ』と大野は面白さうにいつてから、

『なにしろ、すつかり疲れちやつたよ。しかし、松本は喜んでくれたと思ふがね』

彼はこの前のやうな淋しさうな色は見せず、滿足しきつた明るい調子で、松本の家の人々や、病院の樣子などを話してから歸つて行つた。

その頃から、巷の空氣にさへも、なにか異樣な氣配があつたが、永遠に記憶すべき十二月八日が訪れたのは、それから二ケ月程してからのことであつた。米英に對する敵愾心があらゆる場合に高揚された。それは、三年前の反英大會當時の空氣とはまるでちがつたものであつた。

（大野はどうしてゐるだらうか、きつとイライラしてゐるのに違ひない……）

私は時々そんなことを思ひ出して、あの純一な氣持が傷つけられるやうなことがなければよいがと思ふことがあつた。しかし、彼からはなんの便りもなかつた。

相次ぐ戰果に、香港は陷落、マニラの陷落を待つうちに、その年は暮れた。

マニラ陷落の一方、マライ半島に上陸した皇軍は、一圖に南下しつづけて、シンガポールは既に風前の灯であつた。

丁度、その頃のことである。大野から久しぶりに電話で、今晩是非會ひたいといつてきたので私は再び彼の家を訪ねた。

『石井君、僕もいよいよマライへ行くことにしたよ』

彼は私の顏を見ると直ぐに、明るい聲でいつた。

『え、マライへ？』

『うん、召集を待つてゐたといふのが愚かな話だつたよ。こちらから願ひ出てさ、もし軍醫に採用されなけれや、普通の醫者でも結構なんだ――先輩にも相談してみたんだがね、やはりそれがよからうといふんだ』

『ホウ……で、お祖母さんや家の人たちは、承諾したのかね』

『いや、これから相談するつもりだがね、多分承知してくれると思ふんだ』

屈託のない顏だつた。私は彼が街へ出る度に肩身の狹い思ひをしてゐたに違ひないと考へて、ホツとした感じだつた。

『君は、僕が日本から逃出すことにした、と思つてゐるかも知らんが、決してさうぢやないんだぜ』

彼と、は私をじつと見つめた。

『………』

『棄て鉢でもなんでもないんだ。つまりね、僕のやうな顏は、内地へおくよりも、現地へやつたはうが、原住民のためにもいいことがあると思ふんだ。尤も、時に依つては、やあ、まだイギリス人がゐやがつた、と思はれて、ひどいめに會ふこともあるかも知れないがね、ハハハハ』

『ハハハハ』

『それに、僕が勉强した血淸醫學も、向ふぢや此方以上に役に立つかも知れないんだ――僕にも、松本に負けない位の働きは出來るかも知れないんだ』

私が二人の大學生と往來し乍らも、取殘されたといふ感じをもつた事はなかつたのにも拘はらず、身を以てそれを感じ始めたのは實にこの時からのことであつた。私は丙種から豫備に編入はされたものの、この二人から置去りにされたのだ。

『僕あさひはひに體は丈夫だしね……』

『英語が出來ないぢやないか』

『ハハハハ、英語の出來ない日本人だつて大勢行つてゐるよ』

『それもさうだね――ところで、君は心殘りはないのかい』

と、私は一矢酬ゐるつもりだつた。

『え、なにが？』

『なにがつて、いろんなことさ』

と、私はわざとニヤニヤ笑つてみせた。

『ハハハハ、ますみさんのことか、しつこいんだね』

『なに、そればかりでもないがね』

『あの女は、從軍看護婦を志願したとかいふ話だよ』

『ホウ、それでわかつたやうな氣がするな』

『ばか、なにをいふか』

と、彼はきめつけたが、口元では笑つてゐた。

『僕はなにも心殘りはないよ』と、彼は眞顏に返つて、『許可が得られ次第、直ぐに出發して、恐らく一生歸らないつもりなんだ。さういふ日本人がこれからは多くなると思ふが、僕はその一人さ』

それから、私たちは、原住民の話をしてゐるかと思ふと、また松本の話に返つたりして、いつまでも話しつづけてゐた。彼が今まで時々見せた混血兒なるがゆゑの憂鬱を、全く吹飛ばしてゐるのを見るのは愉しかつた。恐らく彼は絕好の働き場所を見つけたのであらう。

（完）

九度山出盧

中澤巠夫

眞田佐衞門佐信繁（幸村）が、關ケ原合戰の後、父安房守昌幸始め妻子などと共に、高野山に閑居したのは、慶長五年十二月十三日である。特に許されて、池田長門、原出羽、小山田治左衞門、青木半左衞門、高利內記、飯島市之亟、關口角左衞門及忠左衞門、田口久左衞門、窪田角左衞門、河野淸右衞門、石井舍人、前島作左衞門、三井仁左衞門、大瀨義八、青柳淸庵の十七人の家臣が隨從した。勿論この外に、侍女端女や小者なども從つたのであるが、名ある家臣はこれだけであつた。高野の北麓、學文路村の隣り九度山の地に住みつくと、家臣達も近傍に思ひ思ひに居を定め、半農半士の鄉士生活にはいつた。

信州上田の城主で、上州沼田をも併領し、所領凡そ二萬五千貫（約十二萬石）の大名であるから、家臣も千人は超えてゐたらうし、又者まで數へれば相當の數に上るのであつたが、家臣の大半は、信繁の兄伊豆守信之に從ひ、一部は、傳手を求めて、他に隨身させた。隨從した十七士は、特に主人の前途を見屆けたいと願ふ者の中から、許された範圍で選んだのである。

眞田父子の監視の任に當る紀州和歌山城主淺野幸長(ゆきなが)から、舊友の誼みで、父子に五十石づゝ合力米が贈られ、信之や舊臣などから、金子や衣食の料が贈られたので、まづまづ貧しいながらも不自由はなく、昌幸は一翁干雪、信繁は傳心月叟と號し閑雲野鶴を友とする隱者生活を續けた。

天文十六年に生れた昌幸はこの時五十五歳であつた。元龜天正の戰國爭亂の世に生き、殆んど一生を兵馬の內に暮して來た昌幸にとつては、この隱居生活は髀肉の嘆に堪えぬ倦怠さで、伊豆守信之に寄せた書翰の內でも、屢々「氣根草臥」とか「太草臥」とか嘆いてゐる。附近に住む舊臣達が寄り合つて、昔日の武邊話に夜の更けるのも忘れるのが、唯一の慰めであつた。

淺野の家臣、乘安左京が、燒酎などを土産に提げて、時々この山莊を訪れた。

夏霞のたなびいた蒸暑い空が、濃綠の紀南の山々の上におしかぶさり、きり開かれた山の段々畑は、眩しく强い光を照りかへした。

昌幸と信繁は、開けひろげた坐敷で、碁を圍んでゐた。坐敷の隅では讀書に倦んだ孫の大助幸昌が、默々と、手すさびに木綿の組紐を編んでゐる。後世有名になつた眞田紐である。九度山に引籠つたときには僅か二才であつた大助も、もう十才になり、昌幸も、老の衰へが、めつきり目立つて來た。まだ三軍を叱咤した激しい氣力は失はれてゐないが、年と共に衰へる體力は、どうしやうもない。肝の强い馬を買ひ求めて庭に牽かせ、それを眺めることによつて自ら慰めてゐるやうな近頃だ。

盤面を睨んでゐた信繁は、緣先に人影の動くのに氣付いて、ふつと眼を緣に向けた。

庭先に、のつそりと若い男が、野良着のまゝで立つてゐる。體は十七八才の立派な若者であつたが、智能の發育が遲れてゐるらしく、瞳はどんより曇つてゐるし、唇のあたりも、だらしなくゆるんでゐた。

「才藏――何か用事かな――」

信繁は、微笑しながら訊ねた。關ケ原合戰の折、石田方に味方して、居城上田に擧兵した眞田安房守は、信繁と共に、德川秀忠の軍勢に取圍まれて、屢々小勢を以て、大軍を惱ましたが、關ケ原の石田方の敗戰で、上田も開城を餘儀なくされた。然し、信繁の兄信之は德川方で軍功を立てたので、昌幸の本領上田、沼田は、そつくり信之が貰ひ、又そのお蔭で、昌幸父子も、かうして生命をつなぐことが出來たのであつた。

才藏はこの時の合戰に、討死した輕い身分の士の子で、性來の痴呆であつたが、信繁は、憫憫をかけて、九度山へ連れて來たのである。信繁は父の血をついで、才勇兼備の名將で、顏の柔和さが心の寬容さを物語つてゐて、多くの人に慕はれてゐる人格高潔の智將であつた。

やゝ暫く間をおいてから、才藏は間の伸びた聲で、ゆつくりと返事をした。

「和歌山の左京樣が見えました」

さう返事をした時には、白扇を翳して、强い日の光を避けながら、額や襟元に汗の雫を光らせ、喘ぎながら、邸への坂道を登つて來る左京の白髮頭が、明るい光の中に動いてゐた。左京の背後に、小者が重さうに提げてゐる壺は、父の暑氣拂ひにと、信繁から依賴してあつた燒酎らしい。

「左京殿が見えられたか――やれやれ。又自慢話の御請求かな」

昌幸も、やつと退窟から救はれたやうな聲で呟いた。信繁が出迎ひに立つて行くと、大助は才藏を呼びとめて

「其方も、少し紐を編んで見ろ」

と木綿絲の入つた竹籠を才藏の方へ押しやつた。

「はい――」

才藏は、緣先に上り込んで、默々と、眞田紐を編み初めた。命じられると、やめろといはれるまでやつてゐる實直な才藏は、その儘の姿勢で、夕風が吹き初めるまで、紐組をつゞけた。

土産の燒酎の酒宴は、座敷に、灯が入つて、ずつとつゞいてゐる。

話題は、老武者の武功咄と天下の大勢であつた。左京は、五十四五になる武邊一方の荒武者で槍一筋の働きなら、人後に落ちぬ自信に充ちてゐたが、天下の政治向や諸大名の動きなどといふことになると、皆目感が働らかぬ實直な男で、和歌山で、耳に入る世間話を、物珍らしげに、この山の中に持ち込んで來るのであるが、そのやうな事は、大抵昌幸が、承知してゐて、寧ろ彼の知らぬ所まで、詳しく承知してゐること

とが多い。

慶長十六年といへば、豊臣徳川両家の間に、面白からぬ感情が積り積つて、天下漸く不穏の徴をあらはしてゐた時である。豊臣恩顧の大名で秀頼の爲に、最大の味方である加藤清正が死んだのもこの年だし、秀吉の相婿で、今の紀伊三十九萬石の領主である幸長の父淺野長政も病臥し、命旦夕に迫つてゐた。豊家の衰運はまざまざとしてゐたのである。

左京も、風雲たゞならぬものは感じてゐるらしく、今度の戰には今生の思ひ出に華々しい手柄を立てたいなどと力味返つてゐた。

「戰にはなるまいなう」

昌幸は、燒酎の醉でとろりとした瞳で、左京を見た。

「さうでござりますかな」

「かう申してはなんだが、御當家で、長政殿が御病氣では、豊家、御味方はいたさぬ。加賀殿も駄目、福島左衞門尉も、老ひたし、毛利や薩摩も、こんどは燒栗を拾ふやうなことはいたさぬ。となると、秀頼樣御一人では日の出の勢の徳川内府公とは相撲にならぬでな――」

「然し、大坂では、ひそかに諸國の浪人を招いておるげでござりまするぞ……」

「浪人では天下分け取りの戰ひは出來ぬものぢや……」

昌幸は、さう云ひ放つて、苦つぽく笑つた。その話はそれで終つたが、左京は、突然妙な事をいひだした。

「安房守樣は、ゐながらにして、天下のうちを掌にあるものを指すやうに仰言られるが、やはり、忍びの者を諸國にお出しになられてゐるのでござらうなう……」

いかにも感嘆したいひ方であつた。信繁は

「そのやうなことはござらぬ。我等如き隱者には、忍びも細作もいらぬこと……」

と、とんだ推測をされるのは迷惑至極であると、打ち消したが、左京は仲々承知しなかつた。眞田家の忍術者といふのは、以前から屢々耳にしてゐる所だといひ、又自分は、槍をとつての戰の方は、いろいろと知つてゐるが、忍びの者といふのはつひぞ出逢つたことがない。この紀州にも、根來衆といふ火術をよくするものが居り、その中には忍びの術を心得てゐるものがゐるとのことだが、彼等に聞いても笑つてゐて、教へては呉れない。長い間の馴染甲斐に、是非忍術者といふものに逢はせて呉れと、醉つての上のくどさで、幾度も執拗にいつた。

「それほど御執心なら逢はせやう」

昌幸が微笑しながらいつたので、信繁は驚いて、老父の顔を見た。

昌幸は、笑ひながら、孫の大助に、

「飯を櫃のまゝ運んで來るやう」

と命じて、

大助も妙な顔をして、直ぐに、炊きたての飯を櫃のまゝ坐敷へ運んで來た。すると、昌幸は、暗い緣に坐つたまゝ、もう手先が暗くなつたので組紐もできないまゝに、つくねんと坐つてゐた才藏を呼んで、

「才藏――腹一杯に食つて見よ」

といつた。

左京は、醉眼を大きくみひらいて、まじまじと才藏を見てふーんと感心して。

「なかなか――格幅のいゝ御人だ。これが忍びの者でござるか」

「さよう――まあ見てござれ」

昌幸は、笑を押しこらへてゐる信繁を眼で押へた。

才藏は、少し戸惑ひしてゐるやうだつたが、信繁が、顎をしやくつて、食へと素振りで示したので、安心して喰べ初めた。喰ふは喰ふは、三升ほどあつた飯を、忽ち奇麗に平げてしまつた。

餘りの鮮かさに、左京は、片唾をのんで、見まもつてゐた。

「これで十日程は、何も喰はんでもよいのぢや。忍びのものは、足が速い。これなども、和歌山までならまづ往返二刻ほどであらうか」

大飯食ひの才藏の唯一の藝は、足の速いことであつた。

「今夜は、邸へお泊りになられるであらう。和歌山まで、使者につかはしますかな」

信繁は、老父が退屈まぎれに考へ出した冗談の効果をあげるために、こんなことをいつた。

三升の飯を平げて、けろりとしてゐる才藏に、左門はすつかり驚かされて、

「いや――結構でござる。成る程忍びの術とは結構なものぢや、我等には眞似の出來ぬことをやるものぢや」

深く感動した左門は、野良着姿の、のそりとした才藏が、

邊幅を飾らぬ床しい武藝者に思はれるのだつた。

それから數日後、慶長十六年六月四日、安房守昌幸は、心の底に逞しい野心を藏したまゝ卒然として逝つた。

昌幸が、九度山閑居以來一日として胸底を離れたことがなかつたのは、豐臣家の再興のことであつた。枕頭に侍する信繁に、關東關西手切れの日が來たら、必ず、大坂に入城して、豐家の爲に力を盡せと十年來包藏してゐた軍略を、遺細をつくして遺言したのである。

（下さるゝ小袖のたけのながければかたじけなさは身にぞあまれる）

豐臣秀吉公から呉服を賜つたときの昌幸の述懐である。秀吉の好意により、幾度か危地を脱し、又その恩寵を蒙ることも頗る深かつた昌幸は、この述懐を書き遺して信繁に與へて、永遠の眠りについた。享年六十五才。亡骸は高野山蓮華定院に葬り、法名長國寺殿一翁千雪大居士と諡られた。

關東關西の風雲は愈々急を告げ、大坂では諸國の名ある浪人をしきりに召抱え、信繁の所へも、招請の使者は屢々來たが、信繁は動かなかつた。父の法要と、母寒松院への孝養を專一と考へてゐるやうに見えた。父の沒後、間も無く淺野長政が逝去し、信繁の身邊の警固は急に嚴しくなつた。兼安左京も、ばつたり訪れなくなつた。

信繁は、姉娘三人をそれぞれ嫁つがせた。長女は石谷十藏に、三女は片倉小十郎に、四女は蒲生源左衞門の妻となつた。

九度山へ移つてから、大助の弟妹が三人生れた。信繁の家庭は世間の暴風をよそに、まことに平和であつた。

父の一周忌がすむと、青木半左衞門始め四五人のものが、信州上田へ歸つたので、從士も少くなつた。

慶長十八年六月三日、父昌幸の三回忌の前日、母寒松院が沒した

それから一年、母の喪に服して、ひたすら父母の供養にいそしんでゐた信繁の態度に、腹心の家臣でさへも、俗世間の野心をすつかり捨て去つたものゝやうに見えた。寒松院の一周忌が終つた頃、大坂では、方廣寺大佛鐘銘（國家安康）が大問題を惹起し、大坂と駿府との間に、鐘銘辯疏の使者が、幾度か往復し、德川、豐臣兩家の間は、一觸卽發の有様となつた。

山の秋の訪れは早い。九月末になると、もうほんのりと木々は赤く色づき初める。

信繁は、徳川豐臣兩家の間に戰が絕對に避け難いと見きわめると、腹はきまつた。父の遺訓を實行するだけだつた。大坂城中からも、監視の瞳を忍んで屢々入城の催促があつた。時も愈々切迫して來たのである。

信繁は飛札を、遠く信州、上州に送り、潜かに時機を待つてゐた舊臣を糾合し、又近傍に住む家臣達とも協議し、入城の準備を整へた。

淺野家では、大坂の風雲が急になると共に、信繁の脫出を心配して、九度山附近の地侍や百姓達に旨を含めて監視を嚴にしてゐたから、信繁も、大坂入城の方法についてはいろいろ頭を悩ましてゐた。こそこそと、逃げかくれて出掛けるのは、眞田の家名を汚すことであるし、白晝堂々と槍鐵砲を揃へて九度山を出發することは、淺野家の今までの親切に對して氣の毒でもある。又監視のものが、默つて通すまいし、さうなれば、雜兵達を蹴散らして押し通ることになる。成る可くなら穩やかに出發したいとは考へたが、結局は家名を汚がすことも出來ないから、一應蓮華定院に集り、堂々と父母の法要を營み、夜になつて、寺を出發して、大坂へ赴く。監視のものが知つたら、蹴散らして押し通ると、方寸をきめた。

「才藏——才藏」

庭で薪を割つてゐた才藏を呼んだ信繁は、

「池田長門の所へこの手紙を持つて行け」

と、命じた。

「はい——」

才藏は、手紙を受取ると、風のやうに、走つて行つた。

信繁は、豫て準備は出來てゐたから、馬の脊に武器武具や家財などを積んで、小者をつけて、附近の森の中に忍ばせ、家族を連れて蓮華定院へ行つた。

池田長門や原出羽が、眞先に走せつけて、小者を指圖して法會の準備や、立振舞の用意をしてゐる。

寺の庭に、大きな竈がつくられた。大釜で飯を炊いたゐるものもあれば、汁を作るものもある。酒樽なども、運びこまれる。愈々入城となれば、兵糧は、大坂にあるのだから、今まで萬一の用意にと貯へておいたものも、もういらない。思ひ思ひに、酒や燒酎や米や味噌などを持ち込んで來た。

信繁は、書院で、住持と話をしてゐると、所化の若い坊主

が、顏の色を變へて、

「佐衞門佐樣——九度山、學文路あたりの地侍や百姓共が、多勢押しかけて參りましたが」

と、聲を低めていつた。

「ほう——」

信繁は、柔和な頰に、靜かな微笑を浮べた。

「隨分早く氣がついたものぢやな。わしが應對いたさう」

と、本堂へ行くと、顏見知りの地侍の頭だつた男が、丁寧に挨拶した。

「此度は、御兩親樣御法要を催させられるに際し、我等まで御招きに預つて恐縮にござります」

信繁は、意外な言葉に、少し驚いたが、相手の鱸色を見て、出陣の立振舞ひと考へてはゐないらしいと思ふと、一層妙な氣がした。しかし、信繁は、相變らず、にこやかな微笑をつどけ、「何の振舞も出來ぬが、長國寺殿並に寒松院の爲に、充分おすごし願ひたいと、丁寧に挨拶した。

蓮華淨院の院主の讀經が終るころには、廣い本堂は人で埋まる程、土地の者が集つて來た。

池田長門も原出羽も呆れて、これでは、とても出發することは難かしからうと思つてゐたが、信繁は、粗略のないやうに充分振舞へと、自から雜人小者を持圖して、酒よ汁よ飯よともてなすので、主には主の考へがあるのであらうと、小者と共に、客のもてなしに奔走した。

酒がまわるにつれて、中には、眞田殿は、こうして我々を醉はせて、こつそりと遁げるのではないかといひだすものがあつたが、そんな莫迦なことがあるか、遁げるのなら、こつそり遁げればよい。わざわざ我々を招いて、振舞ひをする必要はないではないかといつて、疑ひを打ち消すものの方が多かつた。

そのやうな騷がしい人々の中に、坐りこんで、信繁は、にこにこしながら、盃を受けてゐる。その穩やかな振舞は、今、出陣する人とはちよつと考へられない柔和さであつた。

酒宴は夜まで續いた。

鱈腹食つたものは、夜道を怖れて、夕方になると引上げてしまつた。酒客の方は、醉ひ潰れるまで動かなかつたが、やがて、方丈や、本堂に醉客のいびきが高くなつた。

信繁は、折を見はからつて、院主に別れを告げた。

釜に殘つてゐた飯を手づかみで喰つてゐた才藏は、本堂を下りて來た主の姿を見ると、飯粒のついた手で、草履を揃へた。

「腹一杯に飯を食つたか」

信繁が訊くと、才藏は、につと、いかにも滿ち足りた笑ひを頬に浮べた。

信繁主從は、女子供を中央にして、一團になつて九度山を離れた。暗い闇の道を、松火も灯さずに默々と進んでゐた一行は、夜が明け放れるころになると、賑やかに談笑し始めた。

「百姓共を誰が呼び寄せたのかなう。危いことをする奴ぢや……」

信繁は笑ひながら、轡を並べてゐる池田長門に訊ねた。

「主君がお招き遊ばされたのではござりませなんだか」

怪訝な顔をして、長門は、主を見まもつた。

「わしは招いた覺えはないが……。大勢で手別けをして知らせねば、あのやうに遠方のものまでは手はまわらぬ。可成り遠い所のものの顔も見えたなう」

「さうでござりましたな……」

頸を傾けた長門は、突然、馬の鞍坪を叩いて、あつはつはは……と笑ひ出した。

「主君——才藏奴でござりますぞ。わしの所へ參りました故、蓮華定院で法要をいとなむによつて、皆様にお集り願ひたいと觸れるやう命じたのでござりまするよ。才藏奴は法事と聞いて、村方百姓衆一統にまで、觸れまはしたに違ひござりませぬ……。」

「才藏か——」

信繁は、破顔一笑して、大助幸昌の馬の轡をとつてゐる才藏を見かへつた。

才藏は、急に皆が、笑ひ出したので、きよつとした瞳で、信繁を見上げてにやりと無意味に笑つた。

信繁の入城は、大坂城に明るさを加へた。しかし、昌幸が危惧してゐたやうに、信繁の軍略は、受け入れられなかつた。譜代の家臣大野修理などの意見の籠城説の方が、強く支持されたのである。

信繁は、自分の說が入れられなかつたが、大坂を見捨るやうなことはしなかつた。決定した方針に從つて籠城することとし、城の南平野口小橋村の北に、方百間の出丸を築いた。周圍に防柵を構へ、一間毎に箭狹間六箇所を開き、箭狹間に鐵砲三挺を備へた。又四方に櫓を築き、井樓を設け、樓上にも多くの鐵砲を備付け、防柵の外に深い空壕（からぼり）を掘り、空壕の中にも柵を二重に設けた。大手門は西に設け、搦手は東に構へ、濠には引き橋を架けた。

合戰は、慶長十九年十一月二十二日の穢多崎の砦の攻略に火蓋が切られ、野田、今福、鳴野、福島の防柵で戰はれたが、城外の砦は、大部分寄手の手中に落ち、城兵は城に籠つてしまつた。

眞田の出丸は、前田利常の攻口であつた。寄手と、城方とは、毎日小競合があり、大抵前田勢が二三十人づゝ負傷してゐた。十二月四日の拂曉、前田家の奥村攝津守の率ひる一隊が、眞田丸へ押し寄せて、散々に打ち破られた。奥村の出撃に促がされて、山崎、横山の諸隊が、友軍の救援に進擊したが、これも城中からの射擊に射すくめられた。ひどい濃霧の朝で、大軍の行動には困難であつた。霧の中に隱顯する旗差物を狙つて、鐵砲を浴びせかける城方には有利な霧だ。前田家の富田勢は八町目臺に進んだが、之も眞田勢の砲擊に、身動きが出來なくなつた。使番が、總軍の退却を傳へたが、退くことも出來ないのだつた。

井伊直孝、松平忠直の軍兵は、眞田丸に砲聲が起つたのを聞くと、前田勢が攻擊を開始したのを知つて、三町目口を押し破つて、城壁に迫つたが、そこは、木村長門守重成の持場で、十分寄手を引き寄せておいて、拳下りに銃口を揃へて猛射を浴せかけた。

寄手は、猛射に堪えかねて崩れ立つたが空濠があるので、進退が自由にならなかつた。

夜は明け放なれて、霧も漸く薄れて來た。眞田丸の西門が颯つと開いて、眞田大助幸昌の率ひる一隊が、松倉、寺澤勢を强襲した。不意に襲擊された松倉寺澤勢は、崩れ立つて、松平忠直の旗本へ亂れ込んだ。そこへ、城中から、猛將速水甲斐守の一隊が突擊したので、寄手は名狀すべからざる混亂に陷り、午後になつて漸く兵を收めて退却した。全くの慘敗であつた。

眞田信繁の名聲が、諸將の間に響き渡つたのは、この一戰からであつた。

十二月十八日に和議が整つて、合戰は終つた。

媾和の條件は屈辱的なものであつたが、城内の主腦部（といつても淀君などを取り卷く嬖臣達）の間に敗戰的氣運が强くなつてゐたので、城中の諸將の意見も一致しなかつたから、士氣も擧がらなくなつたのでやむを得なかつた。

媾和の條件として、牢人は召放つといふことであつた。然しその代り、「今慶籠城諸牢人巳下不可有異議事」といふ條項が、家康の誓紙の第一項目として加へられてゐた。

和議が成立すると同時に、信繁も大坂を立退くわけであるが、信繁は、客分といふ名で、城中に屋敷を貰つて殘つてゐた。信繁は、この頃は、幸村と名告つてゐた。眞田幸村の名は、諸將の間にも有名になり、名を慕つて、昨日まで敵であつたものも、幸村を訪れた。

慶長二十年（元和元年）の春、ひよつこりと、眞田の屋敷へ、淺野長晁の臣粂安左京が訪ねて來た。

淺野幸長も慶長十八年に沒し、その弟の長晁が當主で、大坂攻には先手として、今在家に陣をしいてゐたのだつた。

幸村は珍客の來訪を心から喜んだ。牢人中の好意に酬える爲に、立派な鞍置馬の引出物まで用意した。

左京は、幸村の顏を見るや否や、長政幸長が死んで思ふやな戰ひが出來ないと、嘆いた。

この頃の武人氣質といふものは、合戰に際して、華々しい手柄を立てることが目的であつて、敵が誰であるかは論ずる所ではないのだ。一度、戰が終れば、知人は、やはり、普通りの知人であり、お互に、己れの武功を語り合つて、何のわだかまりも感じない。左京もさうであつた。幸村が敵方の武將として、赫々たる武功を樹てたことが、美しくて仕方がないのだ。

幸村は、絶えず微笑して
「御和睦も一旦の事で、終には又一戰がありませう。某も一兩年中には討死と考へておりまするよ。あの鹿の角の前立を打つた兜は、先祖重代の家寶、父安房守よりの讓りもの、あの冑首を御覽ぜられた節は、某の首と思召し御回向に預りたいものぢや」

といつた。

「戰場に赴くもの誰か生殘り申さう。後れ先立つとも、冥途で再會いたしませうぞ」

笑ひながら、床の上に飾つてある冑を眺めた左京は、しみじみと呟いた。

酒をのみながらも、左京は、時々、その冑を眺め、九度山にゐた頃を回想して、四方山の咄をつゞけた。

「安房守さま御在世の折、一度お引合せ頂いた忍術の功者は、御壯健かな」

突然、左京は古い事を思ひ出して訊ねた。幸村は、ちよつと返事に困つた。

「古い事でござるよ。確か、安房守樣が、おなくなりになつた頃のことぢやよ……」

「あゝ――才藏でござるか」

幸村は、やつと思ひ出して、あぶなくふき出すところであつたが、父の冗談だとも云へないので、笑ひをこらへて、壯健でゐる」と答へた。

「さぞかし大手柄を立てたでござらうな。九度山の地侍共も才藏殿には、すつかりだまされたと齒嚙みをしておつたのぢや。平素は莫迦か阿呆のやうであつたから、まさか、嘘をつくまいと信じてゐた所、蓮華定院の法要で、すつかりだまされたと、佐衞門佐殿が出發した後で、泡をくつて屆けて參つたのぢや。わしは、それが忍びの名人ぢやと敎へたら、いかさまさうでござらうといつておつたが、佐衞門佐殿は、よい家來を多勢もたれて倖せでござるなう……」

左京の言葉を、幸村は、擽つたい顏で聞いてゐた。

左京が、引出物の鞍置馬を牽いて、喜んで歸つた後で、幸村は佛間にはいつて、長國寺殿一翁千雪大居士の位牌をじつと見守つた。

（人に信じられる時に謀を用ひることが出來るのぢや。そなたの才器は、わしに勝るところがある。然し、名が顯れておらぬから、その善言良策も用ひられまい。信ぜられれば痴者も豪傑ぢや。戰に役に立たぬ老耄れのわしでもわしが采配をとると聞こえればなう）

父昌幸が、臨終に際して呟いた言葉が、耳の奥に、はつきり甦つて來た。

（了）

編輯後記

◇日本をして、一切の外敵影響の犠牲から立ち直らせる絶好の機が來てゐる。日本民族精神の、その純眞無垢本然の姿を、たやすく再びこゝに見得る絶好の時が來てゐる。明治維新以來、いまほど高く歷史の聲の喚起されてゐる時はない。國家非常のときには、現在的觀點が逸早く捨てられると共に、歷史の聲が喚起されるのは、日本人の特質である。長い傳統が潜在力となつてゐる、日本精神の底流が、革新の時には必ず地かくを破つてほとばしるのだ。これが日本人の特質である。復古！　日本黎明理念への復歸！　祖國の使命に貫かれてゐる日本民族、眞にその誇に恥ぢぬ日本民族たるの自覺から、あらゆる行動がなされねばならない。

◇文學は作家の志向を重しとする。國家新生の高度構想を思ひ見よ。歷史に附加し、民族精神に或る種の擴充を與へる高度構想は、文學の面に於ても必然必至、本質的の道だ。これは擬態と追隨の『世渡り』で出來る業ではない。志向と氣魄の無い文學者は、退場を命じられなくとも、自分から脫落して行く。吾人が、志をみがかねばならぬといふのは此處だ。文學は志士の道であるといふのは此處である。

◇民族精神を形成するものは、あくまでも觀念だけではないはずである。必ず行動を伴はねばならないのだ。凡そ理論だけの志士といふものは無い。それだのに、世には、國民文學の書けぬ國民文學屋が多い。歷史を知らぬ歷史文學屋なども、ぞく〳〵と出て來る。いくら流行物といつても是ではあまりに厚顏である。廉恥を知らねば日本人とはいへぬ。西洋音樂の眞似のやうな新日本音樂と共に、これは時局柄『不許可』にしてもらいたいと思ふ。

◇今月は月例評壇の頁を、作家と作品を批評する座談會記事で埋めることにした。相當シンラツに『不許可』を出したのは、必ずしも入らぬおセツカイでは無いつもりである。創作は例によつて四本、讀者の批判に供する時節柄の話題と思つて、新人推薦案のハガキ回答を集めて見た。新居格氏、井伏鱒二氏の新鮮な社外寄稿と共に、前記回答者諸氏に厚くお禮申します。

文學建設　六月號
（定價三十錢　送料一錢）
昭和十五年五月六日第三種郵便物認可
昭和十八年五月二十五日　印刷納本
昭和十八年六月一日　發行
（每月一回一日發行）
東京市小石川區白山御殿町一一四
編輯兼發行人　岡戸武平
東京市赤坂區青山南町二ノ一六
印刷人（東東一八）　岩本米次郎
東京市赤坂區青山南町二ノ一六
印刷所　愛光堂印刷社
東京市神田區神保町一ノ二二聖紀書房內
發行所　文學建設社
文協會員番號（一二八五二五）
振替東京一五六五九八
東京市神田區神保町一ノ二二
發賣所　聖紀書房
電話神田(25)二〇六八
振替東京一二五八八
東京市神田區淡路町二ノ九
配給元　日本出版配給株式會社

・大映京都作品・
原作 岩下俊作
脚色 伊丹万作
演出 稲垣 浩
しん〳〵と降る雪の夜明け、純白の雪の
褥に包まれつゝ至純なりし四十九年
の生涯を終つた……
この男の美しく悲しき
一生永久につたへん。
愈々完成迫る！
無法松の一生
阪妻入神の技!!

昭和十五年五月六日第三種郵便物認可
昭和十八年五月二十五日印刷納本 昭和十八年六月一日發行
（第五卷第六號通卷五十三冊）
㊐ 三十錢

文學建設

第五卷第七號

月例評壇

Ohm Krüger
世界に告ぐ
暴戻英帝國が南阿侵略の鬼畜行爲の數々は今ぞ白日の下に曝された！
今より四十年前、南阿戰爭の名に呼ばるるボーア民族屈服戰に英軍は如何なる卑劣な手段をとつた？
英國の正體を知る萬人必見の一作!!
獨トービス作品
總指揮・主演 エミール・ヤニングス
演出 ハンス・シュタインホッフ
提供 外國映画株式會社

文學建設

奉仕會が歴史文學賞の制定を發表して文壇をおどろかした。中村武羅夫は、文學賞は澤山あるが、特に歴史文學を對照としたものは今まで一つもなく、それを考へて見なかつたのは明らかに文壇人の怠慢であつたと云つてゐるが、正しくその通りである。

×

文學報國會は、歴史文學振興のために、常置の機關を設ける必要なしと決定した。問題の生じた場合、又は會員より緊急提議のあつた場合、臨時委員會を編成してこれを處理するさうである。

×

さういふことで歴史文學の發達が圖れるか。

×

「この國の古典は、つねに怪奇に澱んでゐる」と歌つたやうな文學者が、今も尙日本の文壇に充滿してゐる。彼等を一掃することなしに、日本文學の更生を圖ることは絶對に不可能である。

×

火野葦平は、すべからく現代の日本人は、歴史の擔當者としての自己を自覺しなければならぬと云つてゐる。然り、國民一般の自覺は、その通りであらねばならぬ。しかし文學者の自覺はそのあたりに彷徨してゐてはならぬ。それでは藤田流の神がかゝり文學に終るだらう。

×

歴史の創造といふ言葉は、不用意に用ひられるべき言葉ではない。日本國民にとつて、歴史は繼承され擴充されるものであつて、大東亜戰爭の如き、東亜共榮圈の確立の如き未曾有の大事件と雖も、日本國民にとつては、決して新たな歴史の創造ではなく、肇國以來の大道の繼承發展にすぎないのである。

×

終始一貫外國文學の模倣にすぎなかつた純文學の功罪を論ずるなどは生ぬるい。文學の生命は思想にあり、その思想に於て全く他國民的基礎の上に立つてゐるたものを愛惜するこの未練な心がつねに國を誤る。外貌美麗にして心に凶奸を蓄へる女は毒婦であり奪命婦である。この毒婦文學を掃蕩するため、文壇にも徹底的攘夷戰が必要である。

×

所謂大衆文學は、文學の領域に屬するものでなく、通俗讀物にすぎないといふことが常識となつてゐる今日、なほ文壇を二分して、純文學に非ざるものを一括して大衆文學と呼び大衆作家を呼んで憚らぬ者がある。國民文學の發展は、實に彼等によつて妨害されてゐるのである。

×

志士文學とは、志士の心を以て文學するといふだけではなく同時に志士の態度を以て、文壇及一般に處する作家の文學を云ふのでなければならぬ。小說だけで力んでゐる時でもなく、小說も書かずに作家を自稱すべき時でもない。

皇國史觀と歷史文學

中澤堅夫

小說文學觀の修正

明治十九年に坪內逍遙が小說神髓を發表した動機は、逍遙が、大學の文科の學生たりし時に、英文學の講師より「ハムレット」中の王妃の性格を論ずべき課題を與へられた處、彼は東洋文學觀から、之を批判したので、零點に等しい成績を得、大いに發奮して、西歐の小說文學觀を研究し、自然主義的な文學論を發表し、之が明治大正昭和を通じて我が國の小說文學觀の基調をなすに至つたのである。

逍遙は、江戶時代の小說文學を相當深く研究してゐた。この時代の文學は、支那文學の影響が非常に多く、特に馬琴のものなどは、明らかに道義的倫理的人生批判を小說文學の形式に於て表現したものであつて、之を泰西の寫實的小說に比較するときは、文學として確かに物足らぬものがある。然し、逍遙が、日本の小說文學の眞のありやうに就いて、古事記、源氏物語、平家物語、太平記等、一貫して流れ來つた日本小說文學史をもつと深く研究したならば、單純に、泰西文學論に心醉はしなかつたであらう。もつとも、今日に於てさへ、このやうに古事記以來の日本小說の傳統を歷史的に把握するといふ文學史研究は、確立されてゐないのであるから、之を明治十九年の坪內逍遙時代に求めることが無理なのであらう。

この當時の泰西文明心醉（所謂鹿鳴館時代であることを思ひ合はせるべし）は、當然に年少氣鋭の學徒であつた逍遙をしてこの西洋風の文學論に走らせたのであらう。之も亦歴史的必然なのであつた。

日本の小説文學のありやう、小説文學觀は、このときに既に倒錯したのである。日本の傳統から遊離して、ひつくりかへつたのである。

逍遙は、德川期に於ける勸善懲惡小説は、寓意小説であると斷じ、眞の小説にあらずとし、小説の主眼は、人情及世態風俗の外面の現象と內面の心理と兩者を冷靜に觀察し之を周密精到に描き、人情及世態風俗を灼然として見えしむるにありとする。

「小説を綴るに當りて、よく人情の奧を穿ち、世態の眞を得まくほりせば、宜しく他人の象棋を觀て、其局面の成行を人に語るが如くなるべし―凡そ小説と實錄とは其外貌につきて見ればすこしも相違なきものなり。たゞ小説の主人公は實錄の主人公とは同じからで、全く作者の意匠に成たる虛空假設の人物なるのみ」といふ小説文學觀は、小説文學の技術的な進歩を導いたのであるが、小説文學そのものの本質を明かにしたものではなかつた。然しこの考へ方は當時の日本文學者に大きな刺戟を與へた。そして、其後、續々と流入された泰西文學を受け入れて、然も、それを消化し得る消化劑になつたことは事實である。自然主義文學も、現實主義文學も、實に、逍遙が耕しておいた畑にのみ育ち得るものである。

かくて、我國の小説文學の主流は、現實を「たゞありのまゝに寫す」文學によつて占められたのである。

今日、我々が深く反省しなければならないのは、この歴史的事實である。日本の文學は、正に五十年の歴史によつて、現實主義といふ盲點が作られてゐる點を想ひ起さねばならぬ。

今、國民文學の樹立が叫ばれ、日本の小説文學は、一大轉換期に遭遇してゐる。

しかし、國民文學の樹立の聲のみ盛んであつて、更に、その成果に見るべきもののないのは、この現文壇を支配してゐる小説文學觀の根本的修正が行はれないからである。

近頃になつて、漸く中島健藏、窪川稻次郎などが、戰記文學や報告文學が、決して小説文學ではないなどといつてゐるが、報告文學とは、實に、逍遙の所謂實錄であつて、明治十九年に於いて、早くも之が小說文學でないといふことを證明されたのである。今更になつてかゝることを云爲するのは、遲れたるもはなはだしと云はざるを得ない。が尙今日かゝることが論ぜられるのは、自然主義や現實主義文學論の誤謬が踏襲され、小說文學は、「人生のありのまゝの姿を描く」といふ觀念が、こびりついてゐる爲、戰爭のありのまゝの姿を描いた戰記文學や、工場生活をなした生產報告文學が、小說文學の範疇に入ると考へられるからである。

小說文學觀の根本的修正が行はれなければならないのはかゝる誤解謬見を拂拭する爲にも必要なことである。

小說文學の本質

文學藝術は、詩文學、劇文學、小說文學の三種に分かれる。

詩文學は、現在的感情を、現在の形式で表現する文學形式である。

俳句、短歌、詩等種々な詩形式はあるが、それらが詩である以上、必ず、その形式によつて表現される內容は、現在の感情である。この形式では、ある時間的經過を有する事件の原因及結果を明らかに表出することは困難である。かゝる內容を表現する爲に與へられた文學形式が小說文學である。

小說文學は、過去に起つた物語といふ形式をもつて、ある時間的經過を有する現象又は人間の感情を表現する文學である。小說として表現されるべき對象は、必ず過去現在未來を問はない。然し未來小說と雖も、その內容たる世界は、十萬年百萬年後の未來と空想しても、その空想社會の內部に於て起つた事件が對象となるのであつて、之を表現するのは又、あつたこととして表現しなければならないという必須の條件に約られるのである。如何なる小說と雖も之の形式から拔けることは出來ない。

詩形式中の敍事詩形式は、明らかに小說的目的をもち、今日では、敍事詩と小說との明確なる區別は存在しない。從來、詩は韻文を以て表現され、小說は散文を以て表はされるといふ漠然たる區別が說かれてゐたが、然し今日、韻文ならざる詩、自由詩があり、又我が國の小說文學は韻文を以て表はされたものもあるから、かゝる區別は、根本的なものではない。だから、假に韻文を以て叙述されても、その内容が、小説的内容、一定の時間的經過を有する事柄であり、過去形式に於て表現される以上、之を小説中に包含させることは謬りではない。

劇文學は、一定の時間的經過を有する事象を内容とし、之を現在進行形式を以て表現される文學である。千年二千年以前の出來事を素材とする史劇と雖も、その事象が、千年二千年後の觀客に現在起りつゝある事象として現在進行の形式で表現される。それは過去のことゝしての回想でもなければ、又すでに完結したことでもない。劇の進行と同時に觀客は現在に於て、それを感ずるのである。この「現在的同感」は、小説の讀者にもあるが、小説に於ける現在的同感と、劇に於けるそれとは、質的に別な意義を有するものである。

小説文學について、種々な意見が行はれてゐるが、結局小説文學の特質は、一定の時間的經過を有する事象を、過去完了の形式を以て表現する文學であるといふ、最も素朴な原理によつて理解するのが正しい。

かゝる原理の本源に立戻つて初めて、小説文學の眞のありやうについての正しい理解に到達し得るのである。

小説文學に於ける歴史主義

小説文學が、一定の時間的經過を有する事象を過去形を以て表現する文學である以上、小説作家は、小説に表現せんとすべき事象の把握に於て、當然歴史的であらねばならない。

時間的經過を有する事象とは人生の流れ行く姿である。小説の對象は、人生の流れ行く姿である。原因あり、經過あり、結果ある姿であつて、決して靜止した姿であるのではなく、絶えず流れつゝある姿である。我々は、すでに過去に於て完了した人生は、最早死物であつて、それは何等生成變化をせぬもの、過ぎ去つたものは靜物であるが如き觀念をもちやすい。歴史は靜態的にも觀察出來るからである。しかし、このやうな考へは、過去は、現に流動しつゝある現在につながり過去から未來に向つて動きつゝあるのが現在であるといふ事を明確に認識せず、過去を現在から切り離して考へるから、このやうな謬見に陷るのである。

現在とは、流れ去る一瞬であり、過去と未來との接觸點にすぎないのである。現に流動しつゝある現在は、直ちに過去につながつてゐるので、過去は、現在へ流れ、未來の流れにつながる流動態であり、生きてゐるものであることを考へなければならない。

流動する社會及その社會に生活する人生を、斷面的に靜態的に觀察しても、決して社會や人生を理解する事は出來ない。流れ行く川を時間的に把へることが出來ても、これは川を認識したことにはならない。水源より海へ向ふて、流れ行く水の流れの姿のまゝに見て始めて、川が川として認識出來るのである。

最近まで、日本の文學界の主流をなしてゐた文藝思潮はリアリズムであつた。現實主義とは、小説文學の對象となる社會及人生を現實的に把握し、之を現實に即して表現することであつた。社會及人生を現實的に把握するのには、歴史的に之を觀察して初めて之の眞實を知り、現實の姿を深く觀察出來るのであるのにもかゝはらず、之の意味が忘れられて、現實の姿を、ありのまゝに見、ありのまゝに寫すといふ糞リアリズムに墮したのも、實は、眞に現實を見極める力は、歴史的觀察にあることが忘れられたのと、靜態的觀察が、リアリズム作家の慣習となつてゐたからである。このやうな作家達の文學觀の根底をなしてゐたものは坪内逍遙の小説神髓以來の盲信である人生模寫の小説觀であつた。武田麟太郎、丹羽文雄、石川達三、石坂洋次郎などの所謂風俗作家が、さながら最上級の文學者であるかの如き誤信を生んだのも、日本文學者の歴史精神の缺陷によるものである。

彼等の小説は眼前に展開する人生現象を克明にありのまゝに寫し取るを以て能事足れりとするものであつた。彼等の風俗小説は、なるほど昭和年代のある社會世相の一部を寫し得たであらう。然し、それはあくまで世相の一部分でしかないのである。

武田麟太郎の名作「銀座八丁」は、銀座裏にすくふ酒場の頽廢した雰圍氣、そこにある生活の樣相を寫してゐるが、之が昭和の大御代の全部ではない。かゝる頽廢の中にも、烈々火の如き愛國の至情を傾けて鬪つて來た志士もあれば世相の變遷に超然として、默々として、ひたすら國運興隆の道に勵んでゐた人生もある。「銀座八丁」に描かれた人生が昭和の大御代の全體を表徴するものである筈はないのは誰でも頷くであらう。然し、中谷博は、その文學論に於て、文學とは、所詮個を描くものであるといつてゐたが、この解釋も亦、誤謬である。小説はある斷面、乃至は個を通して全體を物語るものでなければならない。個は表現の手段である。だから、表現手段の個を形成する前に、作家は、あくまでも全體の中の部分を認識しなければならないのである。所が、風俗作家達は、之を拒否する。作家の見得る範圍や經驗の範圍は狹いのであるから、この狹い範圍内で、しつかりと、深く觀察するより仕方がないといふのである。これが私小説の理論的根據でもあつた。

この問題は、人間の認識の問題に關係があるのであるから、この小論でそれまで說くのは紙數が許さぬから略すが個人主義が批判しつくされた今日、今更らしく論ずるまでもあるまいと思ふ。

我々はロビンソン・クルーソーではない。生れながらにして大日本帝國の國民の一人である。それ以外の何者でもない。

人間は社會的動物である。社會の最も發達した組識が國家である。文明人として或國家の國民でないものはない。國民である個人を認識するのには、國家が認識されなければならない。大日本帝國の國體が判らないで日本國民のありやうが判るであらうか。判らう筈がない。日本の國家を認識するのはたゞ現在の日本を知ることでは、眞に日本を知つたことにはならない。我國を今日に致らしめた肇國以來の歴史及、天壤無窮の神勅のまにまに無限の將來に發展する見透しに於て初めて、眞に我國の實體を把握し得るのである。

全體的把握とは、單に個々の集合體の客觀的な、大局的把握を意味するものではなく、國家の歩みの肇國より未來への全部をも見ることを含むのである。

卑俗なる人生、亂倫なる生活、破廉恥なる心理、そのやうな人生の墮落面へ興味を寄せるのは作家の精神の卑俗さがさせる業であるが、このやうなものに興味を寄せるのを惡いとはいはぬ。然し、それらの墮落相も國家の歴史的發展の確信とそれの齎らされた歴史的必然性の追及とが行はれゝば、かゝる墮落相は、當然墮落相として把握されるのである。然るに、現象を靜態的に、且つは部分的に見る爲に、悪法も善法も判別がつかず、單に一つのあつた現象としてしか考へられないのである。所謂風俗作家達の倫理性の缺乏は、こゝに根ざすのである。國學の歴史的發展についての確信もなければ、現象の歴史的必然性の把握もない。あるものは、たゞこゝにあるものだけを――知覺され得る事を理解するだけの力なのである。

かくの如き風俗小說及、それに類する私小說が小說文學本來の興味性を喪失したのも故なしとしない。即ち、本來の小說文學のありやうから遊離してしまつたからである。純文學の墮落は、實にこゝに原因する。

今日の純文學作家の太半が、小說らしい小說が書けずに僅かに報告文學の殼の中に生きのこらうとしてゐる慘めさもこゝに原因する。舊大衆文學は、文學の名を冠してゐるが、小說文學の範疇内に入れることの出來ないものが多いのだから、こゝでは敢て問題とはしない。

我國は、肇國以來一貫した傳統をつたへる國家である。他國はいざしらず我國の國民文學は絕對に歴史主義でなければならない。

凡そ歴史を離れて、我が國の現實はない。現實は一に事物の歴史的發展の結果である。現在我々の經驗しつゝある大東亞戰爭は、歴史的必然であり、この戰爭こそ、我國の歴史的發展の一段階である。この戰爭下に生起する凡百の人生現象も亦この歴史的必然によつて生起し、歴史的發展道程の現象であると考へて初めて、現實の眞實が理解出來るのである。

小說文學の本流

從來の誤つた小說文學觀は、小說文學の本流をも見失つてゐた。

明治十九年以後盲信されて來た現實模寫の觀念は、小說文學の本流を現代小說に置いたのである。作家が、自ら經驗し得る範圍、作家を圍繞する社會環境の中に生起する現象を素材とする小說が、小說の本流であるが如く誤信されて、それ故に、作家を圍繞する環境でない遠い歴史時代を素材とする歴史文學は、全く繼子扱ひにされて來た。

從來日本には歴史文學の正しい理論が發達しなかつたのも、この事情によるのである。小說の本質がありのまゝを描寫するといふことになつてゐるので、現代人は自己の生きてゐる現代を對象とするのが一番正しいと考へざるを得ないのである。

坪内逍遙は小說神髓拾遺として時代物語を論じ「史學の補助、風俗史の用、史上人物の性質の闡明などが間接の目的である」といふ凡そ文學とは緣遠い効果論まで持ち出さなければならなかつた。かゝる噴飯に慣ずる誤見も逍遙の小說觀から見れば當然である。余が、この小說神髓を讀んで最も奇異に打たれたのはこの點であつた。若し逍遙が、この歴史小說の解明を、かくの如く安易な云ひわけで逃げずに、本當に之を闡明するに努力したならば、小說神髓はちがつた結論に到達した筈だと思へたのである。ひるがへつて考へれば、逍遙はこの時僅二十八歳であつた。この若さで、とにかくこれだけに文藝學として小說理論を組識立てた事は偉大なりとせねばならない。しかし、之から後の人が、この矛盾に氣が付かなかつた事は實に變である。歴史文學は實に多く創作されてゐるのであるから、それらを實踐した人々は、何故この點に考慮をめぐらさなかつたのであらうか。一に盲點といふより仕方がない。

森鷗外は、あれ程立派な歴史文學を著はしながら「現在の人が自家の生活をありのまゝに書くのを見て、現在がありのまゝに書いてよいなら過去も書いて好い筈だ」といつてゐる程度だから、鷗外も亦歴史學の眞の意味を把握してゐなかつたといつても暴言ではない。

こんなわけであるから、芥川が、自分の立てた主題が、小說に書く場合に現代を素材とすると都合か惡いから、舞臺を歴史に借りるのだといふやうなことを平氣でいふのもやむを得なかつたし、又芥川や菊池寛のテーマ小說――自己の理念で想定した主題を歴史に假托する小說――を堂々と歴史小說として通さしてゐたのも亦あたりまへである。

菊池寛は、名作歴史文學叢書の自集の結語に「自分の歴史趣味は少年時代からで、歴史小說の創作も三十年に近い――然し歴史文學はこれから出るのだと思ふ。今度の大東亞戰によつて一段と深められた歴史に對する認識と新らしい觀點から別種な歴史文學が生れねばならない」といつてゐる。

從來の歴史小說は、眞の歴史文學ではなかつたことを認められた言葉である。菊池寛は流石に歴史文學について長い間の苦勞をしただけに、早くも歴史文學の將來を見てゐるが――いまだに「歷史文學の歷史放れ」などいつて、てんとして恥ぢぬ作家が多くゐることをなげかずにはゐられない。

岩上順一は「わが國に於ては歷史小說の理論そのものが今日まで確立されてゐなかつた。それは確立されるどころか理論として成立發表させやうとする文學的努力さへも極めて微々たるものであつた」と述懷してゐるが、小說文學觀の根本的態度が間違つてゐたのだから、到底、眞の歷史文學論が生れ出よう筈はなかつたのである。

實は、小說文學の本道は歷史文學だつたのである。

事象の歷史的把握によつて、始めて小說の世界は確立するものであるが、現代の歷史的把握は、出來ない事ではないが、非常に困難なことである。

現在我々が經驗してゐる大東亞戰下の今日を小說の對象として考へて見るとよく判る。我々は現にこの中に呼吸し生活してゐるのであるから、一番現代に通曉してゐると考へたいが、實は決してさうではない。我々は實に現代について知らないのである。前に全體を通じて個を知るといつたが、現在の日本の全體を知るといふことは、まことに困難なことである。我々は現在の經濟力の全部も知らない、生產力も知らない。國防上政治上のいろ〳〵な理由で知らされてゐない。之は國家の戰爭遂行上當然すぎるほど當然なのである。だから非常に天才的な作家が、透徹した史觀と、豐富なる知識と、特別なる便宜を與へられたときに、眞に立派な現代小說が生れるのであるが、これはよほどの大天才の手腕にまつより仕方がない。所が、歷史時代となると、努力さへすれば、その點は比較的容易に解決するのである。歷史時代の又遠い時代となるとこれが難しくなるのは現代小說と同じ意味がある。がしかし、明治維新時代などになると、上は畏くも一天萬乘の大君の宸翰宸記を拜し奉ることが出來、或は敵味方に分れて戰つた薩摩、長州と會津及奧羽各藩の兩面の記錄を同時に知ることが出來る又一町人の耳に入る街談巷說から、老中の公文書、勤皇浪士の日記、公卿の日誌、又經濟では、政府の統計、（日本政志や藩制一覽）も見られるし、個人の傳記も相當ある。といつたわけで、全體を通じて個を知り、又擧國以來、明治維新になる歷史的必然の流れも、維新後の將來への流れ即ち現在をも知ることが出來る。歷史的把握が出來るのである。だから歷史時代を素材とする歷史文學は、小說文學として一番立派なものが生れやすいのである。日本に古典として傳はつてゐる幾多の作品の中、歷史文學がその太半を占めてゐるのも、この意味で理解出來る。

小說文學は、歷史文學に於て始めて、小說らしい小說を得ることが出來るのだと斷言して憚からぬ。

我國に於ける文學の傳統はこれである。

我國民文學の道は正統歷史文學の發展によつて開かれるとは村雨退二郎の豫言したところであるが、これは、正しい。

歷史文學こそ日本小說文學の本流であり、古事記以來の傳統である。

皇國史觀

村雨退二郎は、國民文學建設の目標として「古事記に還れ」と叫んだ。これは正統歷史文學派である村雨、海音寺、戶伏、其他文學建設同人の共通の觀念である。

古事記に還れとは、小說文學の創作態度への指針を意味する。

正統歷史文學派は、歷史文學を創作する根本精神を古事記撰述の大精神に則るのである。

古事記撰述の大精神とは何か。論ずるまでもない。一貫して流れてゐるものは、皇國史觀である。

皇國史觀に立脚して、我國の歷史の發展を把握し、歷史の眞實を追求して、その內に人生の諸問題をとり出して批判し、より高き人生創造の任を果さうとするものである。

小說文學の本質に從ひ、藝術の目的を達成するのには、かくするのが一番正しい信じてうたがはぬ。

近來歷史文學が頓に盛んになつて來たのは日本の小說文學が本流に復歸しつゝある現象として欣快の至りである。

近時國民精神が昂揚され、國民的傳統が再認識されるに及び、國史に對する國民的關心が非常に昂まつて來た。この國民的感情が歷史文學を要求してゐるのであるが、一方皇國民たる文藝家も皇國民意識に眼醒め、それ自身歷史に對する關心が深まつて來たのである。嘗つては末世的感能描寫を誇つた作家さへも、歷史文學の筆を取らざるを得なくなつたのは、單に時流便乘と蔑み去ることは出來ない。

歷史文學の盛んになるのは、常に國民的自覺の旺盛な時代であることは洋の東西を問はぬ現象である。我が大日本帝國の現段階に於て歷史文學の盛んになるのは當然すぎる程當然である。

國民が國家意識に眼醒めたとき、我が皇國の光輝ある歷史への深い反省と理解が生れる。

國家が重大なる危機に立つとき、國家を護持した英雄が回顧されるのは、世界に共通の現象である。然し、我國の現在の歷史への反省は、かゝる意味に於て行はれてゐるのではない。

今日の歷史文學の作家達の間には往々かくの如き淺薄なる歷史回顧の程度で、歷史文學を創作してゐるのを見るのである。即ち、戰爭に於て、英國人がネルソンを回顧し、佛國人がナポレオンを回想する程度に、元寇を想ひ北條時宗を慕ひ、豐臣秀吉を回顧するといふ態度である。

かゝる淺薄なる國史回顧は、敢て文學者の手をわずらはすまでもない。我等は少年の頃からこの程度の歷史の回顧は常に行つて來てゐるのである。

國民が、我が皇國の光輝ある歷史へ反省をしてゐるのは我國の肇國以來の發展の成迹と、それを齎らした所の歷史の發展の根本への理解なのだ。

單に、現代の事象の歷史時代に於ける相似などを問題としてはゐないのである。櫻田常久が、平賀源内で、歷史の現代化を公言してゐるが、そのやうな態度を以て、現代と歷史時代の事件とを照合などしてゐては、眞の歷史文學は生れないし、又國民の要望に應へる所以でもない。

大東亞戰爭の聖戰なる所以、刻下に生を皇國に捧げてゐる將兵の神兵なる所以、皇國無限の發展への確信の基礎、それ等が凡て我國の歷史の中に解明されてゐるのである。何故なら、今日を知ることは眞に歷史を知らなければならないからである。歷史の理解によつて始めて今日が理解されるのであるからだ。

今日の我々が遠い歷史時代の小說を讀んで共感するのは歷史が現在までつゞいてゐるし、歷史時代の人物の心の奥底のものが、現代の國民の心の中につゞいてゐるからである。必ずしも描かれた事柄が、現代社會の重大な問題であるからではない。

古事記の撰定を太安麿に命じ給うた大御心を仰ぐとき、このやうな安易な態度で歷史文學を創作することを恥じねばならぬ。

これから續々と書かれる歷史文學は、當然皇國史觀によつて貫かれた大文章であることを期待すると共に、かくあるべきものであることを極言して憚からぬ。

歴史文學と史實との關係

蔭山東光

『歴史文學』といふ言葉は、種々の意味に用ゐられて居り、歴史小説と同義語であると見る者もあれば、國民文學の代名詞であると言ふ者もあつて、頗る混純として居る。

併し、歴史文學の範疇は、歴史小説よりも廣く、史劇や史詩等をも包含するものと見るのが至當であらう。又國民文學は、觀點を異にした別個の範疇であつて、所謂歴史文學には、その範疇の一部に屬するものがあると共に、國民文學以外の領域に亙るものもあらう。

而して、歴史文學は、哲學的基礎の上に建設される藝術的作品である點に於て、歴史そのものと異り、又、歴史的事實に題材を求める點に於て、一般の文學と趣を異にして居る。即ち、歴史文學は、史實の研究に出發して、或國民の或時代に於ける精神を把握し、生活の實相を描寫し、又は史的發展の因果關係を叙述する爲め、一定の主題の下に、藝術的表現を行ふものである。換言すれば、歴史的事實に即して、哲學的基礎の上に、築かれた文學的作品である。從つて、歴史文學に於ては、史實を如何に取扱ふべきかといふことが第一の重要問題となる。

史實至上主義と藝術至上主義

歴史文學に於ける作家の史實に對する態度の中、最も極端なものは、史實至上主義と藝術至上主義とである。

史實至上主義は、歴史的事實に對し何等の哲學的考察を加へず作者の思想の濾過作用もなく、主題の設定をも試みることなしに事件の經過、人物の行動、或は史的發展を、生地の儘、羅列するものである。從つて、如何に史實が、克明に、正確に、又、精密に描寫されてあつても、嚴格な意味に於て之を文學といふことは出來ない。恰も、博物館へ行つて映畫を見ることとの出來ないのと同樣である。わが國では、森鷗外の作品にこんなのが多い。併しこの主義を奉ずる者は『歴史はそれ自體一つの藝術である（ランケ）』と主張したり、『歴史的眞實と詩的眞實とは一致する。眞の歴史家は、詩人であり、又、哲學者であらねばならない。（シェリング）』など、云つて居る。是等の言葉の中には、一面の眞理が含まれて居ないこともないが、歴史と歴史文學とを混同する所に根本的の誤謬があると思はれる。

之に對し、藝術至上主義に至つては、史實の中から、主題を發見するのでなく、逆に先づ作者の腦裡に或主題を豫定し、之に歴史的衣裳を着せるものであるから、史實の研究などはどうでもよいのである。之も嚴格な意味に於ける、歴史文學ではない。この主義を代表するわが國の作家としては、芥川龍之介を第一に擧げることが出來よう。この種の論者は、『史實と劇詩の法則とが、兩立し得ない場合には、史實を棄てなければならない。（ドーデン）』とアッサリ片附け、又、『或時代を描寫するに、史實の精確を期する必要はない。史實の研究は、文藝家にとつて、寧ろ、有害無益である。詩人や劇作家は、史實を勝手に變更し、又は整理してもかまはない。尤も史實といふものは、筋がよく通つて居るから、之を借用すると、構想上、頗る便利な場合もある。（レッシング）』と放言して居る。

尙、レッシングは更にこんなことも言つて居る。『劇詩の目的は、或人物の實際に行つた事蹟を再現するに在るのではない。史實などはどうでもよいのであつて、大切なことは人物の性格である。歴史上の人物を類型的のものとし、是等の類型的人物が、或事情の下に於ては、如何に行動したであらうかといふことを表現することが肝要である。』この言葉は或種の示唆を含むものであるが、甚しい史實離れは、却つて人物の性格の圓滿な表現を妨げることゝなるであらう。

シルレルも、史實輕視論者であつた。彼は言ふ。『史實の奴隷となると、歴史の奥に潜んで居る眞實を見失つてしまふ。詩的感興の爲めには、史的事實の正確を期する必要はない。歴史上の人物に就ても、その個々の事蹟を知る必要はなく、唯、人間そのものを知ればよいのだ。』この主張にも、一面の眞理は含まれて居るが、史實の上に立脚してこそ、初めて、或人間の姿が、ハッキリと解るのではあるまいか。

史實尊重の必要

史實至上も、藝術至上も共に歴史文學の邪宗門である。正確にいへば、このやうな主義の上には、歴史文學は、全然成立しないのである。

歴史文學作家の第一に履まねばならない常道は、何等の主題にも先行されることなく、心を虚うして、史實に眼を注ぐことである。その態度は、科學者或は歴史家の冷徹さを具へて居なくてはならない。

事件や人物、或は史的發展の因果關係等に就て、詳細緻密な具體的研究、即ち考證に努め、この基礎工事が出來たならば、是等の全體を根據として綜合的考察を加へる。文書、記錄、系譜、傳說等に依る文獻學的研究の外、遺物、遺跡の如き考古學的方法に亙ることがあつても、歴史家から苦情が出たり、文藝家としての本分を忘れたことにはならないであらう。

併し、文藝家の史實研究は、歴史家と異りそれ自身が目的ではなく、他の目的を達する爲めの手段であることを忘れてはならない。他の目的とは何か。個々の事件や人物に關する史實を研究するのは、時代精神や國民生活の實相を把握する爲めである。讀者をして、或國の或時代に於ける人情、風俗の幻影を眼前に髣髴たらしめる目的の下に、器具、調度、服裝等の末節的事項をも調査するのである。

斯くの如く、史實の研究に精進して居ると、作家の腦裡には、種々の主題が浮んで來るであらう。事件の本質や、人物の性格等も次第にハッキリとする。成心なき史實の探究から出發して藝術上の眞實ともいふべきものを摑み得たのである。史實が、作者の思想と融合して、抽象的の事件、人物が生れたのである。

歴史的眞實と藝術的眞實

歴史的眞實の探究から、藝術的眞實の把握へ進むことが出來た後は、必ずしも史實に拘泥する必要はない。指定された主題の命ずる儘に、史實に對して適當の取捨を試みることは、差支へないのみならず、寧ろ必要でさへある。併し、この場合に於ける史實の取捨には一定の限界があり、この限界を超えると、藝術的眞實の射光を遮ぎる結果に陷る。

從つて單に物語の節を面白くしようといふやうな不純な動機から、史實を變更したり、事件を揑造したり。或は架空の人物を割込ませたりするのは、作品の歴史性を著しく傷けることゝなる。

併し、時代精神や、國民生活の實相を最もよく描き出す爲め、或は、事件の本質や人物の性格を最もよく表現する目的で、誇大法、或は强調法を用ゐるのは效果的であり、又、主題を明にする爲め、史實の或部面のみを取つて、他の部面を捨てるといふ選擇法も許される。

問題となるのは積極的附加の場合であるが、前に述べたやうな動機から來る想像的補充ではなく、史實の不足を合理的に補ふのは、寧ろ必要のことで、之こそ歴史文學者の當然爲さねばならない使命であらう。森鷗外が『大鹽平八郎』に於て採用した史實の推測の如きその適例である。

この小説は、天保八年二月十九日の出來事を書いたもので芥川式にいへば『或日の大鹽平八郎』とでも、名付くべきものであるが、之を書く爲めに、鷗外は先づ平八郎の年譜を克明に作つたのみならずこの一日に於ける既知の事實を列擧してその前後と中間とに、かくあらねばならない連鎖的事實を織込んだのである。又この一日の後の事を書き足すのにも、次のやうな苦心をして居る。

『平八郎は十九日の夜、大阪下寺町を彷徨して居た。それから二十四日の夕方、同所油懸町の美吉屋に來て、潜伏するまでの道行は不確である。併し、下寺町で、平八郎と一緒に彷徨して居た渡邊良左衛門は、河内國志紀郡田井中村で切腹して居り、瀨田濟五助は、同國高安郡恩地村で縊死して居つて、二人の死骸は、二十二日に發見せられた。そこで、大阪下寺町、河内田井中村、同恩地村の三箇所を貫いて線を引いて見ると、大阪から河内國を横斷して、大和國に入る道筋になる。平八郎が、二十日の朝から、二十四日の暮までの間に、大阪、田井中、恩地の間を往反したことは、殆ど疑を容れない。又、下寺町から、田井町へ出るには、平野郷口から出たことも亦推定することが出來る。唯、恩地から先をどの方向にどれ丈け歩いたかゞ不明である。

試みに大阪、田井中、恩地の線を、甚しい方向の變換と、行程の延長とを避けて、大和境に向けて引いて見ると、龜瀨峠は南に偏し、十三峠は北に偏して居て、恩地と相隣して居る服部川から、信貴越をするのが順路だと言ひたくなる。かういふ理由で私は平八郎父子に信貴越をさせた。』と言つて居る。

興味本位の大衆文藝が、何等の考証をするのでもなく、不純な目的から、漠然と事件を揑造したり、架空の人物を躍らせたりするのと日を同じうして語ることは出來ない。歴史家に出來ない史實の補充を合理的に行ひ得るのは、歴史文學者の特權である。

マライの支那人（三）

海音寺潮五郎

支那映畫

○

コーランポーには映畫館が五つあつた。ひとつは前號で書いた芝居のかゝつてゐた中華劇場。ブキビンタンといふところに――マライ語で、ブキは岡、ビンタンは星の意、だから、「星が岡」といふしやれた地名になるわけである――遊園地があつて、ひろい一廓を劃して、映畫館、劇場、みせもの小屋、ダンス場、ロンゲンといふ野天のマライダンス場、玉ころがし、十八地獄と稱するばけもの屋敷、料理店、コーヒー店、小間物屋、呉服屋、化粧品店、あらゆる娯樂設備のある場所があつたが、その中に二ケ所、バトロード、といふ通りにオデオン、シンガポール街道にパピリオンといふのが各々ひとつゞつといふ配置だつた。うち洋畫はオデオンとパピリオンとブキビンタンのなかのひとつ、都合三館だつた。オデオンには印度映畫やマライ映畫も時々かゝつた。印度映畫は全部が全部といつてよいほど宗教映畫で、われ〳〵が見てはだら〳〵と起伏なくつづくだけで一向面白いと思はなかつたが、興業者にいはせるとなか〳〵もうかるさうである。マライ映畫も面白いと思はなかつた。金をかけないでアメリカ映畫のまねばかりしてゐるといつた感じで、むやみにぽかんぽかんなぐりあひばかりしてゐた。現實のマライ人があんなに喧嘩ばやいとは僕には思へない。僕の知るかぎりでは、マライ人ほど平和的な、むしろ無氣力な民族はない。これもよくもうかるさうである。享樂的で極樂とんぼであるマライ人は、貧乏なくせに、夕べともなれば、帶君帶同で、あるひはロンゲンををどりに、あるひは映畫見物にとしやれこむのがじつに多いのである。しかも、映畫館において、最上等の席にはひるのはマライ人がもつとも多いのである。オデオンの館主は支那人で金もうけにはぬけめのない男だつたが、それがいつもいつてゐた。

「支那映畫はもうからないから、それをかけなければならないくらいなら、自分は館をとざしてしまふ。印度映畫やマライ映畫をかけると、二三日館が臭くなつてこまるけれども、なか〳〵もうかるから充分うめあはせがつく。」

これが昭南となると、まるで反對とあひなる。印度映畫やマライ映畫だつてもうからないわけではないが、支那映畫館の入りのすごさにくらべるとだんちがひである。僕は昭南で支那映畫を見にいつてついにはいれなかつたことがある。これは人口比率の關係らしい。マライ全土の人口比率は、支那人四十三パーセントとなつてゐるが、昭南では支那人は七十パーセントの多數をしめてゐるのである。

コーランポーで、もつともはやく開場したのはブキビンタンのだつたが、芝居よりははるかにおくれてゐた。およそ一月半もたつてからだつたらうか。ブキビンタンもはじめは映畫館だけだつたが、平和の氣風が濃厚になると、ほかの娯樂機關もはじまつて、毎夜のやうに、相當にひろい遊園地內がいつぱいになるくらゐの人出だつた。その頃、中華劇場でやつてゐた芝居もこゝの小屋にかはつてきて、中華劇場は支那映畫專門の小屋になつた。僕は洋畫と支那映畫とを主にして見た。洋畫は娯樂のため、支那映畫は勉强のために。

○

支那は方言の複雜な國である。（これについては後に章を立てゝ書くつもり。）それ故に、マライに來てゐる支那映畫も、國語版（標準語版）廣東語版、福建語版とだいたい三種類ある。上海の會社のもあるが、香港できのものが壓倒的に多數である。

時代ものもあれば現代ものもある。時代ものは演劇とおなじく服飾器物等の考證はぜん〳〵顧慮されてゐない。吳王夫差の出てくるものであらうが、將軍呂布が出てくるものであらうが、玄宗皇帝が出てくるものであらうが、一向にあひかはるところがない。かうした無神經さは現代ものにもある。

こんな筋の映畫があつた。

兄弟ふたりあつた。兄は姦佞、弟は誠實な性質である。ふたりには老病に衰弱した父があつた。兄は家の財産を獨占せんとし、また弟の戀人に邪戀をよせてゐたので、いつも父に弟のことを悪しざまに讒言してゐた。つひに弟は父の怒りにふれて勘當をいひわたされた。弟は萬事を兄に頼んで家を出て都にのぼつて行つた。その後、兄は悪事をはたらいたために、土地のならずもの丶首領に脅迫されて、常に金品をゆすりとられることとなつて、金に窮しくあげく、父の遺産を相續せんことを欲し、遺言狀を書いて父に署名をせまつた。うつてかはつた長男の態度に父は憤怒して、はじめて次男の名をよんでつれてこいといつたが、もう追つつかなかつた。はげしい怒りは父の生命を絕つた。長男は遺産を相續したのみか、弟の戀人まで犯してしまつた。戀人はやむなく兄の妻となつた。間もなく女の子が生まれた。その子供はじつは弟の子なのである。子供が五六歳になつた頃、家出して弟は陸軍の相當な階級の將校となつて歸鄕した。かつての戀人が兄の妻となつてゐることに弟は煩悶してまた都へかへらうと決心したが、その前日、兄嫁は彼にはなしたいことがある故、今夜近くの古塔まできてくれといつた。ふたりは古塔であつた。弟は、はじめて兄の悪虐を知りまた娘が自分の子であることを知つた。

ところが、このことをさぐり知つた兄は、ふたりが古塔へはひるのを見とどけると、後患をおそれてその戶を閉ざして火をかけた。女は炎につつまれて燒死した。弟も死んだものと推定された。およそ十二三年もたつた頃、兄は娘をかつてのならずもの丶首領で、今日土地の豪商となつてゐる者に緣づけようとした。年がひどくちがふばかりでなく娘には戀人があつた。娘は戀人と脫走をくはだてたが、父に知られて檻禁された。しかるに、その頃、その家にひとりの下男がやとはれてきた。滿面ひげでうづまつた醜怪なる容貌の男だつたが、これが人知れず娘に力をそへていろいろと活動した末、兄の悪業暴露、ならずもの丶首領もその一味とともに一網打盡に捕縛された。下男は燒死したものとのみ思はれてゐた弟の變裝したのであつた。かくして兄にかはつて家を相續した弟は自分の本當の娘と戀人とのむつまじげな姿をほゝゑましげにながめるのだつた……

筋もかなりにあまい。また、古塔の場など、全體の効果の上からいへば邪魔にしかならないたくさんの蛇など出して、はなはだをかしげなる映畫だが、なによりも驚いたのは、その弟が、十數年後も同じ背廣を着て平然としてゐることだつた。

「どうだい。あれはをかしいと思はないか。」

と同行の支那人にきいたところ、

「なるほど、さういはれてみるとをかしいが、これは電影（映畫）なのだから。」

といふ返事だつた。笑ひたまふなかれ。東海君子國の堂々たる作家が、考證や歴史の誤りを指摘された場合、「これは文學である」と逃げる例は今日でも比々としてあるのである。

「中國泰山」といふ映畫があつた。つまり、「支那ターザン」である。場所は南海群島のひとつなんだが、ライオンが出てくるのだから亂暴である。外國映畫のコマを剽竊してそのまゝつかつてゐるからには相違ないが、あらつぽすぎる神經と申さねばなるまい。もつとも、支那の大衆は、南海にライオンがゐるくらゐ思つてゐるのかも知れない。讀者のイリウションさへやぶらなければ歴史的考證などに拘泥しなくてもよいといふ歴史作家が日本にはあるが、この映畫監督と選ぶなき良心の所有者といはねばなるまい。

「胡蝶夫人」これはマダムバタフライの支那譯である。原作の長崎が佛印の港町、米國の海軍士官が支那の高級船員、バタフライが佛印娘――とかうなつてゐる。忠實過ぎるほど原作に忠實なこの映畫は、場所を安南として、セットに椰子の木を繁らしたり安南人の服裝をした人物をいく人も出してゐるくせに、その他のことは一向に考慮がはらはれてゐない。別離にあたつて女はかううたふ。

春さりくれば
雁は北へ去る
秋さりくれば
燕は南へ去る
されど
雁も燕も
年あくればまたくる
君はひとたび去らば
またかへり來じ

それにたいして、男はかくうたふ。

雁のごとく
われもまたかへり來む
この地　桃花わけてうるはし

花咲く春きたらば
われはかならずきたらむ
君とともに花をめづべく

だいたい、こんな意味の唄なのである。ところで、佛印では、燕なんぞ年百年中ゐるし、よしんばその一部が去來するにしても、こゝにうたはれてゐるのとは反對の季節に去來するわけである。また、桃の花なんぞ咲きはしない。桃のやうな纖細な花は生育するにたへないのである。さらに進んで、マダムバタフライが子供を生んで男のかへつてくるのを數年の間待ちくらす場があるが、その時間の經過をあらはすに木々の凋落、繁茂、開花等をもつてしてゐる。いつたい、製作者は佛印が熱帶であることを知つてゐるのかとうたがはれるのである。

この樣に、支那映畫は形式からいつても、內容からいつても、はなはだ低劣なものであるが、これを藝術鑑賞の立場をはなれて、支那人研究といふ面からみれば、かなりに得るところがある。

月例評壇

今井達夫著『新月』

大慈宗一郎

この作品に於いて、作者の提出した問題は、

(1)陳父子間の愛情及父子喧嘩のいきさつ
(2)日支人間の交渉
(3)映畫企業の政治的意味
(4)映畫人の時局認識
(5)戀　愛

等であつて、是等の問題は、全く問題を提出したのみに止まつて、何等の解決もつかないことは、作者が跋文に危惧として述べた如くであるが。然し、そこには解決へ努力した點がはつきりしてゐないのはどうかと思へる。これでは、果して問題を提出したと云へるであらうか。作者は、これ等の問題を避けて、何故に平凡なる三角（或は四角か）關係的な戀愛問題に沒頭したのであらうか。然も、戀愛などは問題でないぞと言はんばかりの態度（作者と主人公の性格に表れた）である。それにこの作品の戀愛問題たるや、陳腐に過ぎる點は、社長、女事務員求婚者、酒場の女と人物を並べただけで充分である。こゝで考へさせられるのは作者の態度である。

この決戰下に於いて、戀愛小説の存在價値に就いての態度である。（私はむしろかうした時にこそ、純粹な戀愛小説こそあつて然るべきだと信じてゐる）作者は果してどんな態度であつたらうかといふ事である。この作品を現在の形で完成されたものにするには、正面切つて、これこそ今の時代に讀まれてよい戀愛小説であるとの態度で四つに取組む必要があつたのではないだらうか。何故にそれを避けなければならなかつたか。或は戀愛小説でありますと云ひ切れるだけの氣力がなく、多くの時局的問題を取り上げて迷彩に用ひたのだらうか。解決のない多くの問題を提出した時かうした誤解が起りやすいものである。作中の個々の點に就いて云へば、會社員の生活に於いて、如何に新採用者に興味を待つたとはいへ會社員が平素より早く習慣を破つて早く出勤するなど考へられない點。中途で山が見える點、山場──鰺釣り──に主人公村越が女事務員を誘ふに、畫家の招待を考慮に入れなかつた點、無理があるや

うに思へるが、作者の持つ筆力、情熱、により、ずら〳〵樂しく讀ませる事は感服のほかはない。それにしても氏の作品が、映畫になつた岸田國士氏の暖流と類似性を持つ點が考へられてならない。

『日本海流』

山田克郎著

村　正　治

「昭和十二年の最盛期にはその數、百七十隻に達し、アラフラ海は日章旗で埋めつくされた。（中略）濠洲人はそれらを『アラフラ艦隊』と稱して畏怖した。」と、著者が後記してゐるやうに、濠洲人に拮抗してアラフラ公海に進出、日本潜水夫の意氣を昂揚した眞珠採取船の濫觴史とでも云ふべき、哀しく愉しい讀物だ。クランクの故障、矢田の戀愛と後半に入つても次々生起する事件の連續に加へ、主人公の楯野、老潜水夫奎三郎、喧嘩早い水夫の松村、不良少年の虚勢から脱して孤兒らしい感傷に動く信太郎等、人物の性格もよく書き分けられ、宮野や西山のやうな人物を配してユーモア味を盛つたり、最後まで愉しく讀めた。

「若草」の昭和十七年度の大衆文學回顧に、僕は梶野悳三と山田克郎の海洋文學が注目されたことを書き、此の二人の海洋文學作家としての活躍を期待して置いたのだつたが、四月號で完結した「大衆文藝」所載の梶野悳三の「鯨の町」には期待が大きかつたゞけに、いさゝか肩すかしを食はされた感じを抱かされた。

梶野氏が、海洋文學に於ける體驗的作家であるのに反し、山田氏は早大商科出身の海の無經驗者である。それが、文學に志して、今日、海洋文學作家として屈指されるまでになつた。その過程には、何篇かの作品が凡作駄作として葬られ下積みになつたことだらう。然し、舊い作品は知らず、また數多く讀んでもゐないが、「少年感化船」「帆裝」「魚婆」等、自分が讀んでゐる作品には、一作毎に逞ましい精進のあとが見受けられた。このことは、體驗的な作者の素材枯渇に伴ふ不振沈滯に對比する、不斷の作家修業に依て獨壇場を開拓して行く作家の伸長活動を物語る事例として注目される。

一作毎に、海に寄せるひたむきな熱情と不斷の精進を示して、今では海洋智識をマスターするに至つたといふ自信が、此の作品では海洋智識との格闘から作者を解放さして、寧ろ、新しい文體の創造に、力瘤を固めさしてゐるかにさへ見受けられる。但し、この文體創造の格闘からは、却つて作者が文章に組み伏せられてゐるかの印象を與へられるのである。

それにも拘はらず一氣に讀破されたのは何故か、それは主として、素材の實話的興味に魅せられたがためだ、と考へられる。主人公楯野と孤兒の不良少年信太郎との邂逅、楯野の親友二川の悲壯な劇的な死、この二つの出來事が先づ讀者の心を強く捉へて、併も最後まで此の物語に一脈の感傷味を漂はさせてゐるのだが何處までが實話で、何處までが小説的構成なのか、實話だとすれば餘りに小説的であり、小説的構成だとすれば、斯うした實在の人物を拉し來たつての傳記的小説として、二川の死の如きいさゝかお芝居になり過ぎはしないか？　事實と作者のイメージの溶融といふことが問題として採り上げられるが、さういふ穿鑿を超えて、興味深く讀め、併も國策小説的な固さに鎧はれることなく、今日の國民文學としての恰好のテーマを捉へてゐる點この作品の功の半ばは、この素材を掘出して來たことにある。面白い素材を見つけた、といふ安心感が、作者の構成への態度をイーヂーにし、構成よりも文體の創造といつたやうな方面へ、努力の中心を向けさしたのではないかともおもはれるが、それだけに、讀者の方も筋を知つてしまふと、興味は半減される。事實、今、再び讀み返する當つて、文章の瑕のみが目について、その方に注意力を奪はれるのに僻易した。瑕といつてよいか何うか、或は作者は、航海日誌を想はすやうな効果を狙つたのかともおもふが、名詞止めの文章の多いのが第一に眼につくこの事の外に、楯野が紀州に奎三郎を訪ふ條乃至クランクの故障で楯野が引返す條あたりから起筆して、附記の部分が本文に盛らるべきであつたといふ意見を聞かされ、僕も同意したのではあるが、楯野と奎三郎の船中の邂逅から正敍的に描かれてゐる此の構成にも映畫的な面白さがあり、これは映畫化されたらヒットするのではないかとおもふ。

とまれ、以前の作品には、海洋智識との格鬪の喘ぎが見られた場合があつたのが、此の作品では、上手に肩をすかしてゐるといふのでもなく、樂々とこなしてゐる寛ぎが見られる。そして、その餘力が新しい文體の創造に向けられたのは、一つの成長であると作者のためによろこんでよい。反面、素材と苦勞なく取組んでゐる點で、小説的燃燒が足りないとの批評もあるやうであるが、現在の人物を拉しての實話的素材を扱ふ場合、免れ難い現象であらう。

以上、遠慮なく苦言をも呈したが、體驗的作家の素材枯渇に伴ふ沈滯に對し、熱情に精進で開拓されて來た此の作者の獨壇場は、いよ〳〵鞏固たるものとなり一作毎に、深みと幅を加へ來つゝあることを祝福し、更に一段の活躍を期待してゐる。

中澤巠夫著

『阿波山嶽黨』

村雨退二郎

一

長編小説「阿波山嶽黨」を讀了した。これは、吉野朝時代、阿波山嶽武士、忌部一族の勤王史を取扱つたものであるが、この史實はいままで小説として、誰も書いた者がない、中澤君が元祖である

私はよく歴史上の運不運といふことを云ふが、要するに運不運がわかれるのは主としてその活動範圍が政治又は文化の中心に近いか遠いかによるのであつて、その人物の偉大と卑小、その事業の價値の多少によるとは決まつてゐないのである。

このことは、明治維新史を見るとよくわかる。維新史は、どうしても江戸、京都、諸雄藩にかたよる。小藩でもずゐぶん仕事をした所もあるし、なかなか立派な人物もあるが、その大部分は歴史から抹殺されてしまつてゐる。

吉野朝時代に於けるこの山嶽武士の勤

王なども、政治的中心から懸絶し、地理的にも僻境の位置にあるため、自然歴史から無視された形になつて永い間埋れて來た。中澤君がこれを採上げたのは、おそらくかういふ歴史的不遇者に對する、深い同情の氣持からであらうと思ふし、かういふ氣持は、歴史的題材を扱ふ作家が等しく有ちたいものである。

　この作品を讀んで第一番に感じることは、作者が歴史的事實に對して非常に强烈な探究心をもつてゐることである。附記によると、參考資料として「阿波國徵古雜抄」「麻植郡鄕土誌」「西祖谷村史」其他を主として使用したさうであるが、かういふ文獻を調べる外に、中澤君はたしか二三度阿波へ行つて、忌部一族の關係地方を踏査し、劍山にも登つてゐるから創作の準備は申分なく行屆いてゐる。從つてこの作品に出て來る史實や地理風俗は全部無條件に信用していゝわけである。歴史文學作家は、すべてこのやうに良心的でありたいものである。

二

　しかし、萬全の準備を整へて創作に着手した中澤君も、この小說を樂々と書いたわけではなかつた。彼は後敍に、

——歴史家には單なる想像による斷定は許されない……歴史文學はこの束縛からは解放される。與へられた歴史的諸條件の內部に於て、想像は自由であるからだ。歴史文學に於ける現實性と歴史科學に於ける實證性とは決して同一ではない——

と述べてゐて、すこしも弱者は吐いてゐないけれど、作品には、讀んでゐて息づまるやうな作者の苦闘があり〳〵と感じられる。

　歴史文學作家の成功と失敗とは、二つの點にかゝつてゐる。一つは所謂史實の部分（說明にせよ描寫にせよ）と想像、（創作）の部分とが、小說らしい性質に均等化されて、完全に結合してゐるかどうかといふこと、反對に云へば史實と想像が不均質に不統一に、バラ〳〵になつてゐはしないかといふこと。第二は與へられた歴史的諸條件に反することなしに、起伏あり波濤あり統一ある結構壯大な物語を展開し得たか、史實を含む歴史的諸條件の重壓に押しひしがれはしなかつたかどうか。

　この難問題を解決するために、作者が非常な努力を傾けてゐることが私にはよくわかる。たとへば一方にまだ政治的關心をもたない少年太郞丸（主人公後の三ツ木重村）の生ひ立と、勤王精神はあつても、中央の政情には疎い長村以下山嶽武士の生活を敍しつゝ、一方で同時代の變轉極まりない中央の政情を讀者に說明するといふ難關に至つて、作者は屢々密使、歸省者、地方政界の中心分子等を連絡者に使ひ、これを切拔けてゐる。

　また鄕土史的資料、時代風俗、地理的特色などの豐富な地識を、作中所在に溶解同化して、史實と想像の游離を防いでゐる。荒唐無稽な舊大衆文學「千利久」流の純文學の作家たちには、この努力の價値はとうてい判るまいと思ふが、歴史文學の正しい途が拓けるか拓けないかは實にこの難問題を克服し得るか得ないかで定まると云つてよいのであつて、それをはつきり自覺して自らその大敵と格闘してゐる作者の信念勇氣には、頭の下る

思ひがするのである。

三

長村、頼清、嚴融、八郎等の感化と、戰爭、信仰、父子葛藤、戀愛等の經驗とによつて、太郎丸の重村が、次第に立派な人間として完成して行く主題は、勤王文學のそれとしてはあまり類の無いものであり、やゝもすれば偶像化されてしまひがちな勤王家を、かういふ角度から描いたといふ點だけでも、この作品は當然高く買はれるべきだと思ふ。

構成には苦心の跡が見える。伏線になかく〳〵工風が凝らしてあり、描寫などには平常この作者がいかに多くの先人を學び、それを自家藥籠中のものとしてゐるかゞよく覗はれる。若し慾を云ふなら、一之卷の三章までの、物語性の弱さについては研究の餘地があると思ふ。

採入れられた鄕土色の中（それは忌部氏の勤王精神と離せないものだがそのことは別として）御衣御殿人（みぞみあらかんど）の荒妙調進の行事は特に興味を惹いた。吉野朝と云へば太平記を書直してばかりゐる作家があるが、もうさういふ時代ではないといふことを、しみじみと感じさせられた。

一口に正統歴史文學とは云ふが、ほんたうに正統派が大を成すには、作家が各々獨自の色彩を明らかにする必要があるのであつて、その意味でこの作品の如きは、正しく正統派中の中澤文學と銘打つべき、個性ゆたかな力作である。

『情熱工作機械』

鹿島孝二著

北町一郎

鹿島孝二氏は、海軍報道班員としていま南方にゐる。出發後に「熱情工作機械」が刊行せられたので、私は著者と直接に話をする機會がなかつた。

この書下し長篇小說は、題名が示すやうに工作機械を題材の一部としたもので元來理科系統の敎育を受けた著者の得意な方面に屬し、この作品の特異性を大きくさせてゐる。この點で先づ異色ある作品であると共に、作者の着眼に贊意を表す。

第二の特性は、文章が平明にして表現が明快なことである。この作者ほど、單純な文章の構成と平易な表現を以て、自由に作品をまとめる人は他に多くあるまい。

特性の第三とすべきは、作中の人物が何れも善良な正常人である點である。これは落語や從來の卑俗な落語類似の讀物（これがユーモア小說の名を冠せられがちであつた）の共通要素とすべき白痴や神經虛弱症患者を持ち出さず、正常な神經と生活を持つた社會人を作中人物に使つてゐることを意味する。同時に所謂仇役とか惡人も、この小說には發見されない。

以上の三つの特異性を一貫して、作者が訴えんとする目的は、皇國民たることの錬成であり、機械工業の基礎ともいふべき工作機械を日本人の手で改良し、發明せんとする理想と情熱とである。若しこれらの精神的基調がなければ、この作品は從來の諧謔小說の域に屬すものとも云へるであらう。

以上を記してみると、これらの作品的

特徴は「情熱工作機械」のみに限られたものでないことを發見する。他の各種の作品に於けるこの作者の特徴が、こゝにもそつくり集合せられた形である。いはば鹿島孝二作品の集大成であるが、作者が後記に示す抱負が大きくとも、これを代表作又は野心作と見ることには私は俄かに賛し難い。

その理由の第一としては、工作機械の改善と發明といふ主要な問題が、附けたりの形で扱はれ、女性に對する主人公の愛情の動きが本筋であるかの如き印象を受け易いことだ。つまり、主題が完全に消化されてゐないといふ感想を與へられるのである。この點では別の長篇「青春突破」の方が、成功してゐると評する人もゐるが、その小說を私は讀む機會がなかつた。

鹿島氏の文章は、その特異性のある簡明さが、とかく評議の對象にされ易いやうである。一部には小說文學の文章ではないといふ極論さへ耳にするが、さういふ見方の中に古い文學の亡靈が住んでゐる氣がする。難解な或は廻りくどい文章を以て文學的なるものとする人はゐないと思ふが、鹿島氏はその反對の獨自なものを自己の手中にしたといふ感じであるまた「情熱工作機械」には、自然に觸れるところ極めて少いのは事實であるが、これを以て作品の價値を云々にする氣には私はなれない。むしろさういふ方面を意識的に除去して新しい方法へ向つてゐると見てもよいと思ふ。文學に天然を必要とするのは、古い約束にとらはれてゐる考へ方ではないか。

作中人物ではドイツ人、愛情の競爭者兄等に微笑を感ずる。恐らく作者の體驗があるからであらう。日本精神を說く若い女醫は、公式と理論で動く人間性のない人物に見える。主人公たる青年には、若さと善良さを感ずるが、逞しい意慾や思考の影は薄い。

かういふ風に具てくると「情熱工作機械」には、種々の難點が含まれてゐる。長篇小說の構成法としても、平板な面が目だつ。鹿島氏の軌道に乘つた標準作品ではあるが、代表作とか野心作といふには、質度が淺いと思はれる。この作品が書かれてから一年位の時間が流れてゐるだらうが、作者の作風はそれ以前にも既に完成した姿を示してゐるのであつて、徒らに新奇な試驗を試みる必要はないやうなものだが、好箇の題材と取組んだのだから、もつと大胆不敵に書いてほしいと思つた。とまれ戰線にある作者が、歸還する時には素晴しい收獲をもたらすであらうと、私は期待してゐる。

岡戸武平著

『小泉八雲』

海音寺　潮五郎

岡石武平君の「小泉八雲」がとうとう書物になつた。さう長くかかつたわけではないのだが、マライにゐる頃、岡戸君からの來翰と本誌によつて、八雲ととりくんでゐるといふことを知つて以來、待ちに待つてゐたせゐであらう、ずゐぶんとはるかな氣持がする。まづ、鈴木朱雀氏の手になる裝釘が水際立つて瀟洒なのが氣持がよい。當今のことだから、世間一般と同じ材料をつかつてゐるのだが、工夫しだいではこんなにも美しくできるものかと感心した。こんな美しい書物はたとへ讀まなくても、座石において眺めてゐるだけでも十分にたのしめる。書物の装釘をする人々にぜひ見てもらひたいものである。

僕はほとんど八雲といふ人を知らないその智識は常識以上に出ない。だから、かういふ傳記小說の批評をする資格がないわけだが、一應の讀後感を披露させてもらふ。

この小說の中心をなしてゐるものは、小泉八雲といふ、詩人的西洋人の日本讃歌である。日本の風景の美しさ、人情の醇美さ、昔なつかしい明治の風俗、さういふものが、彌漫の立つやうに渦卷き湧きあがつて洶湧してゐる中心をつらぬいて、八雲の日本讃歌が朗々の吟をかなでてゐるのである。

この小說を讀んで、僕なら八雲をどう書くだらうかと思つてみた。いろいろと考へが湧いたが、結局、出雲の八雲、即ちもつとも八雲らしい八雲を書くには、これより外にてがなからうといふ結論に達した。前述の如く、八雲については常識程度の智識しかない僕がこんなことを云つたとて、何の價値もあるわけではないが、作者は唯一無二の法をつかんでゐるわけである。研究の深さが思ひやられる。

作中の人物は、ほんのわづかあらはれるだけの人物でも、みなあざやかに書けてゐるが、なかでも、八雲夫人、同僚の西田、籠手田知事が水際立つてゐるやうに感じた。苦勞の痕蹟なくさらりと書いてのけながら髣髴をあたへるのは、この作者の長技である。

技法のことをいへば、この小說は、作者が山陰線の列車の中で、八雲のことに詳しい老人にあつて、その話を聞くところからはじまるのであるが、作者は、ここで出雲といふ土地と、八雲夫人とを極めて要領よく浮きあがらして、讀者に十分なるイメージをあたへてゐる。それ故に、第二章以後においては、作者は全然背後にかくれて、純然たる客觀小說となつてゐるが、讀者はそのイメージの軌道に乘つて、すらすらと作者の意圖する方向に導かれて行くのである。非凡な手法である。

この作者は、いつも力んだものは書かない。淡々と語るといふ側の人である。この持味が、この材料と調和して、稀有の効果をあげてゐる。銃後、戰線の激烈な勤勞の後には、かういふ澁い淡白な味を持つ小說こそもつとも求められ、かつ供給すべきものではないかと思ふことしきり。妄評多罪。

南川潤著『生活の扉』

土屋光司

『生活の扉』二百八十頁。富裕な家に生れた令孃登代子が、時代意識に眼覺めて工場の榮養士になり、出征中の愛人の健闘に報いようといふ、作者の意圖も明瞭に窺はれ、また頗る演說の多い小說である。私はこれを讀んでゐる間も、讀終つた時にも、これはチヨコレートの味だと思つた。たしかに、あらゆる意味で、チヨコレートである。作者は『あとがき』

のなかで、

『……大人の理窟や學問にはもう信頼がもてない。理窟のない人生を生きようと思つた。善いことか惡いことか、口に出して說明は出來ないでも、自分の良心の中にある、子供の時からの神樣のやうなものが、判斷をつけてくれる。そしていつも自分の眼の中に、善いこと、美しいことばかりをあこがれてゐれば、私はもう決して惡いことや汚らはしいことの出來ない人間になれるかも知れないと誓つた。今の時代に、私はそのやうな生き方が一番根本のことだらうと思ふ。』

といつて居られる。そして、この場合の理窟や學問は、體面といふ言葉に置換へてもいいものらしい。

この考へ方が、一歩を誤まれば、實に作者の意圖するものとは反對の結果を生ずることが考へられたのだが、この作品全體から受ける印象が正しくそれなのではないだらうか。嘗て、貴族やお姬樣を主人公とした話ばかりが歡迎されてゐた時代がある。讀者が、自分たちの近寄ることの出來ない世界にあこがれてゐたのである。しかし、かういふ話から、人生の呼吸使ひが感じられないことはいふまでもない。また、この場合のあこがれは一種の享樂である。

この作品の主人公の家庭の人々も、榮養學校の瀧田惠子先生も、工場の勞務課長古屋も典型的な人物で、こゝには生きてゐる人間がゐない。この時代のどこかに、かういふ人間が生きてゐることが感じられない限り、これは童話であり、作者の望んだものは得られないのではないだらうか。

しかし、それだけに樂しく、またつかへるところなく讀んでゆかれる點で、作者は立派に成功してゐる。作者が對象においてゐるらしい靑年男女は、本書を手にしたら必らず最後まで讀むであらう。(私は既に、省線電車の中で、事務員らしい娘が、傍眼もふらずに本書を讀んでゐたのを見たことがある。)讀んでしまつてから、その甘美な夢に醉ふ一時をもつであらう。ところで、作者の望むものはそれだけではない筈である。たとへば、あちらこちらで、普通の會話のなかで、一頁餘もある演說をさせてゐる。これが問題である。新聞雜誌の記者が、御意見拜聽に出かけた場合はべつだが、かういふ會話は極めて不自然である。そして、作者はここで敎訓を與へようとしてゐるが、讀者の多くは、ここからはなんらの敎訓も得ないであらう。

山本有三氏の作品に『チヨコレート』と題するものがあつて、これには一つの人生批判がある。敢て上流家庭のみとはいはないが、ある種の狹い範圍の人々を特に甘やかす作品が、大多數に向つて、訴へる點が少いことは當然である。この『チヨコレート』と『生活の扉』とを比較するのは當を得てゐないかも知れないが私は今、『既に折角こゝまで來てゐるのに――』といふ感じをもつてゐる。このことは一寸誤解を招きさうであるが、一部の人々がいつてゐる戰時下における文化の退步云々といつた言葉と結びつけてもらひたくない。戰時下の文化については、はつきりとした道がある筈で、それは形の上ではどう見えようとも決して退步ではないのだから――

『今の小説は面白くなくなつた』と、特に新聞雜誌の小説しか讀んでゐない人々が大抵からいつてゐる。

そこには、この時代に、全然無視してしまつて差支ない理由もいくつか考へられるが、同時に、我々としては眞面目に取上げて見なければならない理由もあると思ふ。これに立派に答へらるべきものは、いふまでもなく正しい國民文學でなければならない。

『生活の扉』を讀んで、私が感じたことは大體以上のやうなことである。これは半分は、私自身に對していふべきことであつて、妄評に亙つた點は、作者に對してくれぐれもお詫びする次第である。

（六月二十八日）

七月號の雜誌から

東野村章

雜誌の減頁が斷行されて數ケ月、當時の泡立つやうな狼狽ぶりから漸く立直り少ない頁ながらにもどうにか纏りつけはじめてゐるのが感じられる。全頁三段組も馴れたといふのか、それほど氣になることもなくなつた。併し、文學雜誌は、依然として以前の體裁を通したまゝ頁だけを薄くしたといふのが、幾つかある文學雜誌の全部を通じて言はれるところである。無論、それだから、といふ譯ではないが、內容の重量感といふ點だけから見る、とき手に觸れた薄さ輕さ以上に果敢ない感じがするのである。頁の減少は內容に對してそれほど重大な意味をもつとは思はないし、事實さうである例を見ることが出來るのである。七月號の文學雜誌のうち、「文藝」「文學界」「新潮」をみると、「文藝」は中華民國との文化交流を、「文學界」は現代敎育に就いて、「新潮」は作品といふ風に一冊の殆どを一つの問題をもつて誌面を埋める方法をとつてゐることがこの七月號に於て眼を惹くのであるが、しかもなほ、充實といふ點からは甚だ遠いところを彷徨つてゐる現狀である。それはただに編輯者の腕や力の問題ではなくて、文學に對する自信の喪失にあると思はれる。純文學が、この國の最高度の文學だと自慰的滿足を押し賣りしてゐた時代は既に遙か彼方に影を沈めてまつてゐる現在、伸びあがらうともがいてゐる爪跡だけが痛ましく殘つてゐるといつた追想をさせるのである。確固たる國民文學の精神を持たぬ限り、この痛ましさから逃れることは出來ないであらう。

例へば日華文化交流をとりあげた「新潮」も、たゞからした問題をとりあげたといふだけで積極的な何の表れをも見ることがない。何か尻の落ちつかぬ樣子で「日本を知らせるための作品や作家」をあれこれと論じ「結局、人間の問題だ」といふところで投げようとしてゐる。からした態度、飽迄も傍觀者的態度を持することによつて胸を張る理由としてゐることは、根本的に精神をもち直さなくてはなるまい。將來の日本の文學のためにとつて、純文學に立てこもる人々がどれほども重要な役割りをもつとは考へてはゐないが、七月號の以上の雜誌を見た總括的な感想は、相變らずの痛ましさなのである。「東京新聞」紙上の文藝時評（今日出海氏）を參考までに讀んでみたのであるが、この文藝時評は、勝手な隨筆以上を一歩も出てゐるものではなく、その中から文學への熱情は少しも感じられぬ變なもので、何の參考にもならぬものであつた。

烈々として燃ゆる熱情なくして文學は光りを放つことは出來ぬと信じてゐる。一日だけ百姓の眞似ごとをして有難がり筆で出來ぬ御奉公を腕でしたと自慰的滿足をしてゐる文學者は、作品をもつてしては到底文學を生みだすことが出來ぬと自分を知つてゐるのだらう。明日の日本を想ひ明日の日本の文學を想ふとき、全くぢつとしてゐられない想ひをさらした文學者は一度も味つたことがないのではあるまいか。

皇國人の誇と、國民文學の精神に溢れた文學雜誌とならなくては、文學雜誌の進むべき道はないのだ。

二

小說文學が純文學とか大衆文學とかに區別して考へられてゐたあやまりは既に正され、今日國民文學のもつ力は、次第に增しつゝある。先にあげた雜誌が、純文學の孤城を守るものであり、讀物的雜誌が、大衆文藝の舞臺だとは、今日もう分明とは言へないと思ふ。國民文學の視點から、どちらか一方だけが、眞に小說文學のみを揭載してゐるとは言ひきれないのである。國民文學は、正しい小說文學の上にあるべきだからである。表現技術のみの巧緻さをもつてのみ文學批判の態度とし尺度とした過去の文學は、魂のない衣裳であつたことを考へるべきだ。

滅頁は、更に深刻なる滅頁の日が來るかも知れぬ。單行本の刊行も、更に制限の度が、深刻化することであらう。だからといつて、文學が全く返りみられなくなるとは考へられないし、かへつて、さうした深刻の中に入れば、いつさう文學の必要を痛感されることであらう。

「講談倶樂部」「オール讀物」「富士」の七月號を見て、先に述べたやうに、滅頁の中から內容の充實に努力の跡のうかゞはれるのは、文學雜誌に比べて氣持のいゝ感じがした。

一時、報道班員の手記が多くの頁を占めてゐた。が、もう一應さうした手記とすべきものが書き盡されたのか、少なくなつてゐる。「講談倶樂部」「オール讀物」「富士」この三冊のうちでは一篇もない。文藝雜誌では、「新潮」に榊山潤氏、豊田三郞氏等のがあるが。

從つて歷史小說と銃後小說が眼を惹く他に別な傾向として、學生の航空へのすゝめとかの國策的宣傳の一方法としての小說（「日の出」碧空に描く――小糸のぶ）が登場してゐることである。これに就いては、後で述べるとして、小說文學の七月號での力作は「講談倶樂部」の「歷史の窓」（村雨退二郞氏）であらう。

歷史文學は流行性的擡頭の期を脫し・本格的歷史文學が眞面目に考へられはじめてゐることは全體を通じてみて明かに見られるところであらう。單に逃避の場所と言はれたことが、文學の流れを故意に歪めてみようとした一群の文學を知らぬ文學者の言葉であつたことは今日の文學の流れが明かにそれを證明してゐる。

描寫、表現文學がかつての文學の全體を流れてゐるもので、小說文學としての正しい流れではなかつた。今日、小說文學はその根底から是正されねばならないのである。さうした眞の小說文學の道を村雨退二郎氏は孜々として突き進む作家の一人である。この「歷史の窓」を讀んで、小說文學の必要なる條件、思想、構成、表現、主題それらがぎつしりと組み合つて、美しく築かれてゐることに、深く胸をうたれるのである。

誰も彼れもが一時歷史文學を書きはじめたこの事實と、此處に描かれてゐる歷史家の態度をみるとき、其處にぐさりと白い刄を作者は突き立てゝゐる。常に、正しきものは勝つ。歷史文學もまた、その眞理を事實のうちに表しはじめてゐることを言ひ添へたい。

既に小說が物語の面白さのみをもつてだけでは完全たるものとは言ひ難い時代に來てゐる。が、「幸村の娘」土師淸二氏は幸村の娘が二人出てきて、どちらが本當の幸村の娘であるか判らないことにどれだけの意味があるであらうか。同樣に、「お雲奉行」田岡典夫氏のものも、あまり深い感銘は受けなかつた。田岡典夫氏は、短篇技術とでも言ふか、讀ませる上手さはあると思つたし、面白いことも感心するが、矢張い古い形の小說のやうな氣がしてならなかつた。

「富士」はとりあげるほどの歷史小說はなかつた。「オール讀物」には明治ものであるが、棟田博氏の「俥帳場」がある。人力車夫のある時代の風俗習慣を描いたといつて了へばそれまでだが、この作者の筆の調子には、何故か魅せらるゝものがある。人力車が駕籠を追ひやり、今度は人力車が自動車に追ひやられる。時代の流れを追つて盛衰する姿に一沫の哀れを感じさせるのであるが、筆の上手さの割りには、內容的重量に缺けてはゐないであらうか。

三

報道班員の手記として「オール讀物」には「基地の人達」濱本浩氏——がある報道班員の手記の弱さは、戰爭を側面から見ようとするからだと先に書いたが、これも同じ感じを受けるのである。報道班員として、特別に俺は行つてくることが出來たぞといつた（作者はそんな心算は、無論なかつたであらうが）鼻高々の樣子が、基地に置ける報道班員方の樣子だけの描寫に終つてはしまいか、讀者たるわれわれは、海を渡つて行つた報道班員の樣子もどうかと案じられはするが、しかしその樣子を報せて貰へる期待だけで讀まふとするのではなく、大いなる戰果の陰の皇軍の姿をそこに見たいからではないであらうか。ともすれば、報道班員自身のよたよたした失敗談に哀れを感じる手記にぶつかつて驚かされることをこの機會に言つて置く。

今月は現代文學が比較的に多かつた。「獻身」大草倭雄氏、「さくら鮎」長谷川幸延氏、「蛾と笹舟」森莊已池氏、「海の男」川端克二氏、「小さな掌」龜谷競三氏、を讀んだが量の割りにはいゝ作品がなかつた。「獻身」も小器用な筆の運びが讀ませる。自らの身を犧牲にしても新らしい生命を生かさうとする親の心情はよく描けてゐると言ふことが出來よう。

問題となる作品は「蛾と笹舟」で、戰地と銃後を死に直前にした魂が結ぶといふのである。かういふことはあり得ることであらう。銃後に於て、死を前にした老人が、うは言のやうにして、蛾になつて息子の處へ行つてきたといふ。それを聞いた息子は、航海中に、札に向つてゐるとき蛾が飛んできたことがあつたと言ひ、あれが父の魂であつたかと思ひ、酒を飲んでゐた彼は、自分はこれから泣きますと言つて大きな涙を流して泣くのだが、これはどういふもんであらう。かういふことはあり得るかも知れないが、しかし如何であらう。いゝとか惡いとかと言ふ前に、私は、蛾にくるくると眼の前を飛び廻られたやうに妙な疑問に似たものが解決されずに殘つてゐるのである。

編輯後記

◇止むをえず本號からは御覽の如く減頁せねばならぬことになつた。時局下當分はこの狀態をつゞけねばならないので、內容の重點を尖銳な評論におき、ますます本誌獨特の戰鬪體制を强化する。從つて創作もしばらくは誌上に出ない。岩崎緣川、戶伏三君の續篇も、遺憾ながら打ち切りとなつた。

◇本號は中澤君の「皇國史觀と歷史文學」の長論を中心に立てた。月例評壇では講談社小說新書の總評を取上げた。會友薩山君の評論を推薦揭載する。少い頁でも出來るだけ會友の原稿を優待したいと思つてゐる。

◇消息◇

○海音寺潮五郎氏　長篇小說『尾藩勤皇傳流』を博文館より刊行された。

○佐野孝氏　研究『講談五百年』を鶴書房より刊行。なほ本社同人海音寺、村雨中澤三氏の發企で七月十一日、上野精養軒に出版記念會が催され、來會約四十名長谷川伸、奈良靜馬、野村無名庵、萱原宏一、岡戶、村雨その他各氏の祝辭があり盛會であつた。

○鹿島孝二氏　海軍報道班員として從軍中の同氏の宛先は「佐世保局イ壹九イ壹七司令部」宛で屆きます。

○大隈三好氏　東京都國分寺町本多新田三ノ三九三へ轉居された。

文學建設　八月號
（定價三十錢　送料壹錢）
昭和十五年五月六日第三種郵便物認可
昭和十八年七月二十五日　印刷納本
昭和十八年八月一日發行
（每月一回一日發行）
東京都小石川區白山御殿町一一四
編輯兼發行人　岡戶武平
東京都赤坂區青山南町二丁目一六番地
印刷人（東京一八）岩本米次郎
東京都赤坂區青山南町二丁目一六番地
印刷所　愛光堂印刷社
日本出版文化協會會員（會員番號一二八五二五）
事務分室　東京都神田區神保町一ノ二二　聖紀書房內
東京都麴町區平河町二ノ一
發行所　文學建設社
電話九段(33)三四一〇
振替東京一五六五九八
東京都神田區神保町一ノ二二
發賣所　聖紀書房
電話神田(25)二〇六八
振替東京一二五八八
配給元　東京都神田區淡路町二丁目九番地　日本出版配給株式會社

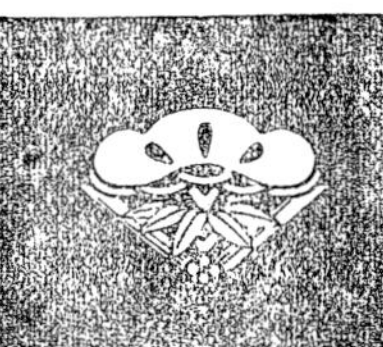

巨篇連發・盛夏八月、大松竹の多彩、豪華布陣！

敵はすぐそばに居る

スパイは貴女の側にゐるのだ！ 恐るべき
米間諜の假面を剝ぐ防諜映畫第三彈！
(演出)原研吉 (脚本)池田・津路・武井
細川俊夫・桑野通子他競演

花咲く港

南海の孤島、浪漫と諷刺に描く人間群像！
(演出)木下惠介 (原作)菊田一夫 (脚色)津路嘉郎
情報局委囑國民演劇脚本
上原謙・水戸光子・小澤榮太郎・笠智衆
東野英治郎・東山千榮子・村瀬幸子・槇芙佐子

サヨンの鐘

素足の娘サヨンの激しい純愛と野性！
臺灣總督府・滿映・松竹共同作品
清水宏作品 (脚本)長瀬・牛田・齋藤
世紀の魅惑★李香蘭主演
他松竹演技陣

北方に鐘が鳴る

風雪狂ふ北海の涯、劍と戀の時代活劇篇！
(演出)大曾根辰夫 (原作)村上元三 (脚色)伊藤大輔
市川光男・酒井猛・海江田譲二・笠智衆
上山草人・奈良眞養・山口勇★木暮實千代

文學建設

第五巻第八號

文學建設

勝利に到達する條件を考へないで、徒らに勝利を急ぐ者は敗れる。雅川滉は、作家が從軍戰記を書いたり、銃後小說を書いたりすることは、戰爭に對して何等功献をするものではない。作家は卽時ペンを折つて戰場に赴き、銃をとつて戰へと云つてゐる。悲しむべき焦燥だ、恐るべき敗北主義だ！

×

從軍戰記や銃後小說に、文學的香氣高き作品の稀なことは事實であるが、その故をもつて現代の文學者に絕望するのは早計であり短見である。これは歷史上經過しなければならない必然の一時代である。低級愚劣な作品を價値あるものの如くに宣傳する一連の便乘作家が、その咽喉を喚きつぶすまで放任して置くがよい。彼等がどれだけ日本文學を高め得たかどうかは、當來の文學史家に一任すべきである。俗惡なる賣名作家の跋扈に憤慨して、雅川滉の如く、文士撲滅を叫ぶが如きは、狂氣に類するものと云はなければならぬ。

×

出版會の企業整備方針は、二つの方向をとるもののやうである。一つは年額五萬斤を最低資格とする企業單位の劃定、他の一つは九部門分割を目標とする出版企業の專門化。

×

出版指導者は、全文化人にこの協力を要請し、活用すべきである。全文化人との、圓滑なる意思の疎通と、相互提携の實なくして建全なる國民文化はあり得ない。

×

部門別整理によつて、事務的能率が何程か增進されることは豫想されるが、機械的專門化によつて當然に起るべき企劃性の貧困化はどうして防止されるのだらう、われわれの危む點はここにある。

×

日本の出版人は、未だ專門化された機構に於て、充分にその企劃性を發揮するほどの能力をもつてゐない。彼等は專門家ではなくヂャーナリストである。彼等を專門出版に熟練せしめ文化各界との密接な關係を確立せしめるためには、一方に企劃の自由性を保留して、出版界全體の企劃性低下を防止しつゝ、一方に於てヂャーナリズム揚棄のための指導を行ふべきではあるまいか。

×

產報が產業戰士のために讀物用の紙を要求したのは、近年の出版傾向の歪みに對する忠告である。國民を考へよ、國民を考へよ、國民一般の文化水準を高めることを考へないで、どうして一國の文化を高めることができようか。

現代文學に於ける歷史精神

東野村章

文學確信の喪失

現代文學といふものは、現代に生きる文學者達によつて築かれる文學のことを言ふのであるべきであらう。古代、中世、近代といふ見方から現代といふ見方があるのであつて、現代文學といへば、現代に於ける文學全般を上から見下すかたちで言はれることが、本當の現代文學の意味するところだと思ふのである。——小說文學に於て現代文學と言へば、今日、必らずしもさういふ見方では言はれてゐない。內容的な面から現代文學といつてゐる。現代を背景とし、舞台としてゐることによつて現代文學と言はれゐる。從つて、歷史文學が新らしく今日見直されつゝあるとき、その歷史文學と區別して現代文學を考へられようとしてゐる。

極言するならば、背景となり、舞台となる時代によつて、小說文學の中になほ幾つかの文學が、それぞれの流れをもつてゐるかのやうに見ようとする見方である。歷史文學には、歷史文學としての一つの流れがあるとなし、現代文學には現代文學としての一つの流れがあるかのやうに見ようとするのである。

背景なり、舞台なりの時代の相違は、嚴密に言つて、幾つかの違つた創作方法や、勉強のしかたがあるであらうが、文學であることにどれだけの相違を見ることが出來るであらうか。文學であるかどうかは、內容の背景や舞台によつて決められるものではなく、まして、文學としての價値がそれによつて左右されるものではない。

文學は文學なのである。しかも、かういふ風に、歷史文學と現代文學を別な眼でみようとする傾向があるのは、文學の新思潮と舊思潮が混然としてゐる現代文學界に現れた奇現象と言ふべきであらう。

が、たゞ奇現象として、これを棄て置くわけにはゆかない。たゞ單に表面的な見方のことに過ぎないやうに思はれてゐるかも知れないが、かう言ふ見方の生れくるところに、現在の文學者の態度の問題があると思ふ。

文學は、時代に緊密な關連をもちつゝ、時代と共に流れ進むものである。文藝思潮の生れ移りゆくところにはその時代の反射するものがあるのだ。從つて、何時の時代にあつても、時代を通さずして文學は考へられるものではない。それは、小說文學は、人間を描くものであると同時に、その人間の生きてゐる社會や、作家の生きてゐる時代を無視することは出來ないからである。作家がとりあげる時代が、作家の生きてゐる時代ではなくて、百年前、千年前であつても、作家の生きてゐるその時代を通じてゞなければ見ることも考へることも出來ないからである。かうして文學は時代と運命的な連がりをもつてゐるが、その連がりが文學に生命を與へてゐるのだ。

かうした時代の連がりとしては、先の奇現象は考へられないのである。奇現象は、時代が生ましめたものであるかも知れないが、文學と時代との平均した結びつきではあるまい。轉換期の激しい時代の波が、文學の足許を掬ひあげるやうな形で向ひあつてゐるのだ。此の現象の、底には文學者の自信の喪失が見られるのである。文學者だと自他ともに許してゐた文學者達の自信の喪失があるのだ。

これまでの（明治以後）文學者が模倣と詩の世界に遊び眞の文學する文學者がなかつたかのやうに言はれてゐることがあるが、それは間違ひであらう。文學に立ち向ひ、文學に熱情をもつて生きてゐた文學者があつた。歐外や、漱石、龍之介などの文學への熱情とひたすらな態度を想ふとき、彼等の盡した仕事の內容的なものは別にして、きびしいものを感じないではゐられないのである。溢れるやうな文學への熱情と共に、强い確信をもつてゐた。主義主張は別にして、生命を投げ出しての文學生活を生活し文學にひたすら向ふ文學者としての態度と決意を持してゐたと見るも、決して過言ではないであらう。

歐外、漱石、龍之介以後の文學者の中にもさうしたきびしい文學への熱情をひつさげて文學した文學者もなかつたとは言へない。が、商業主義的社會の波濤は、多くの文學者の態度を堕落させたのが大勢であつた。其處には、眞劍さといふものが、初期の文學者達ほどに純粹ではなかつたと言ふことが出來よう。そして、その間に、文學の眞の姿が歪められつつあつたのだ。

「この社會に文學が全然存在しないとしても、人間は生活に事を缺かないであらう。現に文學の存在をまつたく意識せずに生活してゐる人は無數にある。また文學の作者も、何のために小説を書くのだと問はれたら困る人が少くはないであらう」と「文藝五十年史」（杉山平助）の冒頭に文學の價値についてこのやうな見方をしてゐるのであるが、考へてみれば、一應かうして、文學も何かの役に立つかたゝぬかを論じねばならない時代であることを悲しく思ふのである。

これも、文學者の文學の確信の喪失を現すものではないであらうか。文學の力は、分明あるのだと信じる。文學こそ次の文化の軸になるものだと信じる。たゞ、これまでの、といつても特に極く最近まで續いてゐた文學者の態度をもつてしては、さう信じることは出來ないのだ。

現代文學が、現代の背景をもつ文學だといふ見方は、文學を知らないものゝ見方であり、商業主義的ジャーナリズムのお客への宣傳文なのだ。だから、歴史文學が今日現代文學と對照的に考へられるといふのは文學を見る正しい見方ではないであらう。

新文學への方法

しかし、今日、歴史文學がさうした見方でも、見られようとしてゐることに對して、新らしい小説文學の方向のあることを見落してはならない。

時代の轉換は、文學にもその激波を與へるものだといふことは今日はじめて言はれることではあるまい。時代と微妙な關連をもつ文學が時代と共に流れをもつことは先にも述べた。が、單にさういふ從屬的な轉換をもつて今日の文學は前進するものではない、もつと激しいものをもつてゐる。明治以後の文學が如何に眞摯な文學者を生んでゐたとは言へ、その流れを伸すだけでは、新世界の新文學たることは望めないところである。

何故ならかつての文學は、文學としたものの中に眞の日本の血が流れてゐるとは言ひきることが出來ないからである。トルストイを、ドストヱーフスキイを、バルザツクを、ジイドを學んできた文學は、十七―十九世紀のあの自由主義社會の中から生みだされた文學を文學としてゐたのである。小說文學は、たゞその時代の鏡やプリズムではない。人間の感覺や思考によつて生れる文學は、その時代に於ける見方を越えることは出來ない、であらう。

人間の永遠に連がり續く、人間としての永遠性が、人間性を根底にもつ文學の永遠性を築くのであるが、その人間を見る見方は、その時代の流れの中にあるのだ。トルストイも、ドストヱーフスキイも、バルザツクも、ジイドも、その時代の自然主義、自由主義の見方から見てゐるのであつて、その上にそれぞれの作家の人間追求があるのである。

四月に開かれた文學報國大會で、トルストイや、フローベルのやうな作家の作品に匹敵する作品を日本の作家は一人も書かなかつたといふことを殘念さうに石川達三氏は叫んでゐたが、純然たる自由主義國でない日本に於て、なほ、彼等の創作について勉强してみたところで、彼等の作品を尺度として匹敵するものが書かれなかつたのが當り前で、むしろ書かれなかつたことの國民的相違を考へねばならないであらう。

文學の文學たることに變りはないであらう。今後、幾百年經たうとも、文學の文學たることには變りがないであらう。が、文學を生むところの眼に變りがあることを言ひたい。

大東亞戰爭による新世界の確信は、日本人の胸に燦然たる光を輝かせてゐる。それは自由主義への戰ひではあつても反逆ではない。二千六百年の歷史を重ねてきた日本には、日本の眞理があり、日本獨自の見方がある。八紘一宇の理想は、日本の哲理の辿りつくところである。

日本主義をもつて、日本の見方をもつて、トルストイや、ドストヱーフスキイや、バルザツクや、ジイドに立ち向ふことによつて、はじめて彼等に匹敵する、いや、それ以上の文學が生れることを信じて疑はない。

今日の日の重なりが、その新世界への戰ひの日にあることを想ふとき、文學者が自ら、文學の價値について立騷いでゐるときではあるまい。文學へのひたすらな熱情を、いまこそ燃え上らすときではあるまいか。

新文學が唱へられてゐるのは、文學が武器的な價値をもたないといふことによつて、自信の喪失を齎らし、混亂と行きづまりを招いたことへの打破、言ひかへれば切り拔けようとする足掻きだけではないと思ふ。それこそ自由主義を土台に築かれたかつての文學への戀々たる表れ以外の何ものでもないであらう。時代を通じて新文學を考へるとき、明るい世界の開かれる美しさの中に、輝かしく大いなる理想を抱いてゐると考へられるのである。

日本獨自の見方をもつて新文學を考へてこそ、かつての外國の文學以上の、眞の新文學が生れることを確信する。既に、幾つか唱へられてゐる新文學への言葉の中に、われわれはその意氣込みを感じるのである。

しかし、新文學に對しての言葉は、今まで見るところ非常に斷片的である。しかも抽象的である。これらは、まだまだ周到なる整理と斷定のもとにより明確なる方向が築かれてゆくことであらうが、いま、眼に觸れた新文學への言葉を解剖してみてゆかう。

澁川驍氏は「試練と作家の自覺」に於て、第一次世界大戰當時、ハンス・カロッサが戰線を馳驅する間に「幼年時代」を書き續けた。戰爭の最中に於てどうしてかういふ時期はづれな作品が書かれたかを探り、それはカロッサ自身が回想してゐるが、幼年時代の生活が、それまでの生活で最も眞實なものであるといふ斷定の下に、その眞實なものに觸れんとしようとしたのであつて、このことから「自己に不忠實な態度」が沈滯を招いてゐるので、畢竟「眞實探究の精神の强靱さ」がなければならないと述べ「いかなるものが最も眞實であるかを識別することにある」と言ふのであるが、この一文を通じて感じられることは、その眞實探究が、トルストイのもつた同じ方向をもつての眞實探究であることだ。近代西洋のもつた「人間」の個の發見の時代に於ける探究、あれだけが眞實へ向ける眼鏡であらうか。文學がもし、絕對にあゝした眞實探究をもつてしか眞實をみることが出來ないとするならば、それより道がないであらうが、それをもつてしては、トルストイらの過去の作家達と別な識別の發見以外に新文學はないことになる。澁川氏は、學んできた文學の中から拔け出てはゐないところから、さういふ文學觀が生れてきたものと思はれるが、果して、先に述べたやうに「見方」が依然として舊態の中にあつて新文學を望むことが出來得ようか。

近代西洋のあらゆるものゝ根底をなした、個人主義、自由主義の見方を離れるならば、眞實探究は無論新文學の條件の一つではあらう。

福田恆存氏も、矢張り澁川驍氏のやうに「眞實探究」が、現今の日本の小說文學に一番不足してゐるといふことを捕へて、「世の屈辱と辛酸をなめつくし、あらゆる醜い我のせめぎあひのうちに住しながら、なほそれらを超えてなにものかを造型し、後人に正しく自分の姿を語り傳へようといふ激しい意志に僕は信頼したい」と言ふ。作家は「完璧なる人間」の志向なくしては作品の一人の凡人をも眞に描けるものではない。それを眞に描くことは「描く技倆と年齢との深い結びつき」にあるとしてゐる。

新文學が、眞に人間を描くべきものでなければならないとすることには異議はないが、その眞たるものゝ見方に問題があると思はれるが、それには觸れてはゐないのである。

大體、知識的文學的インテリゲンチヤは、この戰爭に對して、觀念に對する外者であり、對象であるかのやうに、自己批判と再生の手段にしてゐた。佐々木基一氏は、「私たちはただ戰爭といふ現實を唯一無二の現實としてその中に生き、そこで行爲すること以外にはなくなつた。かゝるとき私たちはすべての問題を、國家の運命と國民の運命とに結びつけて考へ、解決する以外には如何なる現實的解決も期し難い。文學の問題の殆んどが單にインテリゲンチヤの問題として追求されて來た傳統が決定的に崩壞し始めたこと、その代りに國民的基礎が文學の直接の條件として登場して來たこと、これが新文學の眞に新しい條件であらう」と言つてゐる。

國民的基礎が文學の直接の條件として登場して來たこと、此處に新文學の方向の一つがあると言はれてゐる。澁川、福田兩氏のものは、此處までも辿りついてはゐないのではあるまいか。舊文學から全くの連がりを解いて飛び上り、文學を改めて見下すことが先づ最初の新文學への方法であり、其處から國民文學の愚考の基礎を發見しなくてはならないのである。

文學の革新

知識的文學的インテリゲンチヤの灰色の吐息が、まだ文學界から跡を斷つてゐるとは思へない。それらによつて文學者としての位置を與へられた文學者は、つとめて（と見える）國民文學の問題から離れようとしてゐるのは如何してゞあらうか。既に繰返したことであるが、舊文學の發展としての新文學をさうした人達は考へたいのではあるまいか。

が、それは到底望めないことであらう。さういふ考へ方をもつてするならば、澁川氏や福田氏の思考からさう多くを出ることは出來ないであらう。

新文學は、文學の革新である。舊文學の根本的な革新――は、新文學への理想と熱情と意欲が熾烈であればあるほど、このことはきびしく斷行されねばならないであらう。文學雜誌が依然としてかうした中途半端な、煮えきらぬ態度を持してゐることは、それを意識するとしないとにかゝはらず將來きびしく糾彈されねば置かれないであらう。

文學雜誌が眞劍にとりあげるとりあげないは別にして、新文學は文學の革新として文學界に今日大きな波をもちつゝあることは事實であらう。舊文學の根本理念から一歩も出ないものでありながら、新文學の言葉だけを投げるやうな態度を持する文學者があるとは云へ、それが凡てゞはないことは明らかである。

新文學の熱望を此處にあらためて繰り返す必要もあるまい。新文學は絕對的なものであつて、要望の時期は既に過ぎてゐる。新文學の確立は、聲のみの問題でないことは明らかだ。

舊文學を解剖して、其處から築きあげる方法も、そのことは言はれながら具體的に方法の中に突入していつた文學者は少ない。

國民文學が叫ばれたのは、舊文學にはなかつた新らしい文學の擴がりであることによつて重要なる課題となつた。國民のための文學は、文學の孤城固守の獨善的足場を崩れさせ其處から國民の手に還された。文壇文學の排斥は、新文學への一歩を踏みだしたのである。文學革新の第一歩は此處に踏みだされたのである。革新は、單に文學作品の上のみではなく、文學者自身の足もとからの革新であつた。いつさいの革新があつてこその新文學であるからである。

當時、國民文學に就いては多くの議論があつた。異議を唱へる者の中に二つの立場がみられた。一つは、國策協力の宣傳文學として國民への擴がりを低い讀物だとし、いま一つは藝術性を主張し、文壇文學に飽迄依存しようとしての無關心をもつてこれに對したものである。

國民文學は、文學革新の第一步であつたので、さうした異議を唱へるものは、文學者としての位置の崩壞を意味するものであつたことは、今日までの時間が物語つてゐると思はれる。眞摯な、眞に文學を愛する文學者は、國民文學とも眞劍に取り組んで見てゐたのである。

國民のための文學——物語性の保持——文學の本質と表現技術の均等——獨善的文學の打破——等、國民文學としての條件は、どれもみな新文學の基礎的思念に發して叫ばれたのであつて、同時に作品への實踐に努力は向けられてはゐたが、國民文學提唱と同時に提言された條件は、さうした新文學（日本小說文學）の全くの基礎的條件であり、形骸であつたので、それがたゞちに作品に影響するとしても完全なるものとはなり難かつた。

近時、新文學として唱へられてゐることは更に內奧への追究にあると見られるのである。新文學がどういふものとならなければならないかといふのが、國民文學提唱に於ける理想の統一であつたので、最近の新文學は、さうした國民文學に於ける條件を基礎として、文學の核心に流れる精神、或ひは創作以前の作家が對照へ向ふ態度の追究にあるといふことができやう。

現實の歷史的把握

かういふやうに新文學に對して、國民文學提唱は大きな役割りを遂げつゝあるのであるが、それは飽迄、先の條件を土台とするものであることは言ふまでもなからう。

歷史文學が、新らしい勢力をもちつゝあるのは、現代文學の無力さに比較して、より强く高められて見られつゝあるのであるが、これは、リアリズム文學にかはる文學以前の問題のあることを考へねばならない。

リアリズム文學とは、現實直視の文學とされてゐた。しかも、その現實を捕へるといふことは、自由主義、個人主義の流れを汲む直視の態度であり、暴露か何らかの批判がありとすれば、暴露的惡の批判が感傷的にとりあげられてゐて、多くは現象の羅列に終つてゐたのである。その現實直視の態度は、日本的な何らの根據あるものではなく、西歐的思念に據つてゐることは明らかである。多くの西洋の文學者の辿つた道を尊奉してゐるに過ぎない。もし、それでなければ、描寫、表現の技術的面に於て、文章的藝の陶醉の中にあつた。

國民文學の條件は、日本小說文學の絕對的條件であつて、リアリズム文學は今日世の受け入れるところでないばかりではなく、日本小說文學として撮ることの出來ぬ文學である。また、文章的藝の陶醉は「韻文文學の脈を引くものであらうが、文學としての批判も小說としての條件もなく、文章的巧さに藝を見ることはひとつの行き過ぎであつて、文學的價値をこの藝に集中することは完全な態度ではあるまい。が、現文壇的狀勢をみるとき、この流れは、侮り難い執拗さをもつてゐるかに見えるのである。

さて、歷史文學に戾るが、素材主義の傾向が（芥川、直木賞の偏見的詮衡の齎した非文學的な傾向）歷史文學に於ける史的素材の特異性をのみ見ようとしてゐるところがあるが、歷史文學が、何等かの力をもち得てゐるとするならば、史的素材の特異性にあるのではなく、歷史事實の把握の仕方にあるのである。

かつてあつたところの事實を、現代の眼をもつて見るといふだけであるならば、歷史文學は今日さほどの注視を受けるものではなかつたであらう。

史實を信じると同時に、史實の歷史的存在性を見ることに歷史文學の新文學のもつ意欲のひとつを果してゐるとみられるのである。歷史文學の歷史は、史的事實の歷史ではなく史的事實の歷史的把握にあるといふことが出來よう。

此處で考へられるのは、現實を歷史的流れの中に見るといふことが、歷史文學にのみ許された見方ではないといふことである。

「この前は戰爭をああいふ風に描いたから今度はかういふ風に描いてみようとか、違つた描き方をしようといふ、さういふ考へがまるで浮ばなかつた。結局自分が大きな歷史の流れの中に在ることを反省し、その責任を感じるといふことで一生懸命だつた」と火野葦平氏は、「新日本文學の出發」（文藝五月號）といふ座談會で告白してゐるのであるが、今日の現實は、このふと浮んだまゝの告白にあるやうに「大きな歷史の中に在ること」として見なくては、正しく見ることは出來ないといふことを感じるのである。

現代文學が、現代を描く文學であるとしても、捕へる現代の樣々の在り樣が、歷史の流れの中に在ることを見ずして、分明と摑み得ることが出來ない事實を、この告白は示してゐるのではあるまいか。

火野氏は、深く氣にもしないで語つた。聞く者(阿部知二、石川達三、高見順)も、殆ど氣にしないで話を進めてゐるのだが、後に氏は「歴史への責任」(讀書新聞七月三日號)なる小論に「歴史のながれに身をゆだねてゐることはたやすい。しかし歴史をつくりだすことは百練の意志を必要とする。いかなる苦難があらうとも我々はそれに屈してはならない。歴史への責任を痛感することによつて、不拔の勇氣のわきあがるのを覺えるのである。これは私にとつてはそのまゝ、文學の問題である」と述べ、「歴史の流れの中に在る」ことの反省だけではなく、「歴史を肉體として生きてゆく決意を持たなければならないのであつて、したがつて、歴史を作る意欲と確信と、同時に、その責任をもたねばならない」といふ態度の出發にしてゐるのである。

氏の「歴史創造の確信」とは、二千六百年を通じて流れてきた日本精神の發見にあつたことが感じられるのである。

現在を、歴史發展の過程として見ること、この、現實把握の態度が、新文學の態度としてあるのであつて、火野氏の「創造」もこの態度への發見に連がつてゐると見られ得る點で、注目されるのである。

「國民文學の根本條件が、國民的傳統にかゝつてゐるかぎり、それは當然に歴史と新史觀にふれて來る。作家は、歴史の末端の現象描寫に終始してはゐられなくなる。リアリズムの狹小な限界線が、大文學を不可能にしてゐたといふことが自覺されると、それは當然縱に、歴史へ向つて解放される」(歴史文學の進出――村雨退二郎氏)と、單的に、現實への態度が喝破されてゐる。現代文學のゆくべき道は、此處にあることを信じるのである。

現代文學に於ける歴史性とは、創作以前の現實把握に於ける歴史的思考を言ふのであつて、歴史文學の歴史時代を追究するところの史觀と相通じるもので、歴史文學の歴史時代と現代文學の現代を把握する、把握の精神にあるのである。

消　息（1）

中澤巠夫氏　『初一念』(長篇小説)を松和出版社より、『妻への手紙』(研究)を皇國青年教育協會より各近刊。

山田克郎氏　『美しき魂』(短篇集)を山海堂より既刊された。

マライの支那人（四）

海音寺潮五郎

映畫にあらはれた啓蒙主義

「胡蝶夫人（ウーテフフーヤン）」の最後のくだりにおいて、バタフライは、故國の婦人と結婚してその新婚旅行のために再遊してきた男と再會する。原作では、彼女は、自分の生んだ娘を男にわたした後、男の寫眞と男の常用してゐたスリッパとを抱いて自殺することになつてゐるが、支那製胡蝶夫人は、召使ひに子供をつれさして遊びに出しておいて、自殺するのである。全然子供の將來のことを考へてゐないのである。僕は見落しではないかと思つて三回もこれを見に行つたし、その三回目には支那語の通譯氏を同行した。やはり、子供の將來に關しての考慮はないさうである。製作者が凡庸だからといつてしまへばそれつきりのものだが、日本ならどんな凡庸な製作者でも失念するはずのないことである。僕は、支那人の子供にたいする愛情がどんなものであるか、髣髴されるやうな氣がした。（支那人の親子關係については後に章を立てて書くつもり。）

「戀愛經」といふ映畫があつた。この映畫にかなり子役で出演してゐる朱小梅といふ女優はコーランポーにゐた。戰前、マライの興業者に招かれてあいさつに來てかへれなくなつたとかで、酒席に招かれて歌をうたつたり、酌をしたり、いはば日本の藝者のやうなことをしてゐた。この映畫のなかに、こんな場面があつた。若い男女が戀におちた。双方の家庭でもいい緣と思つて結婚させることにしたが、その交渉の場で、双方の親が殺氣立つくらゐ互ひに昂奮して、なにやら論爭した末、たがひに愉快げにわらつて婚約が成立した。

「あれはなにを論爭してゐるのです。」

同行の通譯氏に聞いてみたところ、結納金、持參金、持參の荷物等に關しての論爭だといふ。そんなところに重點のある映畫ではなかつたのであるから、これはきはめて一般的な習慣描寫として點出されたものと思はれる。露西亞の昔の小說を讀むと、きはめて紳士的ではあるが、嫁の持參金の問題で、聟と舅とが折衝する場面がよく出てくるが、日本ではあつてもきはめて稀で、かつ、きはめてひかへめになされることである。殺氣立つて口角泡をとばして交涉するなど聞いたことがない。そんな家に大事な娘をやるものかとなることうけあひである。勘定高く、そして物慾に旺盛な彼等の性格をうかがふに足ると思ふ。

巴金の小說「家」の映畫化されたものも見た。この映畫はかなりに重要なものを僕に學ばせたが、これも、後に章をあらためて書きたい。

「白蛇傳」

支那傳說に多い動物婚傳說の新解釋映畫である。

ある名家があつた。たくさんの娘がゐる。大家族制度のことだから、その娘等は姉妹といふわけではない。主人の娘はひとりで、あとは表姉妹達なのである。いとこのひとりに戀人があつた。その戀人が邸內をうろうろしてゐるところを主人に發見されて、娘のへやに逃げこんだ。主人はこれを追つかけてきた。男はうまく逃げ去つて捕へられなかつたが、いとこをあはれと思つた娘が實を告げなかつたので、主人の疑惑は娘にかかつた。主人はこれをどう處置したものかと迷つて、かねてあつく歸依してゐる高僧に相談した。高僧は家の名譽をまもるために娘に毒を進めよといつた。夜半、青玉の小さい器に盛られた鴆毒が娘のへやにもたらされた。娘はおとなしく服毒する覺悟をきめたが、表姉妹たちは、娘に女中をつけて逃走さした。家出した娘は途中病氣になつて、荒廢した祠廟を假の家として病を養つてゐると、ある日、俄雨に降られた若者が逃げこんできた。あれはてた堂守の奥にすまひしてゐる美しい娘を見て、若者ははじめは妖怪ではないかと思つたが、すぐ疑ひを解いた。女中は若者にたいして、主人が病氣である由を告げて、藥の持合はせはないかといふ。都合よく、若者は藥屋の手代だつたので、診察した上、持合せの藥をめぐむ。雨がやんで、若者は、またまゐりませうといつて立つた。その後、女中は娘にたいして、あんないやみのない禮儀正しい人は當節めづらしい、お孃樣もかうして賴りない身の上なのだから、ああいふ人と結婚なさるべきだと說く。娘は、父の許しもなくそんなみだりがましいことはできないといふが、女中が、お父樣のお許しなどとそんなことをおつしやつても、あんな頑固なお方が、しかもあれほどお怒りになつてゐる御機嫌がとけようとは思はれない、そんなことをいつていらつしやると、今に道路に餓死されることはうけあひだといふ。とうとう、娘は女中のいふことにしたがつた。――かういふ工合に、女中がお孃さんの戀のなかだちをしたり、不義をすすめたりするのは、昔と今を問はず、支那小說の常套手段なのだが、現實においてさうだからなのだと思ふ。そして、これは支那の都會や家庭が、封建の殘骸を多分に存してゐることにも關係があるらしい。

つぎの日、若者がきた時、女中は主人の意を若者に告げた。若者は意大いにうごいたが、自分はまだ人に雇はれてゐる身分であつて、妻を養ふ資力がないといふ。娘はたづさへてゐた金銀珠玉の裝身具を出して、これを賣れば店を出すくらゐのものはあらうといふ。ふたりは結婚して、目ぬきの賑やかな通りに大きな藥種屋をひらいた。大へんな繁昌である。ふたりは幸福だつた。ところが、その藥種屋の向ひに以前からある藥種屋があつたが、新しくできた店に人氣をとられて、ちつとも繁昌しなくなつた。賣行きがわるいので、なかには腐敗する藥種もある。しかし、主人はそれを科學的には考へない。向ひの店の妻君はあの荒廢した祠廟でひろつてきた女なんだから、妖怪にちがひない。そのあやかしによつて、おれの店の藥が腐敗するのだと考へて、道士をよんできてはらひをしたり、向ひの店に出かけて行つて調伏をこころみたりするが、一向にききめがない。業をにやした主人は、調伏の手段として、牛馬豚などの血をたくさんの容器にあつめて、それをその店にあびせかけるなどといふ亂暴をはじめた。野次馬がそれに加はる。店はさんざんにあらされた。男は憤慨して訴へ出るといきまいたが、女はことが表沙汰になると自分がばれて父の迫害の手がのびるにちがひないと考へたので、百方男をなだめて、ほかの土地に移つて店をひらくことにした。新らしい土地でも商賣は繁昌した。ふたりは幸福であつた。しかるに、ある日のことである。ふたりが町を歩いてゐると、父の友人である高僧の說法があるといふ建札が立つてゐた。有名な高僧なので、男はそれを聽問に行かうといつたが、妻は贊成しなかつた。言ひ爭つてゐる時しも、來かかつたのが高僧である。すぐ女に氣がついた。女は色をうしなつて歸宅した。男も一緒に歸つたが、間もなく、高僧が訪ねてきた。主人にあひたいといふのである。女は夫に會はないやうにと嘆願したが、妻の樣子に疑惑をもちはじめた夫は、ふりきつてあふことにした。

「そなたは妖邪に犯されてゐる。しばらくも猶豫することなく、この家を出てわしの許へこい。しからずんば、遠からずして黃土に歸するであらう。」

と高僧はいふ。男はおぞ毛をふるつて高僧のいふ通りにした。女は自分の幸福を破壞するこの高僧のしわざが憎くて、わざわざ寺まで出かけて行つて難詰して、夫をかへしてくれといつたが、高僧はきかない。

「わしは御父上の名譽をまもつてあげるのだ。」

といつて、父の許に送るために娘を捕へようとする。娘はやつとのことで逃れた。間もなく、男女はまた一緒になつて、子供まで生んで樂しい日を送つてゐたが、長くはつづかなかつた。きびしい父の探索の目にかかつて、生木を裂くやうにひきさかれて、男は狂死し、女は子供だけを乳母の手にのこして、生きながら屍となつて高僧の住持する寺の高塔のいただきに幽閉された。子供は白蛇の子であると人々につまはじきされながら育つたが、非常な秀才である上に、母に會ひたいといふ望みがあるので必死に勤學して、つひにりつばな官吏となり、朝廷の許しを得て塔をあけた。いく十年の年月がたつてゐたが、母は生きてゐた。子供は母を伴ひ去らうとしたが、母は明朝改めて迎ひにくるやうにといつて子供をかへした後、子供のさかんな行列の有樣を塔上から望見して、今日この世に思ひのこすところなしとて、塔下に身を投じて死ぬ——

この映畫を見て、誰でも氣がつくのは、迷信にたいする啓蒙的解釋、迷信と形式的封建道德にたいする痛烈な抗議である。この映畫は、僕の知つてゐるだけでも四回も上映されてゐるが、その度每に相當な入りであつたところを見ると、支那人の胸にかなりに强く訴へるものがあると見なければならないだらうと思ふ。

迷信にたいする啓蒙的解釋の映畫はほかにもあつた。「狐媚傳」といふのは、ある淫奔な美女の生涯をゑがいたものだつたが、これを世間では妖狐だと思つてゐたといふテーマのものだつた。

ここで思ひ出すのは、昔日本でさかえた菊池寛、芥川龍之介氏あたりの合理主義的テーマ小說である。支那の一般文化人の頭の水準は日本のあの頃なのだともいへるし、また、さうしたものを必要とする程度の社會的條件なのだともいへるであらう。

ばけもの映畫

インテリは別として、一般支那人はマライのやうなひらけたところにゐてさへずゐぶん迷信的である。支那人のなかには鯉を食はない者がゐる。なぜたべないのだ、君等の國の料理には鯉の料理はつきものではないかといふと、

「鯉（リユイ）は龍（ロン）になる魚である。だから食はない。」

と大まじめで答へられたのには口がきけなかつた。

コーランポーで共産黨分子がとらへられて處刑梟首されたことがあつたが、その夜偶然にもつむじ風がおこつた。支那人等は、

「これは彼等の靈のたたりである。」

とこはがつた。そんなばかなことがあるものか、彼等は罪あつて處刑されたのである、そんなものがたたりをするはずはない、つむじ風は偶然の一致にすぎない、といふと、彼等は、

「たとへ罪あつて處刑されたものであつても、非業にして死んだ者の靈はこれを『厲鬼』といつて、かならずたたりをなすのである。」

とこたへて、おそろしげに肩をすくめたのである。

「半夜飛屍」といふのは純然たるばけもの映畫だつた。現代ものだが、幽靈が美女にばけて男をたぶらかし、最後に道士のために調伏せられて、瓢箪の中に吸ひこまれて封じこまれるといふいたつて支那式の怪談ばなしを諧謔を以てはこんだものである。高瀬實乘に似た頸の長いのつぽの俳優がたぶらかされる男になつてなかなかの快演伎を見せる。幽靈美女が自分の首をすぽつとぬいて卓上にのせて、髪をくしけずつたり、化粧をほどこしたりする場面がある。首のない女がそんなことをするのだからはなはだ奇拔である。觀衆一同、あつとさけんでかたづをのむ。そのさけびは單純なおどろきの聲ではなく、恐怖のまじつた聲である。しかし、かういふ映畫があるからといつてわらへない。日本だつて、つい兩三年前までばけ猫映畫だの狸合戰だのといふ類をつくつてよろこんでゐた會社もあるのだから。

支那は變りつつある

「魚腹劍」

史記の刺客列傳中の專諸傳を脚色したものである、史記に

はかうある。

楚の呉子胥は父兄を楚王のために殺されて呉の國に逃げた。父兄のために楚を伐つて仇を報ぜんとして、呉王僚に楚を伐つことをすすめた。王は意大いにうごいたが、若き公子光は楚王に、呉子胥がかかることをすすめるのは父兄の仇を報ぜんがためであつて、呉國のためを思つてではないのである、と說いてこれを中止せしめた。呉子胥は、公子が王を殺して自立せんとする志のあるのを見て、これに接近をはかり、その謀臣となり、專諸をすすめた。專諸は勇を以て鳴つた男である。公子はよくこれを待遇した。後九年、呉は楚に兵を出したが、後方の連絡を絶たれて呉軍は歸るに途なく大いにくるしんだ。この虛につけこんで、公子は王を殺さんとはかつて、王を我家に招待した。專諸は匕首を燒魚の腹中にひそめ、自ら持つて出て王の前に至り、急に起つて王を刺殺し、自身も左右の亂刄に下ひ仆れた。公子自立して王となる。これを呉王闔閭となす。

これが、映畫ではかうなる。

呉王僚は暗愚で奢侈にふけつてゐるので、內は國政大いに亂れて民苛政に泣き、外は連年他國の侵略を受けて國勢萎靡してゐた。若き公子光はこれを慷慨してゐたが、楚の亡命客呉子胥の賢を聞いて禮遇はなはだ至つた。呉子胥は國內を周遊して公子のために豪傑の士を求めてゐたが、ある日のこと、非常に勇敢な若者を見た。その若者は農夫だつたが、軍規まるで弛怠した軍隊の兵士等のために自分の妻が拉致されようとするのを見ると、鋤をふるつて叩きまくつて追つぱらつた。この若者が專諸である。呉子胥は專諸に請うて交りを許し、さらに兄弟の契りを結び、專諸の母を自分の母としてつかへた。かうして、恩義のかせにかけた後、同志にひきいれた。呉の國內に革命がおこつた。老王は斃れ、姦臣共は誅殺されて、公子光が王位をついだ。新王のもと、呉の國威は張りはじめたが、これを以て自國の憂患とした楚は侵略の軍をすすめた。呉軍はよく戰つたが、いかんせん、呉の力はまだこれに抗するに十分でない。呉國は危難に瀕した。呉子胥は專諸に告げて、

「誰か一身を挺して呉國のために楚王を刺す者はないか。」

となげく。專諸は慨然として、先生は余のあることを忘れたかといつた。呉子胥はこれを壯としたが、その老母あるを憂へた。隣室にあつた老母は出て來て、決して自分のことは

心配してくれるなといふ。その時、專諸の若き妻は子供を生んで間がなかつた。專諸は子供を抱きしめてこれに口づけした後、愛着を絕つて家を出た。その時、母は自ら胸を刺して自殺し、

「わが子よ國難に死せよ。」

と遺言した。悲壯な感慨に胸をしめつけられながら、專諸は故鄕を去つて遠く楚の都におもむき、料理人にばけて、煮魚の腹中に匕首をかくして、楚王の宴席に自ら持つて出て、不意に起つて楚王を刺した。ために、楚軍は潰え、呉は國難を救はれた。

烱眼なる讀者は、すでに氣づかれたであらう。この映畫にはかなりに抗日的なにほひがある。呉王の驕奢菲政は舊政權のそれ、軍隊の橫暴は舊軍閥のそれ、若き公子光は蔣介石、革命は北伐、楚との戰爭は日支間の紛爭——とかう考へてくると、その意識あつて製作されたものではないかとの疑ひは油然と湧いてくる。しかし、觀客はのんきなものである。ただ面白さうに見てゐるだけで、さうした意味での感じかたは一向にない。それで、僕もあまり神經質になるのもどうかと思つて別に上映禁止の進言もしないですましたのだが、それ以外にこの映畫で僕の感じたことはかなりに重大であつた。

恩義をかけておいて後に自分のために死なせるといふ手は支那的のものである。史記や漢書の刺客列傳を讀むとやたら出てくることである。しかし、母が自分の子の首途を壯にするために自殺するなどいふことは、日本ではいくらでもあることだが、支那では聞いたことがない。孝をあらゆる德目のうちで最上位においてゐる支那では、父母の生きてゐるかぎり、さういふことは絕對にひきうけない。世間もまた依賴しない。たとへ恩義ある人の依賴であつても知らぬ顏をして、父母を養つてめでたくあの世におくりとどけてから、今日思ひのこすところなし、義のために死せん、となるのである。しかるに、ここでは國家にたいする忠誠が孝の上におかれてゐる。支那道德史上の大變革といふべきである。支那は變りつつあると僕は感ぜざるを得なかつた。　（つづく）

消息（2）

村雨退二郎氏　『炬を翳す』（長篇小說）を忠文館より近刊。

海音寺潮五郎氏　『赤穗浪士傳』（短篇集）を聖紀書房より近刊。

岩崎榮氏　『パゴダの鐘が鳴る』（長篇）を海洋文化社より近刊。

考證隨筆

屋敷明渡の風格

中澤巠夫

幕末の志士たちは、それぞれ數奇な運命に逢遇してゐるが、特に水戸藩の人達位、有爲轉變を重ねたのは少なからう。

武田耕雲齋などは、一生の内に何度も蟄居を命ぜられた。と思ふと、何度も參政に任ぜられ、又玉顔に咫尺に接し御陪食の榮を賜るかと思ふと、筑波の義擧に捲きこまれ、遂に越前敦賀で斬首されるといふまことに變轉常なき一生であつた。

幕末の志士たちの家信を集めて見ると、屋敷明渡しの心得を妻に敎へてゐるのも、水戸藩士に多い。

屋敷を召上げられ、小さい換屋敷地を與へられるのであるが、その人によつてその場合に處する方法がそれぞれ風格があつて面白い。

戸田銀次郎忠敞（たゞあきら）は、弘化元年五月、藩主齊昭が幕譴を蒙り隱居謹愼を命ぜられたとき、家老としての責任を問はれ、蟄居謹愼を命ぜられ、七月に家祿屋敷召上げられ、三十人扶持を與へられて、その時銀次郎は江戸藩邸の長屋に幽居してゐたので、國許の息子龜之介に屋敷明渡しの心得を申送つたのである。

弘化元年七月四日付、龜之介宛書翰の一節である。

一、屋敷揚り候はゞ…

一、疊建具不殘其の儘に上（あげる）にも不及事と存候、杉戸などはふすまと立替引渡ても可然候

一、障子なども十疊と六疊の分は取候てなんのためにも持送り候而可然候

一、疊も書院の分は上げ候而勝手の方よりくり上げしき込有之候へば不苦と存候、上り屋敷は二間さへ疊を具有之候へば宜敷ものと心得居候間不殘其のまゝにも不及候樣存候しかし餘り如何敷候而も不宜敷候に付ほとよき處に御極め被下候樣御親類方へ御賴可申事

一、玄關前は石も手を不付上ケ可申事

一、庭前飛石類は書院庭前のよろしきよう石の分隣家へにても賴み跡はその儘に上げ候方が石など取候あとを平分によくそうじいたし上度候

一、ふ呂場は如何にも見苦しく候間ふろかまど下の石をはがし移り候屋敷へ送り脇の火たき場板にて張り候處靜かに取崩し引渡度候事

この手紙によると、屋敷を明渡すときには二間だけ疊が敷いてあればいゝ事に、大體きまつてゐたものらしい。

弘化二年二月、忠太夫に對する監視は一層嚴重になつて、小梅の下邸の水主長屋を改造した蟄居屋敷へ押し込められると同時に水戸の本邸は召上げられ、松並の換屋敷へ家族達が移ることとなつた。

同年三月七日付書翰に、移轉の心得を再度申送つた。

一、十日後松並にうつりに相成候かのよし、

屋敷のことなどはいづれにてもよろしきことに御座候間御心あしく思召さゞるがよろしくいさぎよく御うつりがよろしく候、玄關より書院、台所より十疊の間迄はたゝみのよしあしはいづれにてもよろしく候に付しきかい候而右の所はしき込上へ上げ候樣いたし度存候、たて物も右のまのぶんはそのまゝ上げ候樣十疊のとこへは櫻の花にてもいけその脇へ長のしを三ぼふへのせ、三ぼふ無之候はゞぎんだいとか新しきぜんへのせて引渡し可申候、その外げんかん前より庭までよくそうじいたし上げ候樣見ぐるしきものは無之樣に取かたづけ可申候事

一、十疊ふくろ戸もそのまゝおき可申候内に入おき候ものは取かた付可申候

床の間に花をいけ、三寶に熨斗を載せて、引渡すやうにといつてゐるのだが、武家の作法の奥床しさが感じられる。

戸田忠太夫と同時に、藤田東湖も、御側用人として同樣の憂目を見たのである。

一、屋敷上ケ候節戸障子のくりかへ等のかげん御親類方等如才は有之間敷候共あまりはげしくいたし又こしらへ候而收め候樣にては馬鹿なり又あまりりつぱにあげ候迚も明き屋敷に相成候内さん／＼に相成跡にて受取候人別而かたじけなきども不申候ゐきもなき事此かげんかん用と存候先年覺右平上げ候節疊（證か）戸障子等はどの位のふりにいたし候哉内匠を御聞被成候はゞ相分り可申候

一、御いん居の分は戸障子は勿論疊其外不殘ほれ計にいたし是は當夏ふしん中ちつ居さわぎにてぞう作いまだ出來不申由申立候而可然哉

すべて雨戸類は新しきの分不殘取置次の間奥の方は雨戸なしにいたし右雨戸を生敷通りへ廻し納め候樣可然哉

一、だい所のわき物置抔も取置跡をざつと古戸にてもかこひ置可然哉

疊も新とこの分は不殘取候て側の御ふしん方もの敷込可然哉

東湖はさすが貧乏育ちだけに、仲々こまかい所を見せてゐる。

（當夏中ふしん中蟄居さわぎにて造作もいまだ出來ませんと申立てるがよろしからう）

などと、言譯まで考へてやる所は、いかにも苦勞人らしい。

弘化元年九月二十四日付、母宛書翰にも

一、梅香は玄關并に四疊半、對談場此の三間は更に手をつけずりつぱにあげ候はゞ跡は大ていかたづけ候而よろしく御座候いづれせけんなみ可有之候あまりこはし過候而は恐入候間可然奉願候

但對談場と書齋の間の杉戸は御引かへ可被下候

一、疊戸障子等一がいにせり拂いたし候はゞふまれ可申去乍ら長く置候へば誠に益もなく候は可然奉願候

文中、對談場は應接間の意味、玄關及玄關附屬の四疊半、應接間だけは立派にして後はしかるべくやれといふのだ。

櫻田義擧の首謀者高橋多一郎愛諸（よしゆき）が、萬延元年二月十八日、義擧快行の日蟄居中に家をぬけ出して、脫藩上府した折の妻お銀への手紙にも、この問題が書かれてある。

屋敷引上に相成候はゞ一間はしよふじ等張かへ疊もきれいのへり付を敷込懸物は櫻に瀧の畫の軸宜く御座候槍甲冑並愚詠の詩歌而已にても宜く候ふすまの裏張には辰年御國難の節他所文通も可有之よき樣にはめ替

可中候其外大嵐之朝のよふに取荒らし申間敷候……

なかなか奥床しい所がある。床の間に槍甲冑を置き、自分の詠じた詩歌の軸、又は櫻花の軸をかけて引渡せといふ所、戸田逢軒のと一筋通ずる所がある。

以上三通の手紙で、屋敷明渡しの心得といふやうなものが、大體きまりがあるやうに思はれる。私は親子二代の借家住ひで、又、親子二代に渡る移轉好きで、よく轉々として越して歩きもし、又自分で引越もやつたが、おふくろが、よく「立つ鳥跡を濁さずだよ。引越すときには奇麗に片付けて、ごみなどは一まとめして燒いて越すものだよ」と、いはれたものだ。大いにその教訓に從つてゐるつもりであるが、この頃は引越し先が、奇麗になつてゐず、ごみを片付けるのに二日も三日もかゝるやうな場合が多いのは、武士の心掛けが忘れられて來たせゐだらうか、などと、餘計な所へ氣がまわる。

—了—

貞心尼がこと（承前）

由布川　祝

彼女の出家得度の動機については、私は、一は亡夫への貞節、菩提心と、一は藝術的禀質の豊饒さ、淨業欣求の高い志操に驅られて清く安らかに、佛の道にいそしみたかつたからであらう、と前稿で述べた。それは、落飾後も婚家先であつた小出の堀の内や、亡夫の實家のある龍光へ、よく托鉢に廻つたといふから。これらの義理ある縁邊との、感情上の不和が出家の原因を成したとは考へられないのだ。

貞心尼は二十五歳で越後柏崎郊外の、番神ケ鼻に近い、下宿村新出（しもじくむらしで）の山といふ所に、庵を結んでゐた心龍尼と、その妹の眠龍尼とに隨つて尼僧生活に入つたのであるが、その庵は柏崎の、曹洞宗洞雲寺の末寺であつたから貞心はそこの泰道といふ和尙に剃刀を頂いたのである。

長岡から小出に嫁いだ貞心尼が、何故柏崎に行つて出家したか。それは、彼女が柏崎附近の風光をかね〴〵なつかしんでゐたのと、實家奥村家の女中をしてゐた佐藤平といふ者の叔母が、やはり柏崎で尼になつてゐたのでこれを頼つて行つたものと想はれる。

庵主の心龍尼は勝氣の儉しい性質だつたから、曾て中流家庭の醫師の妻女として暮してきた貞心尼にとつては、物質的に辛い修業を忍ばなければならなかつた。殊に食物がひどく、副食物は大抵野生の草であつたといふ。

また、あまり美人なので、水を汲んだり薪を拾つたりしてゐると、村の若者たちが、うるさく近附かうとして、これにも相當惱まされた。

二十七歳の折に、長岡から二里下の、古志郡新組村福島の閻魔堂が、無住となつたので貞心尼は半ば新出の山の庵室を逃げ出すやうな氣持で、そこへ獨り棲むことになつた。しかし此の閻魔堂の生活も大變質素にし、生活は托鉢によつて支へてゐたのである。法要などが行はれる時は、村の人達がめい〳〵茶碗を持つて、箸を髮にさしてやつて來たといふから、その乏しい程度を伺ひ得る。

かうして此の閻魔堂へは、四十四歳まで十數年間獨り暮しをしたのであつた。

貞心尼が、單に稀な美貌と、優れた才質と高い趣味とをもつて淨業に入つたからとて、それだけの事なら、變り種の尼さ——といふに止り、今日私をして何ともいへぬ親しみ深いあこがれで牽きつける、うるはしい存在とはならなかつたらう。

　これは實に、良寛との間に、世にもいみじき、こゝろの繋りがあつたからである。そしてその繋りが、この閻魔堂に侘び住むに至つた翌年から五年間、良寛の臨終まで續いたのである。

　つまり貞心尼は、二十九歳（三十歳説もある）で良寛との間に親交の機縁を得たのだが良寛はこの時はもう老衰で國上の五合庵を去つて、そこからずつと下の乙子神社の境内にゐたけれど、此所でも薪水の勞に堪えられなくなつて、三島郡島崎の木村元右衞門の邸内に迎へとられた年であつた。

　貞心尼は良寛の知遇を得て、信仰的にも藝術的にも大飛躍を遂げ、天禀の叡智がますます冴へてきたのであり、良寛は良寛で、世間と孤絶した、土のやうに閑かなその生涯が、晩年に到つて貞心尼の爲め、胸の奥處を打ふるはせるほどの欣びに觸れて、サッと一沫の生彩を添へてきたのである。

　この二人の、ほかほかと温く交流し、さやさやと清しく纒綿した情緒を、齋藤茂吉もその著「短歌私鈔」の中で「良寛と貞心との交はりは極めて自然である。この事を思ふ毎に予はいゝ氣持になる。良寛は貞心に會つてますます優秀な歌を作つた。その歌は戀人に對するやうな温い血の流れてゐるものである。……良寛は老境に達して、淨い女の貞心から看護を受けた。本當の意味の看護である。……世にも尊き因縁である」といふ風にいひ、相馬御風氏は「良寛と貞心尼との關係は、一面に於ては正に佛門の師弟の交はりであり、又同時に歌の道、藝術の世界、美の天地に於ける師弟でもあり、又道づれでもあつた。而かも現身の人間としての兩者のそれは、或時は親子の關係であり、或時は兄妹のそれであり、或時は最も親しき心友のそれであり、更に或時は、最も清い意味での戀人のそれでさへもあつたらう……」といつてゐる。

　まつたくぴつたりと、懇ろな共鳴に結ばれた二人であつたのだ。貞心尼が、沸りこぼれるやうな胸のときめきを抱いて、良寛を始めて訪問したのは文政九年の秋だつた。それから天保二年正月六日、良寛が七十五歳で示寂するまでの交遊は、後年貞心尼の綴り殘した二人の應答歌「蓮の露」を繙けば、その五十餘首の中に俗人の近づく事の能きない神聖な境地を窺ふことができる。

　私も、戀愛とのみいふにはあまりに聖く、師弟愛とのみいふにはあまりに熱い、この二人の間柄を狙つて「選ばれた種子」と題する短篇小説を、曾てサンデー毎日に發表したことがある。

　良寛の徳化によつて、不退轉の人生觀乃至宗教觀、藝術觀を感化した貞心尼は、良寛の死後、微動だも道心を弛めることなく、良寛との愉しかりし憶ひ出の中に、かひがひしく生きぬくことができた。福島の閻魔堂は、佛道と歌道の道場として、心おきなく訪れてくる者が繁かつた。その訪客も主として男が多く、女は、同じ境涯の尼でさへ、親しく訪來する者が寡かつた。それは貞心尼の高さに追ひつく女がなかつた――といふ事にもなる。

　一度男女のけじめを乘踰えた貞心尼には、男に取卷かれたとて、煩惱を呼醒まされるといふ事はなかつたが、男達の方で愛情に似たものを閃かす場合がないではなかつた。けれども、切長の、劍があるといふのではないが氣品に澄む眼を向けて睨むと、男達の猥笑もすぐコチコチに固くなつて冷めてしまうといつた見合であつたといふ。

　貞心尼は讀經の時に須磨琴といふ一絃琴を

かき鳴すことがあつた。聲がよくなかつたのでそれを紛はす爲めであつたらうといふ人もある。琴は少女時代好んで習つたのだ。

こんな風にして四十四歳頃まで閻魔堂にゐたが、最初の師であつた心龍尼が、天保十一年の六月に圓寂したので、その後任として、柏崎の釋迦堂（心龍尼は新出の山の庵室を出て晩年此所にゐた）へ移つて庵主になつた。釋迦堂は火葬場の道にあたつてゐて、里人が荼毘に附した骨を一旦こゝへ預ける慣はしになつてゐたので、上り物は多かつた。

處が、嘉永四年、貞心尼が長岡方面へ托鉢に行つて一泊した留守火災に遭つて、釋迦堂は全燒してしまつた。その燒跡へ、彼女を取卷く連中、中でも歌友山田靜里が主となつて寄進につき、草庵を新に結んで呉れた。それは、貞心尼の方から求めて造つて貰つたものでない――といふところから「不求庵」と、山田靜里が命名した。その顚末は「燒野の一草」といふのに貞心尼が詳しく書き殘してある。

かうして里人達の淑慕の裡に、孝順尼、智讓尼の二弟子に侍かれながら、安らかな晩年を送り、明治五年二月十二日、不求庵で靜かな往生を遂げた。その行年が良寛と同じ七十五歳であつたといふ事も奇しき一致である。

貞心尼の大きい功績は、良寛の詩と歌とを最初に書き殘して呉れたといふ事にある。

貞心尼の血緣は今どうなつてゐるか。長岡市長柄町の某湯屋の裏に、奥村平八郎といふ洋服屋があつて、この平八郎氏の母は明治七年奥村家（貞心尼の實家）の二女として生れ、明治十八年十二歳にして全家族北海道に引越し、正系は北海道に在るが、消息は杜絶え勝ちだといふ。二女は失明して歸岡し、盲人と夫婦になり按摩渡世をなしながら奥村家の墓守をしてゐるさうである。

荒屋敷町の奥村家の屋敷跡には、近藤幸太郎といふ大工が居住してゐる筈だ。

平八郎氏の噺によると「戊申役の動亂の際は、母の生れる前ですから傳承するだけですが、家財道具を置いたまゝ半年も市外へ逃げ出して、家へ歸つてみた時は、家財は何一つなく、障子一枚から、系圖から、殿樣より拜領の物まで殘つてゐなかつたといふことでした。戰禍の程が伺はれるではありませんか」とある。「蓮の露」は、是非一讀をお勸めしたい。

（をはり）

雪の鹽澤

綠川玄三

越後の鹽澤と云へば「北越雪譜」で名高い鈴木牧之を生んだ所である。

珍しく晴れた冬の一日、三時間近く汽車にゆすられて私はこの雪の本場に降りた。と、直ぐ眼の前に、金城、卷機、牛の峨々たる三山が聳えてゐる。これが三國山脈系で、これと相對して標高の低い越後丘陵が續き、町をぐるつと取圍んでゐる。冬陽をさんさんと浴びて、正視出來ぬくらゐまぶしく輝いてゐるこれらの山々は、全く崇嚴そのものである。

木々や家々が黑くくつきりと雪の上に影を落してゐる町を歩いてゆき、牧之在世頃の屋敷跡だつたといふ小路の裏手へ出ると、そこはやゝ高くなつてゐる雪の原であつた。四方の全山を見渡せる恰好な場所に、新築した五代目の鈴木家が立つてゐた。

今始めてゞないが、雪の堆積といふものは白くないことを私はこゝでも感じて、暫し惘然と見惚れてゐた。それは、いぶし銀とも、紫がかゝつた煤色とも云へるのである。非常に冷厳のやうでゐて、また無限のあたゝか味をたゝへた蒲團のやうでもある。見てゐるとその中にがむしやらに身を投げてめちやくちやにかき廻して見たい衝動に駈られて來る。僅かな土地の高低を少しも犯さず力學的にゆるやかな波を描いてゐる原野は、不規則であるやうで、さうでなく藝術的な線と明暗の躍動を示してゐるのだ。雪の中に無數にピカッ〳〵と光り浮遊する微粒がある。それが歩いて行くに從つてチカチカチカと移動する。その光りは恐しいまでに眼の奥を射て來るので眞珠やダイヤモンドなどの比でない。星の落散、と譬へるのがどうやら適切のやうである要するに神祕そのものなのだ。

山々の裾にまばらに雪を着た杉の群立は、神々しさに漲り渡り正に「神木」といつた感じがする。金城山、巻機山は、傲然と聳える雪の怪物であつて、これこそ白の極致だ。十秒とも仰ぎ切れない陽の照り返しの中に在る。

まだ木の香も新しさうな二階建の家の玄關に立つ。

明治生命保險代理店の銀看板と、洗心荘とある字の消えかゝつた山型の板額が、新舊の奇異な對照を見せてゐた。中に入ると、眼のパッチリした細面の中年の婦人、當主雄太郎氏の奥さんが出て來られた。生憎主人は留守だと云はれる。立話五分でそこを辭した。

牧之在世頃の屋敷跡に立つた僕はぼう〳〵百年の昔を偲んだ。軒場に氷柱を下げた剝げちよろげた白壁の土藏は、後代が酒造家だつたその時の酒倉である。その側には松の古木があり、枝が笠型に下へ垂れ、てつぺんに大きな雪の塊りが乘つかつてゐる。青空の中に雪の白と松の綠三者の對照が非常に美しい。風のないのに時折雪がふんはりと降つて來る。

この土藏の屋根の上には奇妙な櫓形をした三尺くらゐのが立つてゐる。通りすがりの人に訊くと、あれは煙（けむ）出しだと云ふ。この邊りの家は全部牧之の一軒家だつたさうだが、今は分散して人の所有になつてゐる。家はしかし百年前の面影を多分に殘してゐた。二階の櫺子格子の壊れかゝつた窓など昔を偲ばせるものがある。牧之は、こゝに居て、この同じ雪を見ながら、行燈の下で手をこゞえさせつゝあの尨大な北越雪譜を書いたのであらう。本當は「雪譜」そのものは牧之の筆でなく、牧之は草稿と參考圖を書いて送つたので、文は山東京山、繪はその子京水の描いたものなのであるが……。

陽は益々うらゝである。

國民學校を訪れ、校長室で丸山虎治校長と二時間ばかり談じた。名前通り相當凄さうな校長先生であつたが、流石に牧之翁追慕會を起しただけに風流のたしなみあり、祕藏の掛軸などを何幅も取出して見せてくれた。中に牧之が海を描いたものがある。これは珍しいものだ。牧之は山の中の人間だから、江戸へ出た折、太平洋岸の何處かへ行つて始めて海を見たものであらう。

行秋や見ておるうちに暮るゝ海
行秋や風もゆふべに吹弱り

などゝ、賛がしてある。古びた小さな短册が一尺ばかりの掛軸になつて、隅の柱にかけてあるので近寄つてみると、

養父入りや是から疎き人通り
七十二柴牧之

とあつた。藪入りで店の奉公人などが去つた後の町のひそけさを詠んだものと思はれる。

牧之筆の螺貝と若松の畫を、先年道具屋から五圓で買つたが、イヤもうけ物でした、な

どと校長は語り、表裝したその掛軸を最後に展げた。

牧之は、馬琴や京山からの手紙を丹念に綴て保存し、後世に傳へたのである。市島春城氏の隨筆にはこの事がよく書かれてあり實に興味深い。殊に、京傳、京山、馬琴、牧之が北越雪譜出版を巡つての經緯など、たしかに小說になりさうである。京山の眞面目な人柄や、馬琴の傲岸な性質などよく分る。馬琴は一方なかなか緻密の人物で、その日誌を見ると、いついつかに女中に三十文貸した、それを返せと云つたが返さなかつた。そんなことまで書いておく人である。

一昨年の五月、牧之百年祭で發行した「六花集」といふ和綴の傳記を一册、校長は私に呉れた。これは私は既に手に入れてゐたが、友人にやらうと思ひ厚意を受けて來た。そのかはり、牧之を書いた貧しい小說を送りませうと約して學校を辭した。

菩提寺長恩寺は、二百年の餘を經たと思はれる鬱蒼たる杉の並木を通つて行くと、龍を彫つた朱塗の樓門があり「信受山」と額が上つてゐる。思ひ出したやうに萢に似た雪がふはり〳〵落ちて、あたりは靜寂そのものだ。

門を入ると、右手に百年祭の時建てた句碑がある。句は牧之自身の文字を引伸したもので「川音の日に〳〵遠き茂りかな」とある。魚沼地方の山に圍まれた自然と、夏木立をとほして聞えて來る魚野川の早瀨を思はせる句碑に相應しいゝ句だ。背後から陽を受けて雪の上に長い影を落してゐた。頭にのつた雪が溶けて、雫が二筋三筋碑面へ垂れてゐる。この碑は牧之家の庭石を用ひたのださうである。

鳥の啼聲が冴える。雪がバサリと目の前に落ちて來た。

庫裡を訪ふと恰度晝食時であつた。梵妻は箸を置き立つて來て、私を本堂へ案內してくれた。田舍には稀有の金色丹靑さんらんたる大本堂である。

位牌棚のわきに安置所があり、四尺近い牧之の木像が安置されてある。浦佐村の彫刻家井口喜夫氏の手になつた傑作だ。

左手天井の硝子窓から入る明りの中に牧之翁は小刀を差し、ぢつと端坐してゐる。額のしわ、面長の溫容、眼尻の垂れたあたり、柔和の中に又氣品あり。寒菊玉椿の花筒が前に在つて、眞鍮の蠟燭立も供へてある。

冷え冷えたる本堂に立つ吾をぢつと見詰る牧之、予はこの越後の偉人を書いて寔に粗略忸怩たるあり、乞ふ翁よゆるせ。

雪解けの音のみ頻りなこの本堂から私は去り難いものを感じて十分近くも立つてゐた。

木像に詫びの禮をして寺を出ると、こゝの娘が後から出て來た。美人である。驛近くまで使ひにゆくこの美人と同道出來る光榮に浴し、寺のこと、町のことなど、心臟を強くしてうるさいまでに質問した。

金城山の稜線に雲が湧いて來てゐた。白い雪だが、雪の前には精彩がなく、うす紅梅色に見えるばかりである。

娘と別れ、三國峠へ通ずる町外れまで行つて見た。米俵を二俵三俵と積んだ橇が頻りと通る。小川の雪橋の上に佇んで、私は又感慨に耽らざるを得なかつた。

鈴木牧之は、天明八年の夏、十九歲で始めて江戶へ上つてから老境に入るまでの三十年間、幾度この道を振分荷を肩に往來したであらうか――と。

三國の連山だけは變らず歷史を祕めて默然遠く、魚野川の瀨の音が幽かにする。

（十八、三、二十）

屯田兵以前

從二一郎

最近必要があつて屯田兵の事をいろいろと調べてゐる。明治廿三年以後のことは（軍神加藤少將で有名になつた敎令發布の年）記録もはつきりしたものがあるので、知つた人も多いのであるが、それ以前の事はあまり記録にも詳かではない。道史五卷（史料科）によると八王子千人同心の事がでてゐる。次にその一節を抜粹する。

（前略）

邊鄙の產にて小野の儀は聊相心得罷在候得ども、容易に相願候儀は畏入候。右に付私支配八王子千人同心ども二男三男厄介等の内吟味仕り召連彼地に於て、山野駈走等其外相應の御用有之可かに存奉候。左候はば身命限り出精の儀は勿論、往々彼地御固めのため、千人同心一組相立精勤仕候はゞ、農兵の姿にも相當致可と存奉候（後略）

千人頭原半左衞門から松前御槍奉行井戸美濃守に宛てた書状である。これが、所謂記録にみえる屯田兵の濫觴で、北方最初の防人（さきもり）たちである。享和三年五月の事であつた。

この書面にもみえるやうに農兵とあるから刀もとり鍬もとる、兵農兩全の、その時代では特別なひとつの武士形態で、そのかみの屯田兵の先鞭をつけた譯である。

猶、別文には、御場所見立、田畑開發等は勿論、其外荒業等の儀は兼て相心得罷在候へども（中略）彼地の者共にも農業等の儀申敎歸鄕相願ふものは相返し、居附罷在度念の者は相殘し候樣爲可仕候、とみえ、希望のものには永住を差ゆるし、北方開發の理想を實現しようと試みた。結局蝦夷へ入地したのは、三百五人のところ八十五名であつた。場所は北海道の東海岸で、ユウフツ、ムカハ、サルあたりで、當年浦河表で、蠶なども二番子まで出來、野生の桑も相應であつたと書いてある。

纒つた史料がないので、この八王子千人同心の蝦夷警備が幾年つづいたかは明かではないが、いづれは幕府の蝦夷領直轄で沙汰やみになつたものと想はれる。その後、御一新になつて、今度は樺太問題で、またまた北海道が大きく世人の注目をひくやうになつた。

明治五年時の陸軍卿たる西鄕隆盛が北海道に鎭台の必要を力說したのもその頃で、それかあらぬか少將桐野利秋が本道を巡視してゐる。西鄕の鎭台論は、西鄕の失脚でうやむやになつたが、西鄕の理想は黑田淸隆にひきつがれ廟議の決裁を得た。屯田兵村が設置されたのは明治八年で、札幌附近の琴地に入地したのが最初である。

――完――

新刊紹介

◇筑豐炭田（橋本英吉著）

明治初頭期ごろの筑豐炭田を取り上げた創作。非常に面白いだけでなく、生產面に働く諸性格をハツラツと描破し、同時に當時の時代精神を寫すことにも成功してゐる。それにテムポの早い技法でグイグイ大膽に推し進む圖太い構想には、たしかに學ぶべきものがある。「長篇歷史小說叢書」といふ、その歷史小說としての扱ひの正當さも買はれてよいであらう。主人公の拳銃はわざとらしい。（二圓五十錢。今日の問題社發行）

勤勞者文藝の方向

北 一

時局以來、社會の樣相は思ひ切つた變改を敢てして居るが、中でも勤勞に對する指導理念の變化は特に刮目に値ひする。

數年前までは、堂々たる學者でも『勤勞とは報酬を得るために自己の意志に反して肉體の苦痛を提供する經濟行爲である』と說明してゐた。雇主と勞務者との關係は、この經濟原則を巧みに利用することによつて、平和が保たれ、利潤があげられた。

雇主は出來るだけ勞務者の能率を高めて、單位生產量の經費を低下し、それによつて利潤の幅を大きくしようと考へるし、勞務者は出來るだけ少く勞働を提供して、肉體的苦痛を減縮しながら、なるべく、多くの賃金を獲得したいと念願する。兩者の關係は約言すれば、法律的には債權法上の契約關係に過ぎないし、經濟的には利害對立關係であるといふのが從來の考へ方であつた。

此の考へ方は時局と共に根柢から覆へされた。勤勞は個人の利益のために營まれるものではなく、國家への奉仕である。此の故に勤勞は榮譽であり歡喜である。手段にあらずして目的である。といふ所謂勤勞の國家性、協同性、生產性、人格性といふものが、新しい指導理念として、將たまた企業經營の新しい道義として登場した。

經營者は利潤追及を揚棄して國家生產力增强のために、勤勞能率の最高度發揮を目指して、率先垂範指導の任に當るべき責務を課せられ、勤勞者は自己の職域職分を通じて國家に奉仕する。卽ち皇運扶翼の臣民道を經とし、事業一家、職分奉公を念とする新道義觀が、茲に樹立されるに至つたのである。

斯くの如き勤勞觀の根本變革は、勤勞者公私生活のあらゆる方向に向つて、その考へ方を置き換へてきた。

例へば之を文藝の方向に見る。

過去の勤勞者文藝は、單なる享樂主義であり、自己滿悅であり、排他的傾向を多分にもつてゐた。然るに新勤勞觀に於ける文藝の方向は、唯それだけであつてはならなくなつた。文藝が與へてくれる享樂は、國家生產に寄與すべき明日の勞働力培養のための享樂でなければならぬ。繪畫、圖書を觀賞し、音樂、映畫を鑑賞することも亦同樣である。總ては明日の生產にかかはるものであり、勤勞を榮譽とし、誇りとし、歡喜とする心境を培養育成するものでなければならぬ。

凡そ頹廢的なるもの、凡そ自己滿悅に終始するもの、凡そ排他的なるもの、凡そ國策に背反する文藝は、それが如何に文學的價値に於て高く、技巧表現に於て燃犀なりとするとも、今日の勤勞者文藝としては、何等の價値なきものと謂はねばならぬことになつた。

逆の謂ひ方で現はすならば、勤勞者文藝はそれが如何に表現に稚拙であらうとも、如何に粗野朴訥であらうとも、所謂如何に素人臭いものであらうとも、それが國家奉仕への汗と油と力とから出來上つたものである限り、それは珠玉の光りを放つものと謂ふべきであり、洗練された玄人の玄人らしきものよりも、遙かに生命の躍動を感ずるものとせねばならぬと謂ふことである。

然るに今日工場、鑛山の勤勞者たちの間に愛好されてゐる俳句、和歌、文藝等の中にも、まだ明かに淸算しきれぬ二つの潮流がある。玄人の域に達せんと欲し、又それを理想として指導せんとする方向と、素人臭いことに却て素人の良さを發見せんとする方向と、此の二つである。前者は少數の選ばれたる俊銳のみが達し得る境地であり、少數選手主義である。後者は多數の勞務者が大衆的に合流し得るものであり、衆と共に樂しむものである。

相當の識者の間にすら、工場音樂團を聽いて日劇の音樂團に對照し、その優劣を論ずるものもある。工場俳壇の選句を見て或は幼稚なりと評し、或は季感無しと謂ひ、或は句境を知らずと酷評するものもある。

然し此點は根本的指導理念に於て錯誤に陷つて居る。工場音樂團に對して玄人音樂團の纎細巧緻を要望するの要なく、機械の轟音、炭車の軋りから迸る俳句に季語の缺如を責める要もない。勤勞者の音樂、勤勞者の文藝には幼兒の描く繪畫の良さがある。この良さが彼等の實生活からにじみ出て居る限り、假令形式、規格がどうであれ、そこに文學的價値が無いと謂へるであらうか。況んやそれが明日の生產力への息吹きに、役立つてゐるに於てをやである。

要するに勤勞者文藝の價値的批判は、正に勤勞新體制の理念の方向に從つて試みらるべきであり、斷じて過去の舊體制の尺度をもつて律せらるべきではない。此の意味に於て私は何かの選句の中に見出した『春風や石と遊べる模範工』の如き單純率直な、而かも超重點產業の眞摯なにほひに充ちた、斯んな句に出會すと心から嬉しく頷きたくなるものである。

月例評壇

信念なき文藝のすがた

（八・九月號の雜誌）

東野村　章

一

懷疑の泥濘に足を遂し、虛無の咆哮に無力な放徨ひを續け、神と力を失つた舊知識階級の崩壞は、勝ち拔く戰ひの總力の彼方に激しい地響をあげた。餘りにも祖國の大地から離れた（知識）の悲劇であつた。さうした舊知識階級を相手にのろのろと生命の持續を願つた綜合雜誌が、全く骨も肉もの革新をもたずして、新らしい知識階級を抱擁することは不可能であらう。果して、綜合雜誌が時代の眼醒めに劃然として眼を瞠き得たであらうか。

「中央公論」の新出發も、情熱のない出發に終つた。（知識）の惡魔は姿のない跳梁の尾を殘してはゐないであらうか。個性のない綜合雜誌は、いつぱしの聲をあげ、叫んではゐるが胴體と心のない怪物を想はせる。やたらにでつかい口と眼が、（知識）の惡魔に魂を奪はれた舊知識階級の末路を象徵するかのやうである。

文藝雜誌もまた個性を失つた怪物の姿をもつてゐる。八月號の「新潮」――「文藝」――「文學界」を見て、徒らな紙の浪費を嘆きたくなるのである。個性の喪失は、同時に目標のない文藝雜誌の無力さを、ぺらぺらに薄い一册のなかから發散させてゐる。

八十頁、六十頁の薄つぺらな雜誌であつても、出さればならない激しい熱情があるときも、八十頁、六十頁は更に幾倍かの力を生むことであらう。文藝雜誌はどうあらねばならないか。を、追求しようといふのではないが、少くともいまのまゝであつていゝとは思へないのである。

「米英文化の實體」は、「新潮」の今月の特輯であるが、「文學界」もまた「日華文化提携」の特輯をもつてゐる。かうした特輯の是否は暫く措かう。が、かうした特輯の間に合せ的顏ぶれを見つゝ、安手な、子供だましに似た政治性があるとすれば、これはもう一度考へて貰はねばなるまい。

この國の文學を、いま如何すべきであるかを想ふとき、文學の糧に餓えてゐる多くの國民のために、もつと大膽な信念のひらめきをみたいと願ふのである。

「文藝」は、「文藝評論」を特輯してゐる。「小説について」を書いてゐる青野季吉氏はこの評論特輯を、勝手な身の上話で逭げてゐる。評論家が小説家になるのは勝手だが、さうした轉向者だけの「小説について」なら、結構夜店でだまされたみたいなもんである。

「近代小説の否定」（森本忠氏）から「文學者の本然」（上林曉氏）の姿が攔めるとしてもそれは「漠然たる無氣力」（淺見淵氏）な文學者の本然の姿であつたに過ぎないでは、特輯をしてこゝろみる「文藝評論」もみみつちい舊知識階級の尻尾にぶら下つた、廻り燈籠の影繪であつた。

「かさゝぎ」（井出誠一氏）文藝——と、もうひとつ「嗣子」（伊藤人譽氏）文學界——の二つの新人の小説も、小器用な職人の小手先の藝に買ふところがあつたのであらうか。「かさゝぎ」の方がまだ良い作品ではあるが、有名作家の息吹のかゝつたものから期待するものは出て來ないものだといふ近頃の傳説をしみじみと味はされたことである。

「文藝日本」の「文學の決戰態勢」は、そして、お歴々の並ぶ「日本文學報國會」の無氣力をさらけ出してゐるのは、念が入つてゐると言へば言へないことはない。

二

九月號では、「文藝春秋」と「新潮」しかまだ見てゐないので全般に渡つて言ふことは出來ないので控へるが、「新潮」は依然として變らぬものを追つてゐる。

「新潮」の「文藝時觀」は、誰が書いてゐるのか知らないが近來低調である。大東亞文學者會議、新人育成の問題、文學雜誌の使命、支那の現代文學といふ風に問題をとりあげてゐるが、新人育成も、文學雜誌もいづれも新らしい問題の提出でもなければ、何等か示唆するものを含んでゐるといふものでもない。「文學の進展と發達とに對して關心を持つ人人はこの（新人育成）問題の重要性を十分に認識しなければならないだらう」と、分明した新しい見解もなく言つてゐるのである。今日問題となるところは、もつと積極性のあるところにあると思ふ。總じて、この欄は積極性を喪ひつゝある。それはまた、この文學雜誌の性格なのであるかも知れぬ。九月號では、「民族のこころ」辻森秀英氏の評論が、文學の深いところへ靜かに瞳を落して思念のあとを追つてゐる點で讀みごたへのあるものと言へよう。「小説の在りかた」と題して伊藤整氏が、最近の小説集を八册、纒めて批評してゐる。叮嚀な讀者への解説といつた程度で、きびしい批評といへるものではないし、新文學への意欲をもつての努力はないが、雜誌の小説の減少に伴つて、批評される小説の少くなつた今日、かうして幾つかの單行本がとりあげられることはいゝことゝ思ふ。「文藝時評」といふものも、今迄は殆どこの程度の紹介的批評にとゞまつてゐた。いや、今迄でなく、現にこの號の「文藝時評」である高木卓氏の「いのちのながさ」について——もそのことが言へよう。たゞ冒頭に於て取りあげた「いのちのながさ」と言つてゐる文學の古典たり得る文學性に就いての一文によつて、ただ今日的存在性にのみ心を注いでゐる作家達への示唆ある言葉があつた。

此處でふと、「文藝春秋」の芥川賞、直木賞を思ひ、その選者達の名を思ひ出したのである。今度の芥川、直木兩賞は、菊池寛氏の言葉を借りれば、「舊委員の文學觀、鑑賞力が、古くなつたとも、衰へたとも夢にも思はないが、しかし文學藝術の世界では、同一の人間がいつまでも、詮衡に當つてゐることは、無意識の裡に、新機運の發展に邪魔になつてゐる場合も生ずるから、この際思ひきつて更新することにしたのである」さうだが、變つて變りばえのない感じがしないでもない、芥川、直木兩賞が以前ほどに信じられ得る賞でなくなつたのは、單に時局的な外部の影響のみではあるまい。先の高木氏の言ふ「いのちのながさ」をもつて文學をみようとするのではなく、今日的條件にのみ汲々としてゐる委員達の文學觀に負ふところ少くないことを今度の發表で痛切に感じられるのである。

芥川賞の「纒足の頃」石塚喜久三氏は、すぐれたと言ふことが出來ぬが、熱意は感じられる作品である。が、それ以上に政治的なものが眼につく。辭退はしたが、直木賞として一應とりあげられた「日本婦道記」山本周五郎氏――は、全く、芥川、直木兩賞の性格を露骨に現したものであらう。「現代必要な作品」(井伏鱒二氏)は、決して文學的な(必要)を言ふのでないことを讀者よ、よく考へて貰ひたいのである。

三

娯樂としての讀物が再び問題になつてゐる。娯樂として小説が讀れるといふことには一つ問題があるが、それは此處では觸れないで置かう。通俗小説や大衆文藝などゝ言ふことが言はれなくなつたことは内容は別にして好い傾向である。が、「文學建設」以外に、「講談倶樂部」――「富士」――「オール讀物」(改題して「文藝讀物」)等の雜誌の作品に就いて依然として批判されない。一方で健全なる文學を叫び、一方で娯樂讀物を叫ぶ、一見混沌としてゐるかの如き感があるが、正しき文學への歩みは何處かに靜かに續けられてゐることであらう。

「オール讀物」は九月號から「文藝讀物」に改題された。題に價する「文藝讀物」が出るのかと期待したが、見事裏切られたかたちである。

この雜誌は、ときどきとんでもない人を引張り出してくる。それが「文藝讀物」の所以だとするなら、その文藝の内容は古臭いところを彷徨つてゐるのだらう。「波のまにまに」といふ佐藤春夫氏の作品がそれである。何をしに船を出したか知らないが、不意に吹き起つた西風に吹き流されて波のまにまに、馬丹島とやらに辿りつき、老人になると殺されるといふ怖ろしい習慣が島にあるのを知つて恐しくなり、國へ歸れば澤山寶物があることと、もう一度必ず來ると約束して、山から木をきり出して船をつくることを許して貰ひ、船をつくつて波のまにまに歸つてくるといふ、妙なお話しなのである。この作品を通じて何を書かうとしたか判らないのはよく言つた言ひ方で、何となく文字の並んでゐる小説みたいなものである。今日的意義はおろか、春夫好みの文章の他は、何をして彼を書かしめたか疑ひたいものである。

「菊の香」といふ大佛次郎氏の小説もまた、一向とりとめもない小説で、此處に略筋を並べやうにも、讀後に殘る印象がちつともない。現代小説はあと三つ、火野葦平氏の現地もの、「綠々莊」、窪川稻子の「髮の歎き」と櫻田常久氏の「東への道」がある。

「東への道」は、この作家の、近來での失敗。情緖と詩的雰圍氣をねらつたかも知れないが、筋を追ふに急でその餘裕はない。此處で、小説の物語性が考へられる。こゝにあげたいづれもの作品が、整はぬ物語の空に浮いたのが、面白くないばかりか、なんだかよく判らぬ小説にしてゐるのだと思はれるのである。

例へば、「講談倶樂部」九月號の「楠公の馬」岡戸武平氏――も「庄内士族」大林清氏――

もともにこの物語としての整つたすがたが讀者を惹きつける。

　大佛次郎氏も、佐藤春夫氏も、かつては、その文章からくる情緒をもつて讀者を滿足させたであらうが、今日、なほそれに戀々としてゐるところに進歩のない正體を暴露してゐるといふことが出來よう。

　眞の小説文學へ、ひたすらな努力を續ける作家にこそ進歩がある。文藝雜誌も、讀物雜誌も、だが、時代の眞の眼醒めのときが近い將來に來るであらうことを、われわれは凝ッと瞶めねばなるまい。

編輯後記

◇現在を正當に把握する――といふことの意味と價値は、現在を現在として見るためにあるのでは、決してない。現在に先んじて未來を捕捉し、これを將來の向上資料として、それを現在當面の國民精神内に蒔くためである。

◇現在把握といつても、それは要するに未來のための用意である。生々發展の人生原理の上で、積極的な肥料となる永遠理念の思索――行動の示唆をいふのである。現在を現在としてみるための現在把握といふことは、世に風俗小説などの稱もあるとはいひながら、殆ど無意味であると云はねばならない。

◇未來のための、現在把握である。現在當面の恣意的な選擇によつて、どうして未來を捕捉することが出來よう。これには把握の基準となるべき正しい尺度が必要である。而してその尺度となり得るものは、ただ一つしかない。曰く、過去！　いひ直せば歴史を貫く民族精神！　蓋し現在の把握もまた歴史的觀點からされるほかに手段が無いのだ。

◇われわれが、過去の歴史を描かうとするのも、實は未來のためである。現代文學もまたこの意味に於ては純正なる歴史文學でなければならない。それは要するに、現代史的條件の内に於いて描くといふ制約を無視し得ないであらう、といふ意味でもある。

◇東野村君の論説はその立場から爲されてゐる。北氏の社外寄稿に感謝の意を表し、また例の遲刊をおわびしたい。

文學建設　九・十・十一月合併號
（定價三十錢　送料壹錢）

昭和十五年五月六日第三種郵便物認可
昭和十八年十月二十五日印刷納本
昭和十八年十一月　一　日發　行
（毎月一回一日發行）

東京都小石川區白山御殿町一一四
編輯兼發行人　岡戸武平
東京都赤坂區青山南町二丁目一六番地
印刷人（東京一八）岩本米次郎
東京都赤坂區青山南町二丁目一六番地
印刷所　愛光堂印刷社
日本出版文化協會會員（會員番號一二八五二五）
事務分室　東京都神田神保町一ノ二二　聖紀書房内
東京都麴町區平河町二ノ一
發行所　文學建設社
電話九段(33)三四一〇
振替東京一五六五九八
東京都神田區神保町一ノ二二
發賣所　聖紀書房
電話神田(25)二〇六八
振替東京一二五八八
東京都神田區淡路町二丁目九番地
配給元　日本出版配給株式會社

昭和十五年五月六日 第三種郵便物認可
昭和十八年十月二十五日 印刷納本
昭和十八年十一月一日發行
第五巻 第八號

第三種郵便物認可　昭和十八年十一月一日發行

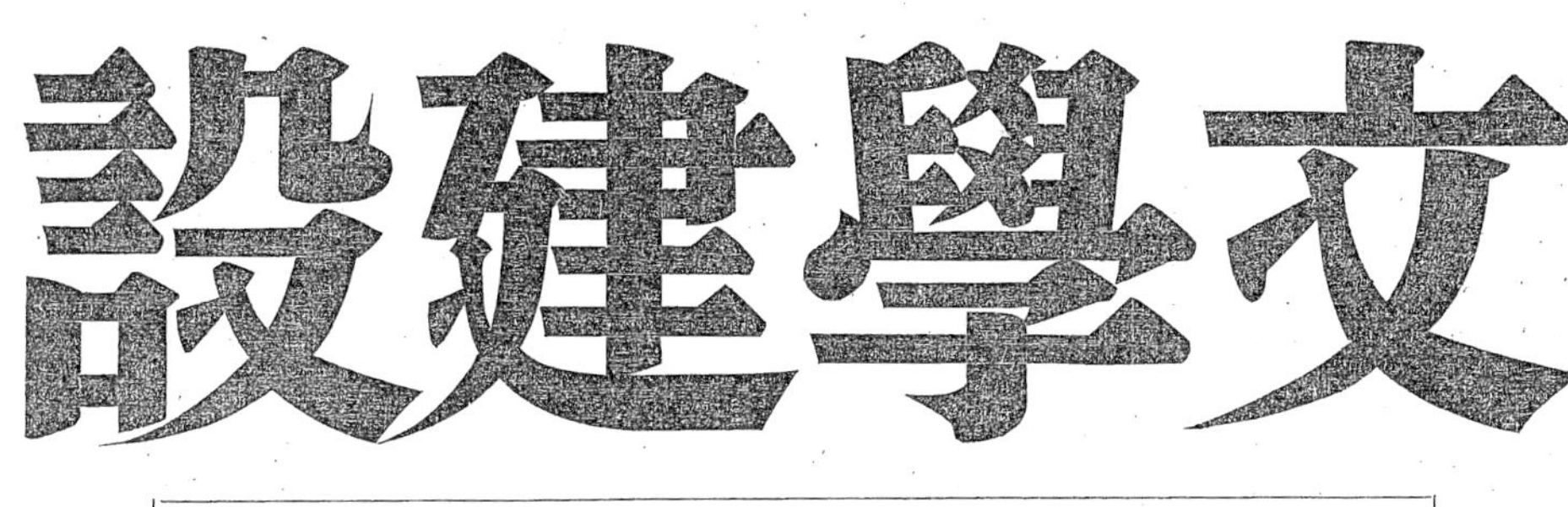

文學建設

產業戰士に對する娛樂讀物供給の必要が叫ばれると、早速それに便乘して、低級愚劣な前期大衆文學が復活しようとする。

出版指導者、あるひは產業戰士の讀書指導者は、ここのところをよほど愼重に考へてもらはなければならぬ。

產業戰士にも國民にも娛樂は與へられなければならぬ。しかし、小說文學を、圍碁や將棋と混同して、單なる娛樂物視することはいけない。

×

娛樂は、娛樂を目的とする以外に目的を持たないものだし、持てば娛樂では無くなる。文學は、娛樂を目的とすべきものではなく、從つて娛樂物として扱ふべきものではない。新たな國民文學の樹立を目ざしてゐる作家達は、文武兩道の文を擔當するだけの氣慨をもつて創作に從事してゐるのである。

×

今、產業戰士に、眞の文學を與へることを考へないで、娛樂本位の小說を與へる、換言すれば娛樂本位の低級文學に特別保護を與へるといふことは、作家を、邪道に導く惧れがないとは云へぬ。

×

人生に於て、娛樂性だけが面白いと思ふのは大きな誤りである。娛樂性を伴はなくても面白いことはいくらでもある筈だ。就中、眞の文學の面白さは娛樂性ではないのである。娛樂性によつて面白く讀まれるのは非文學であつて、そのやうなものは人生にプラスしようとする文學の目的に反するものである。

×

健全な娛樂性などの言葉を以て文學を論じてはいけない。娛樂が健全であることは結構だが國民の精神生活に積極的に働きかけるやうな文學の精神は、娛樂性などの埒內で扱はれるべきではない。

×

作家にとつて、小說文學を面白くする方法は、ただその思索の深さと、文學本來の興味性による外はないのである。作家に猥雜な裸踊を要求する者があれば、それは日本の文藝文化を愛する者ではない。

第五卷　第九號

正統歷史文學の理念

——特に歷史的事實に對する態度について——

村雨退二郎

一

歷史文學の範圍についての考へ方には二通りある。

一つは狹義の解釋で、普通には小說文學を云ひ、時に戯曲を含むといふ程度である。

他の一つは廣義の解釋で、史書の體を具へないもの、といふ反對條件を立てて、小說、戯曲、傳記、評傳、史傳、歷史讀物、傳記物語、小說體の史傳類、少年物其他を包含して歷史文學と呼ぶ。一般にはこの考へ方の人の方が多いやうである。

しかしさういふ考へ方をもつた人に、それでは史書の體を具へない古事記や太平記は文學かと訊くとたいていぐらぐらする。それは、古事記が一方で、史書の體を具へないにも關らず正史として認められてゐるし、太平記も文學的でありながら高い史料的價値を示してゐるからである。要するに反對條件によつて決めるのは、雀を捉へて、汝は烏でないから鷺であると云ふやうなものである。歷史文學全盛と云はれる今日、歷史文學を論じるに當つて先づ、歷史文學とは何かといふことから決めてかからなければならないとは、思へば厄介千萬なことである。

獨斷と混亂を避けるためには、文學史の上から歴史文學を考へて見るのがよいであらう。近松の世話物は、今日これを鑑賞する者の目には明らかに時代物として映る。しかし文學史の上から云へばそれは元祿時代の現代物であつて、さう見る方が正しいのである。これはあまり適當な例でないかもしれないが、とにかく歴史文學の性格は時代によつて異るのであつて、現代の觀點から單純な反對條件などを立てて、勝手な分類をしても實際には適合しないのである。

われわれの見方で云へば、古事記は正史でもあるし、同時に近代文學以前の文學といふ意味で歴史文學でもある。昔も今もひつくるめて、單一法則に當て嵌めて、歴史文學である無しを決めるのは、無理といふより不可能なことだ。古事記は、史書の體が定まる數年前に出來たもので、歴史文學と正史と、二つの性質を併せ有してゐるのである。したがつて近代文學としての歴史文學と一緒には扱へないのである。

太平記になるとまた性格が違つて來る。これは古事記よりはより文學物であるが、史料としての價値も持つてゐる。日本外史になると又ちがふ。これは歴史文學と史論との合體したもので史料的價値は皆無である。

こんな具合に性格のちがつたものを一つにして、其上に傳記、歴史讀物なども引つくるめて、現代の歴史文學を規定しようといふのは、大體ができない相談である。もつと合理的な近代文學としての歴史文學觀が必要である。

歴史文學前進のために新たな歴史文學觀の樹立といふことが、此際特に强調されなければならない點である。近代文學に於ける歴史文學の概念といふものは、實際まだ曖昧の域を脫してゐないのである。一般近代文學の法則の範圍で考へられてゐる程度で、特に歴史文學といふ獨立した項目についての研究は、近來やうやく手をつけられたばかりといふ狀態である。

明らかに歴史文學は、諸國民の文學史の骨格を爲して居り、今期大戰以來は殊に年々旺んになりつつあるにも拘らず、世界各國とも不思議に歴史文學に對する研究が等閑に附されてゐる。戰爭―傳統―歴史―歴史文學―國民、といふ當面の視角に立つても、國家、民族の傳統保持といふ永久の命題から見ても、歴史文學は文學諸項目の第一項目として研究されなければならないのに、ルカチと岩上順一氏の外、まとまつた「歴史文學論」を書いた文藝評論家がないといふのは、實に實に不思議なことである。

ルカチは十八世紀のリアリスチツクな社會小說の直接的後繼者であるウォルタースコツトを起點として、近代歷史文學を探り、岩上順一氏は森鷗外―芥川龍之介―島崎藤村に、日本に於ける近代歷史文學の正反合を見た。しかしこの東西の歷史文學研究家の、議論と方法の當否について感想を述べることは他日に讓りたい。

二

鷗外に「澁江抽齋」「伊澤蘭軒」などの史傳があり、本人がそれら一聯の作品を史傳として扱つてゐるにも拘らず、世間には、本人の意思に反して、これを歷史文學として扱ふ者が尠くない。

鷗外の史傳を、歷史文學として扱ふとすれば、露伴の、歷史的人物を扱つた「蒲生氏鄉」以下の評傳、小泉三申の「由比正雪」以下の史傳も皆當然に、歷史文學として扱はれなければならない。

最近の例をとれば、森銑三氏がある。森氏は「昌平黌勤王譜」を、小說體で書いてゐる。

また、作家（小說家）の手になる歷史讀物で、この脈に屬する物が、近來殊に多い。

鷗外の史傳については、鷗外が作家であつたために、言ひかへれば彼が專門の歷史家でなかつたために、史學も歷史も知らない眼界狹小の連中――文壇人によつて、その史傳を、歷史文學にされてしまつたのだと言へば簡單かも知れないが、それだけで片付けてしまつては、肝腎の歷史文學の本質が明らかにならないから、もすこし突込んで考へて見なければなるまい。

鷗外、露伴をはじめ、現在の某々氏に至る一聯の史傳作家の、所謂歷史文學には、共通した一つの特徵がある。それは歷史的事實に對して、絕對忠實の態度を持し、あるひは持さうと努めてゐることである。

歷史文學の批評家は、しばしば極めて不用意に「史實に忠實だ」といふやうなこと言ふが、勿論多くの批評家に、忠實であるか忠實でないかわかる筈がない。從つてそれは「忠實らしく見える」か「比較的に忠實だ」といふ意味に解さなければならない。私の言ふ「絕對忠實」は、さういふあやふやな忠實ではなく、眞の忠實である。史學的に正確なことである。

史傳の生命は、この、歴史的事實を、正確に、忠實に探究して行くことの外にはない。史傳作家は、與へられた人間と事件とを、純粹に客觀的に、なんらの成心なく、またなんらの結論をも豫定せず、科學者の精神をもつて、これを解剖し分拆し綜合して示さなければならない。

若し、史傳作家が、藝術精神をもつてこれに臨むとすればそれは藝術家本來の、選擇性と想像性と創造性によつて、歷史的事實を變更してしまふだらう。もしそれをしないなら、それは藝術家——文學者ではないのである。

言ふまでもないことだと思ふが、歷史的實在人物がどういふ經歷を辿つたか、某々事件の眞相はどうであつたか、さういふことを探究するのが作家の任務ではない。それは歷史家傳記研究家の仕事であり、その研究の結果は、一の科學的所產であつて、決して藝術品に數ふべきものではない。

史傳、評傳の類は、その本來の名稱を以て取扱ひ、史學の領域で價値を論じるのがよい。史學界で評價する場合には、なんらの紛亂も起らないが、文學界で歷史文學として取扱ふ場合には、その價値判斷の基準も立たないのである。從て、本質的に史實の正確を要求されるものは一切歷史文學とは見做さないのがよい。文學的主題の展開を生命とする小說及戲曲のみを近代歷史文學として考へるべきである。

三

鷗外には、史傳とは別に、まさしく歷史文學と呼ぶべき作品がある。

「高瀨川」「沖津彌五右衛門遺書」「佐橋甚五郎」「阿部一族」などの小說がこれである。

文學上の、高度のリアリズムは、科學の方法とは全然別箇のものだといふこと、もつと直接的に云へば、高度のリアリズムに基調を置く歷史文學と、純粹に科學的な立場をとる史學とは、同一の對象——歷史的實在に對しても、その把握の方法を異にするものであることを知るには、鷗外のこれらの作品は、實に恰好な研究材料である。

批評家の多くは、鷗外がこれらの作品に於て、史實に對する忠實を示したやうに言ふけれど、それは大きに誤りである。鷗外は、なるほどよく調べてはゐるらしい。しかし、それは作品について言ふのではない、作品に現はれた部分が、正確に近いことを證明することはできても、現はれない部分の正確さを立證することはできない。歷史家の言ふ忠實とは、全的に正確であることを云ふのであつて、部分々々について言ふのではない。

要するに、鷗外の歷史文學は、正確な史料の全部を使用しないで、適當に選擇し、適當に配列して、それを文學的記述によつて纒めてゐるのである。したがつて、嚴しい意味では史實に忠實だとは云へない。正確な史實の全部を表面に出す場合と、その部分々々を自由に選擇して効果的に配列した場合とでは、人に與へる印象が全然別になることは云ふまでもない。鷗外がいかに冷嚴なリアリストであらうとも、やはりその歷史文學が文學であるのは、この點によるのである。

鷗外と芥川を、對蹠的に考へることは面白いが、兩者の區別を明瞭にするために、鷗外を史實至上主義とし、芥介を藝術至上主義と呼ぶことには些か疑問がある。

既に上にも述べた通り、鷗外は史傳を書いてゐる際には、歷史文學作家としてでなく、純粹に傳記研究家の態度を堅持してゐるのであるから、勿論史實至上主義の名も結構だが、歷史文學作家としては、史實至上主義と呼べないのではないかと思ふ。

勿論鷗外は、芥川に比較すれば、史實をよく調べてゐる。しかしそれは作品に現はれたところ、そのままで言ふのではなく、相當の歷史知識ある者の眼で見て、これだけ選擇して出すにはどれだけ調べなければやれないかといふことがわかる――要するにそれは文學以前の問題になる。文學以前のことゝなると、芥川と雖も、相當の調べをしてかかつたものがある。

文學以前の用意としては、歷史的事實に對して同樣に充分な調査を遂げてゐても、作品になつて見れば鷗外文學にもなり、芥川文學にもなる。だから史實に對する態度といふ點で鷗外を史實至上主義と呼ぶことが不合理だとすれば、芥川を藝術至上主義と呼ぶことも不合理になる。

芥川の、歷史文學についての感想は、僞惡か氣まぐれか、彼の創作態度とは一致しないから、あれをもつて彼の作品を裏書きしてはいけない。大抵の人はあの感想に欺かれて、芥川は便宜上歷史時代及人物を借りてゐるだけで、あまり調べてはゐないと思つてゐるが、實は相當に調べてゐるのである。ただ作品として現はれる場合に、歷史的事實の現はれ方が鷗外と非常にちがふ。鷗外の場合は、一見ナマの儘で（素材のままといふ意味ではない）出てゐるやうに見え、芥川の場合は充分作家の手で細工を加へた上で出されてゐるやうに見える。その創作態度こそちがふが、どちらも史實至上主義ではないのである。そして、史實といふ角度から見ない、普通の意味では、どちらも藝術至上主義なのである。

四

史學と文學の區別が明らかになつてゐないと、歴史文學は文學から脱落する惧れがある。あたかもそれは、記録と文學の區別を曖昧に放置して置くと、現代文學が墮落し易いやうなものである。

史學は人間史の歸納法である。歴史文學は人間史の演繹法である。史學は、曾て實在した事を探究し實證する科學である。科學の世界では實證することのできない事は、實在しないのである。史學の方法上、時には假定が必要であるといふこともあるが、假定は實在ではない。また史學によつて打樹てられるいかなる歴史法則の理論も、歴史的實在から足を拔くことはできない。これに反して、歴史文學は、實在の「可能性」の中に自由創造の世界を有つことができる。この可能性には、勿論制約がある。それは、制度、社會組織、風俗、習慣、地理、其他の歴史的諸條件である。歴史文學作家は、可能性の範圍をできるだけ廣く採り、それを知悉してゐなければならないから、歴史的事實を充分に調べ、歴史的諸條件を明らかにして置く必要があるのである。

すなはち、史學では、歴史は拘束であると同時に、目的である。時間の霧に蔽はれた歴史の眞實を探究し闡明するところに、歴史學者の悦びがある。歴史文學作家にとつても、歴史は明らかに一つの拘束である。しかしそれは、可能性を考へる自由を拘束するものではない。史學に對する歴史の拘束は絶對的であり、終局的であるけれど、文學にとつては單に可能性の前提條件をなすにすぎないのである。

中澤巠夫氏は「阿波山嶽黨」の後敍に、この相違を極めて端約に言現はしてゐる。

――歴史家には單なる想像による斷定は許されない……歴史文學はこの束縛からは解放される。與へられた歴史的諸條件の内部に於て、想像は自由であるからだ。歴史文學に於ける現實性と歴史科學に於ける實證性とは決して同一ではない——

また熱心な歴史文學理論の研究家蔭山東光氏も云つてゐる。

——文藝家の史實研究は、歴史家と異り、それ自身が目的ではなく、他の目的を達するための手段であることを忘れてはならない——

まさに然り。史學は歴史文學に先行するが、最終まで、史實の探究に執着することが、歴史文學の目的ではないのである。歴史文學作家は、曾て實在した事件あるひは人物を取扱ふ場合でも、史學の手の及ばない可能性の世界を創造する自由をもつてゐるばかりでなく、歴史的諸條件の許可範圍內で史學的には實在を立證し得ない事件や、人物を創造する自由さへももつてゐるのである。

問題の焦點は、歴史的條件を具備した可能性である。歴史的蓋然性と云つては、すこし强すぎるやうだから、私は假に可能性といふ言葉を使ふのであるが、要するに、歴史文學の內容は、史學の謂ふ史實——歴史的事實である必要はない。

——史實の奴隸となると、歴史の奧に潛んでゐる眞實を見失つてしまふ——

といふシルレルの言葉は妥當ではないが、甚しく史實に拘泥して、その詮索に終始するやうなのは、ただ史家の亞流であつて、歴史文學作家といふことはできないのである。

五

歴史文學作家が、文學的主題を展開するために、歴史的諸條件を具備した可能性をしつかり摑むといふことは、言ふべくして實は容易な業ではない。

歴史的に有り得べき事と、有り得べからざる事とを識別するには、どうしても史學の力を借りなければならない。しばしばわれわれが、史學は歴史文學に先行する、あるひは、歴史は歴史文學以前の必修課目である、といふことを繰返して叫ぶのは、歴史文學の健全正常な發達のために、どうしても此のことが必要だからである。

芥川が、自分で云つてゐるやうに、現代的テーマ（時間的に固定したテーマ）を、そのテーマの基礎をなしてゐる現代でなく、別な時代へ持つて行つて押込んだ作家かどうかは、まだ研究の餘地があると思ふが、さういふ歴史文學觀を持つてゐる作家は、大正以來非常に多い。

大正の作家では、武者小路實篤氏、菊池寬氏、長與善郎氏谷崎潤一郎氏などみなさうである。さういふ作家にとつて、歴史は單なる衣裳であつて、文學以前の必修課目でもなければ、歴史文學の前提條件でもない。

たとへば、菊池氏に「忠直卿行狀記」といふ作品があるが松平忠直とその時代とを充分に研究して見れば、菊池氏の忠直が、實は忠直でもなければその時代の誰でもない、そこに書かれてゐるのは、作者が假に忠直といふ名前を與へた一箇の現代人にすぎないことを知ることができる。菊池氏はかういふ行き方を自ら「現代諷刺のために史實を利用する場合」と云つてゐる。

武者小路氏も、釋迦や達摩やその他歴史的に實在する人物を澤山書いてゐるが、これは雰圍氣だけでもその時代らしくしようとした菊池氏や長與氏に比較してもつと極端で、ただ名前だけ釋迦や達摩の名を借りて實は現代的テーマを語り、武者小路實篤の思想を語つてゐるに過ぎないのである。

藤森成吉氏の「渡邊華山」は非常な勞作であるが、傾向はやはり同樣であつて、われわれは、ここに描かれた渡邊華山から、華山渡邊登とは同名異人の一箇の現代人の心理、性格、運命を見るだけである。

最近の作品を擧げて云へば、下村千秋氏がある雜誌に發表した、千利休の娘お吟を扱つた小說（表題失念）などもさうである。下村氏は、この小說に、利休事件の時四國へ逃避したお吟——鵙屋の未亡人——を書いてゐるのだが、關係者にかういふ意味のことを云はせてゐる。「茶道を押詰めて行くと王政復古といふことになる、秀吉が利休を殺したのはそのためである」茶道をそんなふうに考へ得るのは現代人だけである。安土桃山時代には、絕對に有り得べきことではない。

長谷川伸氏や村上元三氏の國策物、特に幕末北方問題を扱つたものにもこの傾向が强く現はれてゐる。北方物の類型的な特徵を擧げて見よう。

アイヌのメノコが出て來るとたいてい日本人の立派な武士と戀愛問題が起る。主人公の武士が國策的見地から、メノコと結婚する氣になつたりする。あるひは、醜業婦が北狄擊攘の第一線で武器をとつて戰つたり、愛國的な大演說を試みたりする。國辱的存在とも云ふべき醜業婦を、愛國者に祭り上げることの是非は別として、かういふことはすくなくとも歴史的條件から逸脫してゐる。歴史的に有り得ないことである。大衆がさういふ噓に欺かれるかどうかは問題でなく、現代的テーマを語るために、歴史が單なる假裝として利用されてゐるだけで、歴史的條件が無視されてゐるといふことは爭へない事實である。

作品である。櫻田常久氏の「平賀源内」なども、やはりこの流れを汲む作品である。先哲叢談など一二の書物にある無根據の俗説を採上げて、平賀源内の獄死を否定したのは、さういふ俗説を採ることが、作者の現代的テーマ、國策的テーマを織込むのに好都合だつたからであらう。歴史文學作家は、史家の定説に反抗することも無いとは云へない。異説を採つて、別な結論をつけるといふやうなこともしばしばあることである。しかし、それは史家と史論を鬪はすくらゐの確信をもつてのことであつて、歴史上動かすべからざる定説に對し、薄弱な根據によつてみだりに修正を試みるやうなことは、作家の爲すべきことではない。櫻田氏も、歴史修正の何のといふつもりではなかつたのだらうけれど、現代的テーマを無理に押込むとかういふことも起るのである。

現代的テーマと、歴史との關係について、われわれは更に深く考へて見る必要がある。

文壇に歴史を輕視するやうな風潮が起つたのは大正以來のことで、それ以前に文壇的活動を開始した作家は、概してさうではなかつた。たとへば鷗外の如き、露伴の如き、花袋の如き、劇作家では綺堂の如き、眞山青果氏の如き、また先般亡くなつた藤村の如き、皆嚴肅な態度をもつて歴史に對してゐる。

勿論かういふ歴史に對する態度の變遷は、國民思想史の裏づけによつて說明されるだらう。明治は偉大な時代であつた。維新は國史の回顧から出發し、國體の自覺によつて完成された。鹿鳴館の假裝舞踏會に象徵された歐化主義の風潮も、たしかに上層階級一部の當時の姿ではあつたが、それが明治のすべてではなかつた。明治は——明治の國民思想はそのやうに輕薄な、そのやうに羸弱なものではなかつた。鹿鳴館の存在や、輕薄才子の人種改造論によつて、明治時代を誣ひてはならない。むしろ明治時代は、今日普通の人が考へるよりも遙かに健全な時代であつた。そして大正時代から昭和初頭へかけての國民思想は、一般に考へられてゐるよりも遙かに不健全であつたのである。

國民思想の盛衰を測る、もつとも良いバロメーターは國史に對する國民の態度である。國民が歴史を忘却したり輕視したりしてゐる狀態は、明らかに國民思想の衰頽を物語るものである。歷史が忘却されて、國民的自覺が昂揚することはあり得べきことではない。われわれは、明治と大正以後昭和初頭の二つの時代を、この見地から比較することができる。そして、この時代風潮に影響された二つの歷史文學の差違が、歷史に對する態度に現はれてゐることの必然性を見るのである。

大正の文學者は「この國の古典は、つねに怪奇に澱んでゐる」と言ふ。古典とは歷史のことである。彼等の目には、日本の歷史が、怪奇の凝塊として映じ、輕蔑の對照にしか値しなかつたのである。彼等にとつて日本の歷史は回顧すべきなんらの價値も有しなかつた。彼等は、國史を口にすることを耻ぢ、日本人であることをすら耻ぢたのである。かういふ時代の歷史文學作家が、歷史に對して無關心な、あるひは不遜な態度を示したのは決して不思議なことではない。

歷史は忘却されてゐたのである。歷史を忘却した作家が、單に現代的な思想、感情を述べるために、歷史時代を取扱ふ場合、それが歷史的條件に一致しないものになるのも亦理の然當である。

蔭山氏によると、これは藝術至上主義的歷史文學であるが、私はむしろ假裝歷史文學と呼びたい。歷史文學には自然に定まつた約束がある。歷史的な過去（敢て有史時代に限らず）を取扱ふ文學として免れることのできない制約がある。上に縷々述べて來た通りである。

おそらく現代小說の作家が、いかなる高級な讀者をも回避しないであらうやうに、歷史文學作家も、いかなる史家、いかなる學者をも回避することはできない筈である。讀者を選擇し、ある種の讀者を忌避するやうでは、國民作家とは云へない。

大正期の文壇に流れを發した假裝歷史文學は、その意味で有識者を回避し、歷史に對して冷淡な、好ましからざる國民のみを相手としなければ、存在し得ない文學である。要するに、さうした變則的な歷史文學は、大正末期又は昭和初頭を以て終熄すべきものだつたのである。にも拘らず今日尙さうした文學觀を固守して、國策的假裝の下に、實は絕えず歷史に抵抗し、歷史文學の正常健全な發展を妨げてゐる作家が見受けられることは、實に遺憾に堪へない次第である。

六

便宜上、私は現代的テーマといふ言葉を使つてゐるが、あるひはもつと適當した言葉があるのかもしれない。私の言ふ意味は、テーマが有つところの二つの性質、永遠性と、ある時代に限られる一時性との中、時代固有の性質、一時性に傾いたテーマのことである。

勿論ここで云ふテーマは、それに附隨する一切のものを含んでゐるのであつて、小說要素を分析する時に云ふ狹義のテーマよりは、もつと廣義の意味である。

だから、不合理な歷史的背景を持たせて、現代的テーマを語る小說、菊池氏の所謂「現代諷刺のために史實を利用する」小說は、歷史文學といふより時代錯誤小說、あるひは假裝歷史文學と言つた方が正しいのである。プロレタリア文學の全盛期にも、かういふ作品を澤山見た。たとへば、江戶時代の百姓一揆を描いた作品がある。百姓が寺院の本堂で集會を開いてゐる。略式議事法によつて議事が進行し、百姓の演說內容は純然たるマルクス主義理論に立脚してゐる。要するに資本主義あつて起つたマルクス主義が、早くも資本主義の發生以前に現はれてゐるのである。

雜誌「大藝文藝」八月號の合評で、拙作「歷史の窓」に對して、見當外れの暴評を加へてゐる作家諸君も、皆揃つてこの時代錯誤主義者と見えて、全然歷史的條件といふことを念頭に置いてゐない。

里見博士の父菊太郎は、封建時代の藩士である。合評會の作家諸君ではない。心服してゐる主君がある。武士道と臣道の兩立を心掛ける當時の勤王武士（浪人は別）は、主君をして勤王せしめることによつて忠義を完うしようとしたのである。西鄕然り、武市然り、橋本然り、木戶然り、高杉然り、百中の九十九まではさうである。龍馬のやうに自由主義思想を有ち、外樣的輕輩の位置にあつた人物は、藩を脫走して身輕に飛步くこともできたが、一般の健實な武士はさういふ方法を避け、武市の如く平井の如く、殺されても主君に勤王せしめようと努めたのである。里見博士の父はかういふ立場にある人間である。しかも藩命を以て役儀を奪はれ謹愼せしめられてゐる。藩の狀態はと云へば、王政復古の瞬間まで幕府の側に立つて、藩內の勤王家に抗爭してゐた重臣連が、德川家の沒落を見ると、俄にもとからの勤王黨であつたやうな面をしてのさばり出す。若し彼等の轉向が、單なる利害關係からの打算的轉向でないならば、主君を通じて朝廷に謝罪し、謹んで罪を乞ふべきであるが、彼等は罪を藩主に轉嫁し、これを軟禁し、自分達は藩政を掌握して、里見博士の父等、主君の寵臣を刑戮しようとする。かういふ陋劣な心事の持主たちであればこそ、後日僞史を作つて人を誣いるやうなこともするわけである。合評會の山岡莊八氏等は、私が作中に、

――菊太郎は、俄勤皇黨によつて、藩政府が掌握されるのを嘆息しながら傍觀してゐる外はなかつた――

と書いてゐるのを取上げて、

――嘆息しながら傍觀してゐるやうなそんな無氣力な勤皇家を、いつたい誰が勤皇家として受取るであらう。歴史文學をやる作者の勤皇觀がこんなに甘い點であるとはいつたい何うしたことか――

と云つてゐるが、藩主は慶喜の弟といふ特別不利な立場にあり、その弱點を利用されて軟禁されてゐる。執政者達は藩主に強要して主君の名に於て里見博士の父菊太郎等を迫害してゐる。しかも明治政府は既に確立してゐるから藩内には、もはや佐幕黨は存在してゐない。藩內の對立は、佐幕派が強力であつた時代にこれと戰つて、官軍に敵對せしめなかつた菊太郎等と、幕府が駄目になつたので俄に佐幕の看板を下し、もとからの勤王家のやうな面をする卑劣な重役達との對立である。勤仕を差止められ、同志も同様の憂目を見てゐる新參の彼が、嘆息して傍觀してゐたと云つて、山岡氏等は、

――ここに書かれた菊太郎などは紛れもなく僞勤王家である――

と斷定し、歴史の中にかういふ人物を勤皇家として殘さなかつた史家に却つて敬意を表したくなるとまで極言してゐる。さうしてまた、菊太郎の立場を、同情的に見た私に對しては、

――作者の筆は、民族の血の中に崇高に光つてゐるそれを描くに全く適せず、作者こそ、嘆息して傍觀しなければならない人物ではなかつたか――

と云つてゐる。講談倶樂部の編輯部にまで累を及ぼさうとするこの狂氣じみた暴言が、どういふ底意に出でてゐるかは多少文壇の事情に通じた人には直ぐにわかることだから、それについては今は何も云はない。

ただ、菊太郎を僞勤皇家とし、里見博士を學問奴隷と罵り

反對に心事卑劣な不忠不義の重役や、師弟の義を辨へない賣名漢大鷲彥一を擁護する諸君の考へ方には反省を求めざるを得ない。

諸君は、菊太郎が置かれた境遇の歷史的特質を考へてゐないのである。勤皇がどうとかかうとか云つても、諸君が維新史を知つてゐないことは、かかる事件が當時實際に澤山有るのに、事實の有無の見當さへつかず、實例一つ引いて具體的に評論することもできず、ただ辻妻の合はない暴言を並べてゐることによつて明瞭である。

諸君は、歷史文學を批評し、勤皇論を振廻す前に、もつと眞率な態度をもつて歷史を勉强することである。維新史を精讀することである。菊太郎にはモデルがあり、里見博士のモデルは先年亡くなつた某博士である。その令息は某誌の編輯長で、多分諸君の中には親しくしてゐる人もあるだらう。作家の德義上、モデルの氏名を發表することはできないが、いづれは自然にわかることと思つてゐる。勿論事實のままに書いたのではない。私は歷史的條件の許す可能性の範圍で自由な脚色を加へた。私は複雜な藩情のため不幸な最後をとげた人物や歷史から葬られた人物を念頭に置いて書いた。明治初年まで續いた封建制下の武士道と臣道の關係も考へて書いた。

——もし勤皇に徹した人物であつたら、そこから何を摑み何ういふ高い意力で起上つてゐなければならないかは說くまでもあるまい——

と、合評會の諸君は云つてゐるが、說くまでもあるまいなぞと逃げないで、はつきり云ふのがよい。さうすれば諸君が菊太郎に七十數年を飛躍して、昭和の日本人になれと要求してゐることがはつきりするのである。

山岡氏等はまた、私の史觀と自分等の史觀とには大きな距りがあると云つてゐるが、史觀とは實に大きな問題を持出したものである。史觀については實は私も久しく心掛けてゐながら、なかなか勉强の目鼻がつかなくて弱つてゐる次第だから、機會を得て親しく御高見を拜聽したいと思つてゐる。

この批評には、原作を殊更に曲解して攻擊を加へた點が二つある。一つは大鷲彥一の行動を「過失」としてゐること、もう一つは菊太郎の上洛を單に「遁步いた」としてゐることだ。大鷲の賣名的な行動は、性格的なものであると同時に、はつきりした目的意識をもつてゐる。目的意識のある行動を

「過失」と云ふのは日本語ではあるまい。また主君の庇護によつて敵の手を遁れ、主君の依囑を受けて朝廷に藩の實情を愬へるために、上洛した者を卑怯者扱ひするのは亂暴も甚しい。かういふ諸君は、主人に逃亡を命じられたのでもなく、なんらかの依囑を受けたのでもなく、且つ多數の同志僚友が戰死した帝都を見すてて、自分一個の意思で但馬出石に逃亡潜伏した木戸孝允に對しては、どういふ罵詈讒謗を放つのだらう。山岡氏でも大林氏でもいい、誰でもいいから孝允の逃亡に對する批評を聞かしてもらひたい。

　里見博士の大鷲に對する態度が嚴しすぎるといふ點は、少し事情がある。最初私は實は「古事記僞書論」を大鷲が發表したことにしてさう書いたのである。これも註を入れないとわからないかもしれないが、先年さういふ異論を公表した者が實際にあるので、正史の擁護といふ立場からわざとそれを持つて來たところ、ある事情で校了間際急にヂンギスカン問題と入れ替へた。そのため里見博士の怒りがすこし强すぎる感じを與へることになつた次第である。だが、私は師弟道を辨へない大鷲―駁論を引込めてくれたら金を出すなぞと云ふ大鷲の無禮を許すことはできない。博士の怒りが度を過ごしてゐるか否かは、博士自身の問題であつて、それによつて大鷲の悖德行爲が帳消しになるものではない。同じ「大衆文藝」で中谷博「中原麟也」氏は、拙作を次のやうに評してゐる。

――村雨退二郎氏の「歷史の窓」もなかなか佳い。眞の歷史の使命が、贋物、僞物の破碎と、正義、眞理の顯揚とにあることを强調してゐるのは嬉しい云々――

　冷靜な讀者は、拙作とこの反駁と、この批評と、そして合評會の諸君の批評とを照合して、正しい最後の審判を下してくれるにちがひない。

七

　最後に、歷史と歷史文學に關する二三の說にふれて置く。坪内逍遙博士は、歷史文學の釀し易き疾病の中、もつとも注意しなければならないこととして次の三つを擧げてゐる。第一は、年代の齟齬――第二は、事實の錯誤――第三は、風俗の謬寫。

　事實と云ふも畢竟特定の歷史的事實のことであるし、風俗もある時代に固有の制度、習慣、風俗のことであるから、われわれの云ふところの「歷史的諸條件」を指してゐるのである。

しかしここまで考へてゐた逍遙博士も、歴史文學の本質については、遺憾ながら大きな錯覺に陷つてゐた。

――畢竟するに時代物語の目的は、風俗史の遺漏を補ふと正史の缺漏を補ふとの二點にあり――

吉川英治氏なども此説を踏襲してゐるし、他にもちよいちよい「歴史文學は正史の空間を塡めるのが役目だ」と云ふやうな説を唱へる人を見受けるが、これは史學と文學の本質的差違を知らない議論であつて、今日から見れば甚だ素朴幼稚な考へ方だと云ふ外はない。

歴史文學は、直接に、正史、風俗史などの缺を補ふことを目的として創作されるものではない。正史、風俗史の遺缺を補充するのは史學者の仕事である。假に「目的」の二字を緩和して、歴史文學に正史、風俗史の遺漏補塡の「効果」があるといふ程度にしても、その効果を意識して創作されるやうな歴史文學は、文學から片足を踏み外したものである。さういふ効果は、文學としては意識的の問題であつて、歴史文學作家は文學的主題の展開を、自由に強力にするためにのみ、歴史的諸條件を明らかにしようとするのである。われわれが歴史の千山萬嶽に別け入るのは、その地勢、地形の踏査結果を報告するためではなくて、そこに奔放自在な文學的機動力を發揮するために外ならないのである。

文學的主題――を忘れて、どこに文學が存在するだらう。歴史文學の歴史教育的効力といふやうなことは、文學的主題に包含して、あるひは國民精神、あるひは歴史精神といふやうな觀點からのみ論ずべきである。單なる知識教育的な問題として、引離してその効果を云々するのは大きに間ちがひである。

最近多くの歴史文學作家が、史家の阿流のやうな位置に甘んじて、文學的香氣の無い、通俗歴史讀物、傳記物語、美談逸話小説の創作に沒頭してゐる事實については、前にもちよつとふれて置いたが、これと同時に、最近の歴史文學に、歴史上實在の人物特に國民的英傑を取扱つた作品が非常に目につく。勿論この二つの現象には密接な關係があるが、しかし近い將來に、歴史文學の一般水準が今よりずつと上つて來ても、歴史上實在の人物、事件を主にするのが歴史文學の本道か、それともリールのやうに、意識的に實在人物を避けるのが、文學として正道か――といふ問題はやはり問題になると思ふ。リールはかう云つてゐる。

――小説家が、いかにも歴史的眞實を描寫するかのやうに裝ひながら、世界史的事實を歪曲したり、大人物を小人物に書き變へたりすることは、我々の歴史的教養にとつて耐へがたいことである……歴史小説の任務は、ある時代の文化を基礎として、その上に自由に創造された人物の熱情と葛藤とを描くことである。背景は歴史的だが、前景に活躍するのは、虚構され緻密に描寫された性格であり、事件も亦決して歴史的な、少くとも世界史的な大事件であつてはならない……世界史的事件は遥か彼方に隱見するのみであり、世界史的人物は舞台の背景を通過するにとどまる――

「我々の歴史的教養」と云ふリールは三十一才でミュンヘン大學の教授になり、六十三才の時バイエルン國民博物館長となつた文化史家である。さうして彼は、主張の通りの作品「街の喇叭手」「神よ酬いたまへ」などを遺してゐる。彼の歴史文學には歴史上實在の人物が主人公又は重要人物として扱はれてゐない。稀に史上の人物が現はれても、云ふ通り「舞台の背景を通過する」程度にとどまつてゐる。作品は史家の餘技といふやうなものでなく、實に立派な文學である。リールの歴史文學が、文學的批判に充分耐へるものであると同時に、歴史家の批判にも耐へるものだといふことは爭へない事實である。

メリメは、リールとは異つた見地から、歴史小説の浪漫的取扱ひ、特に中心的主人公の役割が歴史的偉人となつてゐることを、鋭くこき下してゐる。彼は偉人の言行録は史料編纂の仕事だと斷言する。メリメの考へによれば、歴史的實在人物、特に善惡によらずすべて著名な人物の性行は、民衆の腦裡に固定した概念を形成してゐるから、その概念に反した性格や行爲を（假にそれが充分な史料にもとづいてゐても）描くことは非常に困難である。さういふ困難を冒してまで、史上の英雄豪傑や才子佳人を扱ふ必要はあるまいといふのである。結論は同じところへ落ちるが論據はちがふ。

私は、リールやメリメの結論として出て來る歴史文學の一世界を認めてゐる者で、リールが見事に作品をもつて示してゐるやうに、歴史的諸條件を備へた自由創造は、歴史文學の凍結を防ぐ途だと信じてゐる。しかし同時に、たとへば眞山青果氏の（小説ではないが）「乃木將軍」のやうな成功作品がある限り、すべての歴史文學作家が、歴史的實在人物及事件から手を引かなければならないものだとは、どうしても思へないのである。

但し、メリメの立論の基礎には異議がある。歴史的人物に對する既成概念――特に民衆的概念との摩擦、衝突、乖離を怖れて、手を引くといふのは眞理を愛する所以でない。既成概念の走狗となつて、意識的にあるひは無意識的に、虚僞の毒素を振撒く破廉耻な、あるひは無智な低俗作家に比較すれば、勿論手を引いた方が罪が輕いではあらうけれど、われわれは採らない。

若し、史學と文學とが、歴史に對して、同じ目的と、同じ方法とをもつて切込んで行く外ないものとすれば――要するに、歴史に對する方法が一つしかないものとすれば、歴史文學作家は、歴史上の實在人物及事件を拋棄する外はないだらう。だが、史學と文學とは、目的と方法とを異にしてゐるのである。史學は歴史的實在性を證明するだけだが、文學は實在の可能性の中に、廣大な眞實世界を創造するのである。

實在の可能性を究めるといふこと――歴史的諸條件を明らかにするといふことが、既に作家にとつて相當の負擔であるから、この上史上の人物、事件を扱ふことは勿論負擔の加重にはならうが、それによつて歴史文學が成立たないといふことは絶對にない。文學と史學は、目的と方法を異にしてゐるのだといふことさへ、はつきり會得してゐればすこしも心配することはないのである。

歴史的諸條件を具備した文學的眞實とはどのやうなものか。「源平盛衰記」の袈裟御前に關する物語を想起して、さて歴史家坂本蠡舟氏の「袈裟御前」論の、左の結論を讀んで欲しい。

――最後に、更に最大讓歩をしても、なほ袈裟を實在と認むべき價値はある。始にいふが如く、十六の少女は當世の史局を左右する重大の地位を占めては居らぬが、それで居て、その物語が當世の佛教思想なり、社會組織なり、貞操觀なり、習俗慣習なりを立派に物語る點に於ては、決して他より顯著なる一事實の、若干よりは寸毫も讓らぬのが、その歴史的價値である――

袈裟の實在を證明するに足る旁證は一つも無い。にも拘らず歴史家をして、敢て實在を主張せしめるほどに、それほどにこの歴史文學的一挿話は歴史的現實性と人間的(文學的)眞實性とを併せ具へてゐるのである。

當來の歴史文學は、まさにこのやうな性格を持つものでなければならぬ。

随筆

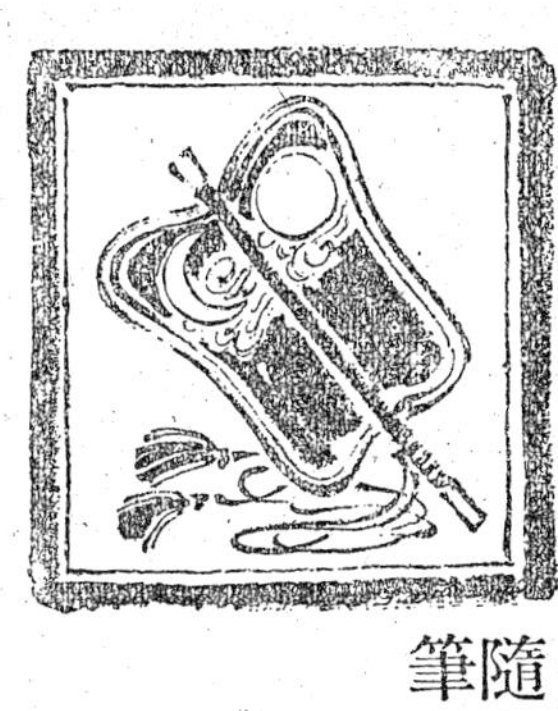

神道と文學

安藤信

「神道と文學——ほゝう。あんたは私を試みようとしてますね。では、逆に私から問題を出しませう。次の二つを比較評論して下さい。」

一、豊葦原の千五百秋の瑞穗國は、是れ吾が子孫(うみのこ)の王たる可き地(くに)なり。宜しく爾皇孫(すめみま)就きて治らせ。さきくましませ。寶祚(あまつひつぎ)の隆えまさむこと、當に天壤と窮りなきものぞ。

二、エホバ、アブラハムに云ひ給ひけるは、爾の目を擧げて、爾の居る處より、西東北南を瞻望め。凡そ汝が見るところの地、我之を永く爾と爾の後裔を、地の塵沙の如くなさん。もし人地の塵沙を數ふる事を得ば、爾の後裔も數へらるべし。爾起ちて縱横にその地を行き辿るべし。我之れを爾に與えん。

「左樣、日本書紀中の「御神勅」と舊約全書創世紀の一章です。實は世界各國の神話の中から健國に關するものを探さうと努めたのですが、他には見つからぬのです。尤も、日本の古典を「神話」として取り扱ふのは大いに考へねばならぬ事ですがね。日本古典は所謂「神話」ではなく「歷史」であり「神道」と稱するものでせうからな」

「なる程、第一に、内容と言葉の、氣魄と氣品に、雲泥の相違があると云ひますか。その通りたしかに雲泥ですね。我の雄大、壯嚴、嚴肅、大空を仰ぐが如き悠久、無窮の神性と愛情を示し給ふに對して、彼は餘りに規模が小さいですね。地の塵沙の如くなさんの言葉に到つては、此の神樣は詩も解らん。起つて縱横に歩けとか、四方を眺めろ——などと、塵沙は如何に數多くとも、結局、數學的にはいつか限りあることですね」

「次に吾が御神勅は温い御慈愛に滿ちた斷乎たる御命令であるに對し、彼は漫然と好きな者に氣まぐれに與えたといふ感じ——その通り、流石はあんたは小説でも書かうとする人だけに感じがいゝですね。いや、然しこれは感じだけではないのです。世界中で神が國土を生み、國民を生み給ふたのは日本だけですからね。他のあらゆる外國では神は人間を創つてゐるんですよ。だから外國では神が大いに屢々人間を實に慘虐な方法で試したり、刑罰を與へたりしてゐます。御承知の通りそりや、とてもすばらしく奇拔な慘虐なものですよ。それに對して日本の神々は、たゞ、如何にして國家を繁榮せしめ、國民を幸福にするかとのみ努力遊します。いづれ、この點については委しく何かに書いても見たいと考へてますが、とに角、アブラハムがエホバに辭退すればはつきり拒絶する事も出來ますし、また、與へられたもの故に、何時かは奪ひ返されないとも限りません。これに反して我々は神の子孫であります。神の血であり、神の肉であります。卽ち神人一體——如何なる者もこれを奪ふことは出來ませんな」

「彼れは土地(くに)に對する祝福がない。さうです。

如何なる地を惠れたのか――塵沙の言葉から受ける印象は沙漠でも與へられた感じですれ。我が國土の豐葦原の瑞穗國と仰せ給ひしお言葉は、洵に豐饒沃土、絕對の神州を指し給ふた大御心が涙のこぼれるほど有難く拜せられます。彼等は與へられた儘、無意味に土地を定め、國を作るに對し、我は寳祚の行榮と天壤無窮の烈々たる希望に燃ゆる姿がはつきりと目に見えるではありませんか」

「彼れは國體がない。さうですね。この神の言葉では子孫がウジヤ／＼、ゴヤチ／＼塵沙の如く繁殖してゆく未來はあつても、たしかに微塵の政治性も特殊な國家もありませんな。我々は實に、たゞ雄渾壯麗なる國體を明確に御制定遊され、こゝに一點の疑義もありません。いや、章々、句々、わが神典と外國の神話とを比較して見れば、神道精神が如何に世界に卓越してゐるかゞはつきり理解されるのです」

「永い間、我國は文學の中に國民性を失つてゐた事は遺憾ながら眞實ですな。一昨年でした。私の知人が女流詩人と稱する某女史と會遇しましてね、たま／＼古事記の×××××××××××。すると女史曰く――××、××〆××××な本……と云つたさうで、ところが、私は最近その女史が神兵を讃える詩を讀みましてね、前の憤慨をすつかり解消しましたがな、とに角、ヒステリーでも何でも、此際、國民的激情を昂揚することは極めて嬉しき極みですよ。詩人の名ですか。また聞きですから預らして下さい」

「とに角、今更過去を問ふ事は止さねばなりませんが、一度や二度、みそぎをした位で神人一致の境地に達したり、古事記の解說本を拾ひ讀みして古典の神髓が了得し得たりするやうなお手輕な附け燒刄では、少々日本の文學者の態度としては心細い氣がしますね。男のヒステリーも大部ゐるさうですが、一時の昂奮で書かれた戰爭物や、增産職場もののみが國民文學であつたとしたら、八紘一宇の大理想を完成し給はんとする神の御意に反くも甚だしきものだと思ひますね。そろ／＼あんた方の手で雄渾、壯嚴な神道文學が生れてもいゝはづですがな」

「國體と神道の關係ですか。結局は一にして二ならずですよ。國體を究明してこれを實踐することが卽ち神道ですよ。ですから神道は我々にとつては絕對なものですよ」

志士文學と職業文學

村　正　治

最近、文壇內で「志士文學」論が擡頭し出した。本誌でも、戸伏君が早くから「志士文學」生れよ！との號令を揚げてゐる。然し、「志士文學」の性格は、まだ明確に規定づけられてゐないやうである。「志士文學」とは誰が名附親なのか知らないが、今事變前に發行された日本文學全史の「江戸文學史」下卷に高野辰之博士が「志士文學」の一章を設けてゐる程で、事新しい稱呼ではない。

この「江戸文學史」に「志士文學」として收錄されてゐるのは、先憂殉難、國事に奔走した國士烈士の述懷、偶成、詠史、感興等の作品――主として漢詩、和歌――であつて果して文學と呼ばるゝに値ひするや、疑ひの存するものも少くない。その大部分を占めてゐる和歌に就て觀ても、類型、類想が多く、慣用的語句が頻出して類歌の應接に遑がない程であり、技術的にも拙劣である。然も、これらの和歌が、今日なほ我々を感動せしめるのは何故か？一に、彼等志士の切實なる憂國の號びであり、血涙の結晶であるるからに外ならない。

今日、謂はれてゐるところの「志士文學」も、眞に「志士文學」たる名を愧づかしめないためには、「眞實の號び」であり「血涙の結晶」たることを第一の要件とすべきであらう。併も「志士文學」が「眞實の號び」たり「血涙の結晶」たることを求める場合、果して、今日の職業作家が其の要請に應へ得るだらうか？僕は、現在、吾れこそ斯の時代の志士文學者たらんとして、清貧陋巷の生活に在て敢闘してゐる何人かの眞摯な姿を、崇高なものとして仰高してゐるが、それだけに一方で、「志士文學」を、或ひは「國民文學」を唱へることに依て、今日的存在を保持しようとしてゐるかに觀られる作家のあることに、嫌忌侮蔑を感じ、今日の制約の下に、職業作家たることに多分の危惧を感じさゝれてゐる。

食ふために原稿が書かれる場合、「眞實の號び」が枯渇した場合にも作品を賣らなければならない。斯くて、書かれた作品の總てに「血涙の結晶」たることを要求するのは、要求する方が無理だらう。無名の間は「血涙の結晶」でも發表するに方法がない。有名作家になれば、無い涙を絞り出してでも、空泣きしてでも需要に應じなければならない。此處に、今日の制約下に於ける職業作家の宿命的不幸がある。作家の生活がジャナリズムに依存してゐる間は、また作家が、作家たること卽ち清貧に甘んずることたるの氣慨を以て文學に對し得ない限り、この不幸からは免れ難いだらう。一年に二つか三つ書けばいいだけに原稿料が高くなり、或ひは國家が生活を保證すべきであるなどと云つてゐるやうなことでは、眞の「志士文學」は生れないだらう。所謂、職場小說の如きも、五年十年の汗と油に塗れた勤勞の體驗と蓄積を、一作品に賭けて世に問ふ程のものであつてこそ、この時代の「志士文學」の一類たり得るだらう。

日下部伊三次の詩

中澤巠夫

星斗闌干月天滿
書窓深坐不就眠
欲知世運隆興象
神武東征戊午年

この詩は、日下部伊三次が、安政五年（勅諚降下の年）に京都にあつて、一夜感ずる所があつて賦したのである。

日下部は安政大獄の立役者で、井伊大老の恐怖政治の發端となつた勅諚降下事件に當つて大活躍した男だ。

この詩の結句に深い意味がある。

安政五年、幕府は、天皇の思召に背いて、日米通商條約を締結した。天皇は幕府の措置に深く軫念あらせられ、水戸藩に對して、內勅を下し、國內一致協力、外侮を禦ぐことをのぞませられた。安政五年は戊午年である。はるかなる昔、神武天皇は、天業恢弘を思召し給ひ、日向國高千穗宮を御發向、美々津の濱より御東征の途に就かせ給ふた。その年も戊午年であつた。

伊三次は、はしなくもこの戊午年に當つて攘夷の勅を下し給ふたことに、深い感激を覺え、はるかなる神武創業を懷古し、この一詩を生んだのであらう。

慶應三年十二月の王政復古の大號令に、「神武創業ノ古ニ復シ」と仰出された神武天皇創業復古の思想の淵由深きを思はせられる。

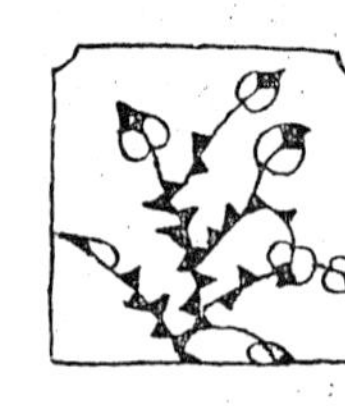

「現地小說」に就いて

北町一郎

一

現地に主題した小說は、見るべきものが殆んどないのに、もう飽和狀態に達してゐるとの聲をきく。無理のないことであらう。しかし私は悲しまない。本當のものが、漸くこれから出かゝるのだと思ふからである。

多數の報道班員作家の戰線又は占領地への參加は、現地の認識と理解にどれほど役立つてゐるか知れぬと思ふ。貴重な體驗である。單なる旅行や視察でなくて、それぞれ公務についてゐた。一寸した視察旅行でさへも、文學化されてきた場合が多い。それが、少くとも二度や三度、皇國民としての死といふ現實に直面し或は思考にむかつたのである。これほど清潔な鍊成は他にあるまい。偉大な文學が生れるであらうと云ふのは、そこである。

しかし報道班員の受持つた仕事は、大體に於て似たり寄つたりの種類のものであつた。それらに題材を求めた作品が、とかく共通した雰圍氣を持つことは當然であらうし、殊に雜誌の作品の短かい制限は、この傾向を助長させるとも云へよう。もう鼻についたと見られるのは、ここらが原因であらうか。

だが、現地生活の體驗のない人の書いた共榮圈又は外地に題材した作品を讀んでみると、共通した缺點がうかがはれる。それは、どこかにシンが拔けてゐることである。丹念に調べて書いてなくても、肝腎の所がぼやけてゐるのである。特定の場所に、實際に存在しない建築物とか施設その他が尤もらしく書かれてゐるやうな、些細なことを問題にしてゐるのではない。南方を描くのに、椰子の葉やゴムやスコールなどの道具では、讀方は滿足しないだらう。私の云ひたいのは、さういふ作品に生命が通つてゐないことである。例へば讀んでゐるうちに、自分も自ら汗を覺えるやうな、暑さの表現を持つ如き作品。それは現地にあつた人も現地をふまぬ人にも、中々に至難な課題であらう。私は現地にゐた人を特別に尊敬するわけでなく、報道班作家を他の作家と別のものとして區別するわけではないが、現地生活を送つた人には、比較的に有利であることは事實であらう。

最近の所謂大衆的な作品を讀んで、現地を知らぬ人のものに右に述べた缺點がよく眼についた。某地の産業建設を扱つた作品には、その現地の特殊性らしいものは感ぜられず、物語の展開を追ふだけである。某地の史實を扱つた作品には、史實を説明するだけのために、小説の形が借りられた感じがした。歴史小説の形を使つて、現代小説を書くのと大差はない。物語とこしらへ物の小説で、現地小説そのものが批判されては滑稽である。

二

必要があつて、マライ、スマトラに關した作品を讀んでゐる。邦人作品のものは別として、飜譯について若干述べてみたい。

アンリ・フオコニエの「馬來に生きる」は、ゴンクウル賞作品で、佐藤朔氏の飜譯と金子光晴氏の飜譯の二種がある。原文を知らぬので比較は出來ないが、佐藤氏のものに飜譯の誠實さがあるやうに思はれた。作者はマライ半島でゴム栽培に從事してゐた體驗家とのことで、その内面生活の省察やゴム林生活者の人間視察などに、緻密な筆があり、抒情的にすぐれた内容がある。私はマライの四行詩パントンに費された數頁を、興味深く讀んだ。この著者はすぐれた手腕を持つてゐる。しかし、肝腎なことは著者が遂に「白人」であり、その思考はフランス的であることだ。これは大東亞建設の私たちにとつて、要するに彼岸のものである。

ドウ・クロワツセの「マラツカの女」。フランスの劇作家が、東洋方面旅行の折のお土産作品。マラツカやシンガポールが架空の名に變へられてゐるのは別として、所謂フランス的な思考の見られるもの。夫婦の性生活を一週間何回にするかということが、論じてゐられたりする。作家の才氣は分る。建設時代に如何なる資料となるかは論ずるまでもなからう。

ラースロウ・セーケイの「南の青春」。スマトラ開墾記と副題がある。飜譯者の大久保康雄氏の後書によると、この飜譯を志したのは熱帶の風土が肉體や精神に及ぼす影響とか、農園の開拓の狀況など、南方の認識に役だつやうにとの意味からであるが、この本を讀む人は別の角度から印象を强く與へられるであらう。それは、月給の多いのと、土地を貰へることにあこがれて、スマトラへ來たハンガリアの青年が、次第に植民地の逞しい「白人」として「土人」に君臨してゆく過程である。歐米人が、このやうにしてアジア人を支配してゐた現實が、まざまざと浮んでくる。初めは原住民を毆ることに眉をひそめる青年が、遂にはそれへ快感さへ感じてゆく。これも「馬來に生きる」と同じく、開墾地での性慾問題にふれてゐるが、「馬來に生きる」では原住民の女を犯して若干の内省があるのに、「南の青春」には、それを當然のこととして扱ふ。白人侵略の姿として、最近實に面白く讀んだ本である。しかしスマトラのデリー地方の煙草栽培と後ではゴム林の經營に變る話なのだが、その栽培の現實にふれることは少ない。私はこの本から、煙草とゴムといふ植物に對する作者の情熱などは少しも感じられなかつた。彼にとつては、單に金をとる媒體にすぎなかつたのだらうから――。

マデロンール、ロフスの「スマトラの苦力」。ジャワから契約苦力として、スマトラのデリー地方へ連れて來られ、十九回目の契約に名を書くまでの生活を、苦力を主人公として書いた小説だが、その眼は遂にインドネシア人たる「苦力の眼」とはなり得ないである。これは、やはり「白人」の書いた作品でしかない。

以上四つの飜譯は、何れも外國人が見て書いた作品である。文學的にはすぐれたものもあるが、今度はアジア人の眼、日本人の文學として新たなものが生れる日が、それほど遠くはないと思ふ。私は今、あるインドネシア人の書いた小説を飜譯してゐるが、以上の「白人」たちが高いバンガロウの椅子の上にふんぞり返つて眺めてゐたものとは違つて、可成に大きな思考の差を發見しつつある。彼等には彼等の魂があるのだ。さういふ發見こそ、新しい大東亞文學や文化の建設への一つの寄與をなすことであらう。

さて、以上の四冊の本を手にとつて、等しく奇異に感じたことは、どの本にも飜譯者の後書又は解説がついてゐるが、申し合せたやうに、原作の著書名が原文を以て記されてゐないことである。飜譯された題名通りのものではあらうが、讀者として心許ないことである。（「馬來に生きる」の金子氏譯本は「馬來」となつてゐる。）また「馬來に生きる」と「マラツカの女」は、フランス語の原著からであらうが、あとの二冊「スマトラの苦力」は、ドイツ語の原書か英語のものか示されてゐない。「南の青春」は何處の國の言葉で書かれたものか分らない、從つてこの二冊は原著の年代も知る方法がない、小さなことのやうだが、飜譯者にはそれだけの親切心があつてほしいと思ふのである。

（終）

月例評壇

十一月號私觀

東野村章

娯樂雜誌十一月號の五誌に前線將兵の慰問のために紙の特配があつて、五割方の增頁である。そのため他誌には見られぬ華々しさがその五誌を飾つた。慰問のための心づかひがそれぞれに、それぞれの色彩をもつて盛り上げてゐるのがうかゞはれる。慰問としてどれが成功してゐるかどうかは此處では觸れまい。みんな一生懸命であることはそれぞれの雜誌を見て感じられるところである。趣向の方法に違ひがあるが、小說を多く盛ることによつてその目的を滿たさうとしてゐるところはどの雜誌も同じである。

普通の頁では盛りきれない長篇讀切にどの雜誌も力を入れてゐるやうである。さういふ意味でこの十一月號の批評は相當愼重に當らねばならないと思つて、念入りに讀むやうにつとめた。娯樂雜誌とは言へ、五誌を通讀するのは、僕のやうに時間の少ない者にとつて容易なことではない。「富士」――「講談倶樂部」――「日の出」――「文藝讀物」――「講談雜誌」――のうち到頭「講談雜誌」は讀み終へることが出來なかつたことを、殘念にも思ふし、誠に申譯ないとも思ふ。

連載小說は永らくこの批評では觸れられないできた。それは纏つてからでないと途中では充分のことも言へないといふところがあり、完結のものでも每號讀み續けてゐなかつたりして、その機會が却々摑めなかつたからである。

「日の出」に新らしくこの號から連載される小說に、久し振りに執筆の江戸川亂歩氏の「偉大なる夢」がある。江戸川亂歩氏は、氏獨自の一つの文學をもつてゐた。それだけに氏の魅力は、いまだにわれわれの何處かに殘つてゐるやうな氣がする。時局的であるかないかは別にして、自分の發見した世界をひたむきに拓いてゆかうとしてゐた努力は、矢張り亂歩氏の文學の意欲として胸をうたれたものである。科學小說として、更に別の新らしい何かを、この「偉大なる夢」に筆を下す前に、心のうちへひとつの衝動があつたとすれば、誠に慶賀に堪へないところだと思ふ。

第一回は、或る科學者が只管研究し續けてきたところのものが具體的に完成したといふところから始まり、まだ、全く物語の門口に辿りつきはじめてゐるに過ぎないが、「巨人」にして了つたその科學者や、科學者の息子の色白い青年など、亂歩氏らしい表現が隨所に見られ、しかもこの第一回目では、それがかつての表現にそれほど進歩のあとがあるだらうか疑問に思つてゐる。夢であつてもいゝ、新らしい意欲を、この長篇に見たいものと期待される。「日の出」にはもうひとつ「花咲く道」があるが、これは讀んでゐないので觸れることが出來ない。

「富士」の「御盾」山岡莊八氏――がこの號で「ワシントン會議」の卷が終つた。氏のひたむきな熱情が火と燃えて、作品にぶつかつてゐる懸命さに胸を打たれる。この號は叫びの多い小説であるが、憑かれたやうに夢中になつてゐる作者の姿が、活字の向ふに浮んでくるやうな氣がした。たゞ、時局的色彩とその場限りの説教めいた口吻との作品をものする作家の多い中で、氏の「御盾」に向ふ態度の激しさには、見かけだけではないものを感じるのである。

「講談倶樂部」の「青山白雲」牧野吉晴氏――は、先月號あたりからやゝ疲れのみえだした感じで、はじめの頃のひたすらなものを失ひつゝあるのではないかと思ひ、氏の文學的意欲の言葉の實踐に努力を盡されたく奮起を望みたいのであるが、まだ終つてゐる譯ではなく、批評的なことは避ける。

「日の出」二ツの長篇讀物がある。現代小説は梶野悳三氏の「かんだち政五郎」で、もう一つは歴史小説で角田喜久雄氏の「明暗邪宗門」である。

「かんだち政五郎」は梶野氏得意の海洋物であるが、いゝ作品とは思へなかつた。漁人氣質といふか漁師世界の雰圍氣は出てゐるとは思ふが、意圖するところのものが充分に描き盡されず、たゞさうした社會でのありさうな話を語つてゐるに過ぎないやうだ。無論、小説は必ずしも珍らしい話でなければならないといふ理由はないが、この場合では「魚を獲る！　一びきでも多く獲る！　これこそ彼等の本態的な強い欲求」であるところの漁人の心がぢかに讀む物の心に響いてくるのが本當ではないであらうか。やゝ物語の面白さにとらはれ過ぎたきらひが、この作品の感銘の度を、弱くしてゐると言へる。「明暗邪宗門」は、あらゆる點からも駄作の域を出るものではない。

「猫質譚」高見順氏、「後の物語」神崎武雄氏、「水鬼の怪」大平陽介氏、「秋の夜語り」堤千代氏――と殆ど現代小説である。そして、同時に殆ど餘り面白い小説ではなかつたことに口惜しい思ひがするのである。

此處で考へられるのは、時局を盛らうとした意識が強く作者を捕へてゐて、それだけで、さうした時局的色彩を描くことだけで目的を果したかのやうな境地にあることである。表面を撫でゝ、それで役目を果したやうな感が矢張りするのだ。これは、もうずつと幾度も幾人もの人々によつて言はれてゐることであつて、作者もまたその圈内から遁れるか、突き拔けるか、いづれにしても恐らくそれで滿足はしてゐないに違ひない。しかもなほ、其處から遁れることも、突き拔けることも出來ないとすると、これはもう一度よく考へてみなければならないであらう。

小説を書くといふ仕事が、單なる技術ではないことを見るのである。もし、技術だけで足れりとするなら、恐らくこれで一應の役目は果したと考へられるだらうが、それだけでは足りぬものがあることに文學としての問題があるのである。

堤千代氏は、馴れたといふ感じで、そのかはり、初期の「小指」などの作品に見られるやうな熱情はなくて、たゞ機會的にお上手に纏めやうとするところが見えて、發展的何もものも感じられないのは、この作家にとつて惜しまれると同時に、若さをひつさげての熱情が望まれる。

高見順氏は不思議な作家である。これは僕の好みだけであるが、一向にこの作家の作品で感心した作品を讀んだことがない。が、不思議な人氣をもつてゐるのだ。「猫質譚」のやうに殘るものもないかはりに、それほどつまらないものでもないといつた點のつけようのないあいまいさが、反つてこの作家の位置を保たせてゐるのであらうか。

「後の物語」は、ある雰圍氣の味をねらつての作品である。平家の殘黨の血をひく或る老人が、同姓であるところから一族の連がりがあるのではないかといふ、乘り合はした乘合自動車の運轉手と近づきになる。その運轉手は歸還兵で、先祖の墓の前で二人が語るといふ話であるが、源平時代の血の連がりが作り話の味氣なさで、作者程には感激したりすることが出來ない。神崎武雄氏は、「文藝讀物」に「興安嶺」といふ作品を出してゐる。「興安嶺」よりは「後の物語」の方が幾分判りがいゝが、それにしてもこの作家の近ごろの作品の中心のぼやけた具合はどうかと思ふ。

場面の情緒に相當の感傷をもつてゐるらしく淡い哀感を誘ふところで一生懸命になつてゐるが、全體を通しての一貫した柱が通つてないので、場面に額緣をはめた調子がそぐはず、無駄な努力を重ねてゐるやうに思へるのであつた。

「文藝讀物」では、現地小説が三篇出てゐる。丹羽文雄の「基地の花」、大林清の「廣東華僑」、石坂洋次郎の「クエンコ大尉」である。昭南島、比島等の現住民の生活をそれぞれに執りあげて、特殊な現地の環境にある現住民の姿態を戰爭の激しい渦の中に見ようとしてゐる。見てきた事實は、しらべたり想像したりしてゞは表はすことの出來ぬものをもつてゐる。動物園で檻に入つた生物を、傍觀者の勝手な感傷に彩つて眺める、さうした見方に問題がありさうな氣がする。が、この三篇はさうした見方を非難したりするほど、分明と作者が腰をすへた見方を持つてゐるとは思へない。いづれにしろ、素材の中に文學の興味とは、別の興味があり、それによりかゝつてゐるところがあつて、その作者の態度も淡い感傷に滿足してはゐないのであらうか。かう言へば餘りに嚴しい作者の態度を要求してゐ

過ぎるであらうか。

橋本英吉氏は、苦勞を知らぬ作家といふ氣がする。彼の歷史小説はすきだらけで、それでゐて本人は餘程勉强した心算でゐるんだし、いゝ加減なところで滿足し、凱歌をひとりであげてゐるやうな作家だ。「次郎長開墾」は、親分子分の次郎長をかういふ風に書けや。書けるんだと胸を張つてゐるかに見えるのだが、この次郎長、いやに神經質な次郎長が、がまんして太ッ腹らしく振まつてゐて、丁度作家橋本英吉氏の一面を覗くやうな感じである。素材に見事投げ返へされてゐる。

もう一ッの歷史小説「姫島記」は、原田種夫氏の作で、野村望東尼が姫島に流罪牢居を命ぜられ、島の獄舍に日を送るすがたを描いてゐるのだが、描寫も構成も小説として完全ではない。たんたんと説明してゐるに過ぎない。直木賞をどうとかしたといふ山本周五郎氏の「日本婦道記」丁度あれをもう少し上品にしたみたいである。「日本婦道記」を小説文學のうちに數へるか數へないかは、その人々の文學としての良心に問ふが、先に現地小説でゞも言つた素材に於ける興味や、時代的意味合ひで、それだけで一足飛びに文學の問題

とするなど案外平然と行はれてゐるやうであるが、この餘り聞かない作者名をみて、いまのうちに自戒していたゞきたいものである。

「講談倶樂部」を手にし、海音寺潮五郎氏の「父祖の道」を讀んで、「日の出」――「文藝讀物」と續いてもやもやと腹立たしい想ひであつたのが、いつぺんにふつ飛んで了つた。

夢中で讀んで、最後の一行を噛みしめながら、暫く凝ッと心に甦る感銘を抱きしめてゐた。新しい時代の血を沸きたゝせながら、孫達を前に置いて、思はず饒舌になる老人の姿が彷彿として、何時までも、何時までも消えなかつた。山奥、息子、老人、それらは見てきたやうな姿で讀者の前に擴がるのだ。本當に小説文學を讀み、心ゆくまで味つたあとのあの滿足感が泌み泌みと明るくするのである。人物が描けてゐることが、その最初の感銘をもたらしたものだと思ふ。作者は飽迄も物語の向ふに冷然と構へてゐるのに讀者は思はず、作中の老人と一緒に躍り出したくなるのを心憎い思ひで感じた。

これは僕だけの場合であるが、僕のやうに歷史的事件や事實が歷史小説の重要な役割りをもつてゐて、さうした素材的興味を通してゞなければ歷史小説の面白さは半減するかのやうに思つてゐた者にとつては、過去の或る時代ではあるが、その時代の雰圍氣を多くの知識をもたない讀者にもぴんと響かせるものをもつてゐて、それは矢張り人間の眞の姿の面で眞つ直ぐに受け入れることが出來るのだといふ確信であつた。判りきつたやうなこのことを具體的な例で示された想ひである。文學としての感銘に、歷史小説と現代小説とに違ひがあるとは思つてはゐなかつたが、歷史小説はその描かれた時代について多くの知識があればあるほど感銘の深さが違ふのではないかといふことも漸く分明したかたちだ。それにとらはれてはならないのだ。

海音寺氏は、この作品によつてひとつの新しい面（文學的には深い）に辿りついたと思ふ。今迄の氏の作品に比べて、非常に落ちつきを得て、ゆつたりと書いてゐる。かりに、今迄の氏が、ひたむきな情熱の塊であるなら此處では、その情熱の塊をぐつと抱きしめて文學的高さへ向けて情熱を注ぎかけてゐるといつた感じがする。報道班員としての永い思念の時間を得たことは、幾分案じられるところもないではなかつたが、こゝに氏の情熱の發展を見て、大いに意を強くした思ひがする近頃では多くない文學の感銘を讀者は感じることであらう。

他の二ッの長篇、小山寬二氏の「怒濤」、大林清氏の「松ヶ岡開墾」であるが、「松ヶ岡開墾」は主題の把握に既に混亂を示してゐる。庄内士族を通して勤勞精神を説かうとしてゐるのであるが、前作「庄內士族」には到底及ばない。小説の面白さは事件の變化にのみあるのではないことは既に作者御承知のことゝ思はれるが、入組んだ事件が主題を離れてゐるのでやゝこしくしてゐるばかりだと思ふ。

吉田松陰を描いた「怒濤」は、筆致に妙に途切れがあつて、氣になり、面白さもなく極く平凡な小説と言へば言へぬでもない。

もうひとつの歷史小説である櫻田常久氏の「兵原先生傳」に至つては、讀むで了つても何だか判らない作品で、僕は到頭その筋の發展をさへ、いま想ひ出せないでゐる。櫻田常久氏は、「安南黎明記」以後筆致に非常に癖が感じられる。「都會が平衡を失つた時、やゝ邊鄙な國々から新しい生氣が流れこんできた」はその例であるが、廻り道をした表し方が、よくのみこめず、作者の努力は反つて迷惑な形である。

「炭層」（秋永芳郎氏）は、礦山を描いた現代小說。礦山の特殊な雰圍氣は摑んでゐるし表はれてゐるとも思ふ。主人公である久賀千松の心の經緯が深くは語られてゐないので、最後の落磐に死んで了ふところも強い感動がないのではないだらうか。千松が何に心の衝動をうけ、どうしてそれだけの決意に燃えるやうになつたか、この心の經緯をもつと強くとりあげればどんなものだらう。きまりきつた形に筋が發展し解決されるのにもの足りなさを感じるのである。

「三助鐵兵」（古城貞）は輕いが鐵兵を浮きあがらせてゐる點で讀ませる作品である。新人の作品としては、筆が馴れてゐる。

これで、大體、五誌の讀んだ作品には觸れた。批評の度びに今度こそいゝ處を探さうと張りきつて讀むのだが、途中で放り出したくなつてしまふのだ。それは、僕が見當違ひの高さを求めてゐるからであらうかと省りみるのだが、決してさうぢやないのだ。或る一つの理想、それが常に批評の基準になつてゐることは慥だ、併し、出版界はいま不安定な狀態にある。遠からずそれらは解決されることゝ思はれるが、作家の生活がその影響を受けて、多少なりとも動搖してゐるのは一般的事實であらう。文化の擁護は古美術や文獻を護ることだけに終始してはなるまい。今日この戰へる現實の中に、明日の文化を築くものゝあることを考へるとき、よき作家の擁護も考へねばなるまい。皇軍慰問號として、僅か五割の增頁にさへ、同じ作家が二誌に書いてゐるなど、既に新しく登場した作家の貧困を表してゐる。作家を育てることも考へられなければならないと思ふ。

×

「文學界」では「森鷗外」中野好夫氏、「二葉亭に學ぶもの」除村吉太郎氏などの、明治時代の文學者を積極的に取あげてゐる點で注目される。佛蘭西の作家に變つて、それらの古い作家がとりあげられたといふだけでなしに、それらの作家を通して日本の文學者の日本的な面を積極的に論求しようといふ熱情が感じられるのである。今日の文學者としての何等かの糧としようとする意欲、其處に特に注目されるものがあるのである。

「傳記小說について」高木卓氏と「傳記文學と史實」片岡鐵兵氏は、新らしい意見ではないが眞面目にとりあげてゐる。

「新潮」では、見るべき評論はなかつた。此處でも「知識人小說の原型」佐々木基一氏は二葉亭について書かれてゐて、除村氏が作品を通してなら、佐々木氏は人間に就いて書いてゐる。時間がなくて小說まで讀むことが出來なかつたが、文學雜誌も大きな動きは見られないにしても、浮はついたその場限りの時局的な流れから漸く落ちつきをもちはじめてゐるのではないかと思ふ。

文學の三十年と眼中の人

山田克郎

宇野浩二の「文學の三十年」と小島政二郎の「眼中の人」とを讀み、古い作家生活の後を辿つて、非常に興味が深かつた。

「文學の三十年」は宇野浩二らしくもなく惡文のやうに私には思へたし、重複する所が多く、さして面白くなかつた。それにひきかへ「眼中の人」は一應小說的なスタイルをとつてをり、對象の人物も芥川、菊池など私たちには時代も近く、かなり身近かに感じられることが多いので、興味のつきぬものが多かつた、これには藝術に轉々しながら挺身してゆく一人の作家（小島政二郎氏）のことが描かれてゐる。讀むに隨つて現在の我々の眞劍さを遥かに越えた努力であると感嘆されるのであるが、併し讀後感には、さうした激しさよりも、當時の文人の娯しさの方が氣持に殘る。穩やかな時代であつたのだと羨やましさを覺えさせられる方が强い。

讀了して心に殘る比重の重さは、「文學の三十年」の方が重い。これはとりとめもなく當時を、懷古したものであり、「眼中の人」は一個の藝術家の業苦を描きながら、しかも「文學の三十年」に比べて水に浮いたやうな輕さを覺えしめるのは何故であらうか?。私はやはりその人柄から發せられるものではなからうからと思惟される。「文學の三十年」は眞實にたゞひたむきに文學に精進した藝術家だ、過去をふりかへつて衒ひも奇を装ふこともなく書きつゞつたものであり、「眼の中人」は過去を語りながら一面小説ふうな形をとつてゐる爲、作者の主觀をことさら紛飾する所があるのではなからうか?さもなければ、あれ丈强烈に文學、文學と念じてゐる作者の氣魄が、もつともつと讀者に訴へてこない筈がないと思ふ。それが「眼中の人」の構成上の失敗でもあり、宇野浩二氏と小島政二郎氏のお人柄の相違でもあらうと思はれる。

一方は文學の爲に狂人になる男であり、一方は調子にのつて一時惰落の文學に走つた人であり（これは眼中の人の中に後悔してゐる）さうした一貫した氣構への在りやうが、かうした文學生活を懷古するといふ似た形式のものを書いても、鏡に映すやうに現はれてくるのではなからうが。

我々若い作家にとつては、さうした意味からもこの二書は興味ぶかいものであつた。

『八雲』第二輯を讀んで

土屋光司

『八雲』第一輯は昨年出た。この時代に、日本の文學を正しく雄々しく育てようといふ企畫が、各方面に大きな期待を抱かしめたが、いざ出て見ると、いささか失望させられたといふのが實狀だつたやうである。

ところで、今度の第二輯であるが、この期待外れが、更に倍加されたことは、日本の文學のために甚だ殘念なことであると思ふ。戰ふ日本は、飛躍する日本である。しかるに、ここから感じられるものは、日本の文學が、ある一點をいつまでも堂々めぐりをしてゐるといふ感じだからである。

この第二輯には、次ぎの九篇が收められてゐる。

オロンガポの一日　火野葦平
白壁の家　長與善郎
今年の初夏　正宗白鳥
活字と船　徳永直
落穗　川崎長太郎
□子への手紙　中勘助
歸去來　太宰治
祇神之燈　石塚友二
波しぶき（戲曲）　久保田万太郎

以上を讀んで、第一に感じたことは、このうちの四篇までが、申合はせたやうに、作家である「私」が、故郷へ歸つた話を書いてゐることである。いや、これは話ではなくて、克明に書いた日記のやうなものである。しかも、それは作者の住む都會と田舍とを、じつと見つめたあとの、深い思索から生れたものではない。日本の小説の讀者は、長い間かういふ「小説」を讀ませられてきた。私はかういふ形式のものは、既に十數年も前に完成してゐるのではないかと思ふのである。今ここで見るものは、それらからどれだけ前進してゐるのかといひたいのである。

たとへば、このなかの一篇に、作者が少年時代の田舍に現金が乏しかつたことを追想した上で、「……それはもはや二十何年前の遠い記憶となつた。しかし、百姓に現金が常に潤澤に廻るやうなことは現在なほ到底あり得ない證據に、途上目にした村童の身に纒まつた着物の多くは色彩を辨じ難い木綿の年古りたものであつた。つまり新しいものを入れる餘裕がなかつたのである」といふ一節がある。作家たるものが、こんな物の見方をするのは恥辱ではないだらうか。

日本の文壇には、今までは少くとも二通りの文學があつたと思ふ。それを誰が呼び始めたのか、純文學と大衆文學といふことになつてゐた。前者は、多くの場合、主人公が私であり、その私は小説家で、その身邊の出來事を長々と述べ、後者は知らない世界へ飛込み、面白さを探す。前者に素材の狹さがあれば、後者には、素材に壓倒されて、文學にまで昇華してゐない缺點があつたと思ふ。

大正時代の話であるが、文壇の一部には、「勉強なんかする奴　馬鹿さ」と放言する一團があつたさうである。もちろん、現在ではそんな放言は聞かれないが、しかし、小説は勉強からは生れないといつたやうな考へ方が案外あるのではないかといふ氣がする。芥川氏の「侏儒の言葉」のなかに、「君は勤め人の生活だけしか書けないね」「誰かなんでも書けたといふ作家があつたかね」といふやうな言葉があつたと思ふが、かういふ諦觀が、今までは可成り多くの作家にあつたのではないかと思ふ。ところが、この『八雲』第二輯を讀んで、それが今尙強い根を張つてゐることを感じさせられたのである。

この境地を低回してゐる限り、日本の文學は一歩も前進できないことはいふまでもない。同時に、特に最近、反動的な一現象とも見られる素材の偏重からも、眞に日本國民を動かし得る文學は生れない。

文學二元論を肯定しない限り、今後の文學が如何なるものでなければならないかは、自ら明らかである。我々が今まで叫んできたのも、つまりはそのためだつたのだ。

私はこの第二輯の作品名と作者名とを並べたが、最初から個々の作品を擧げて、それぞれの讀後感を述べるつもりはなかつたのである。個々の作品からは、敎へられるところが多かつたし、また今後への示唆となるものもあつたと思ふのだが、全體の印象だけに止めた非禮は許して頂きたいと思ふ。

編輯後記

◇日本の文學は、たゞ國民文學ひとすぢ——これを便宜上、現代文學と歴史文學に二分することはあつても、それ以外に、純文學、大衆文學、何々文學の、區別なり肩書を許さないといふのが、われわれの豫てからの立て前である。近時いはゆる歴史文學、歴史小説の躍進の機運は、いろいろの理由からして目ざましいものがあり、この機に臨み、正しいその意義を見つめて、今後の方向を誤まらしめない用意は不可缺のものである。本號村雨君の長論はその意味に於て必讀のものであらう。

◇海音寺君の「マライの支那人」は新裝なつて鶴書房から近刊されるので、殘念ながら前號までで打切ることにした。

◇大東亞戰爭も愈々第三年目に入つた。文筆の志士の任務は彌々重大である。

（一一・二四記）

第五巻第九號・目次

文學建設 十一月號
（定價三十錢 送料壹錢）
昭和十五年五月六日第三種郵便物認可
昭和十八年十月二十五日印刷納本
昭和十八年十一月一日發行 （毎月一回一日發行）
東京都小石川區白山御殿町一一四
編輯兼發行人 岡戸武平
東京都赤坂區青山南町二丁目一六番地
印刷人（東京一八）岩本米次郎
東京都赤坂區青山南町二丁目一六番地
印刷所 愛光堂印刷社
日本出版文化協會會員（會員番號一二八五二五）
事務分室 東京都神田神保町一ノ二二 聖紀書房内
東京都麹町區平河町二ノ一
發行所 文學建設社
電話九段(33)三四一〇
振替東京一五六五九八
東京都神田區神保町一ノ二二
發賣所 聖紀書房
電話神田(25)二〇六八
振替東京一二五八八
東京都神田區淡路町二丁目九番地
配給元 日本出版配給株式會社